Economía y gestión bancaria

ALTINA DE FÁTIMA SEBASTIÁN GONZÁLEZ

PROFESORA DE ECONOMÍA FINANCIERA Y CONTABILIDAD
DE LA UNIVERSIDAD COMPLUTENSE DE MADRID

JOAQUÍN LÓPEZ PASCUAL

PROFESOR TITULAR DE ECONOMÍA FINANCIERA Y CONTABILIDAD
DE LA UNIVERSIDAD REY JUAN CARLOS DE MADRID

Economía y gestión
bancaria

EDICIONES PIRÁMIDE

COLECCIÓN «ECONOMÍA Y EMPRESA»

Director:
Miguel Santesmases Mestre
Catedrático de la Universidad de Alcalá

Diseño de cubierta: Anaí Miguel

© Altina de Fátima Sebastián González
    Joaquín López Pascual
© Ediciones Pirámide (Grupo Anaya, S. A.), 2015
Juan Ignacio Luca de Tena, 15. 28027 Madrid
Teléfono: 91 393 89 89
www.edicionespiramide.es
Depósito legal: M. 28.328-2014
ISBN: 978-84-368-2982-2
Printed in Spain

Índice

Índice

5. Las operaciones de activo 123

6. Las operaciones de pasivo 143

Prólogo

Desde que el libro, *Gestión Bancaria: los nuevos retos en un entorno global* viera la luz en su primera edición y fuera presentado en el Salón de Actos de la Bolsa de Madrid, en noviembre de 1997, muchos cambios han ocurrido en la economía y en los sistemas financieros nacionales e internacionales. Ya en la segunda edición de *Gestión Bancaria: los nuevos retos en un entorno global* del año 2002, apuntábamos algunos factores como responsables de las profundas alteraciones que estaban afectando a un entorno cada vez más competitivo, dando lugar a una nueva forma de hacer banca y a la tercera edición de *Gestión Bancaria* del año 2008.

Los manuales anteriores han sido un importante elemento didáctico para profesores y estudiantes de la asignatura de Gestión Bancaria y de otras afines en la licenciatura del plan antiguo. Además, a lo largo de los últimos 17 años, los libros han sido recomendados y utilizados como bibliografía básica en distintos programas: posgrados, másteres y cursos de formación destinados a profesionales tanto en España como en Latinoamérica. Su amplia aceptación lo ha convertido en una obra de consulta y apoyo en escuelas de negocio y universidades corporativas.

Es indudable que la crisis financiera de 2007 ha provocado, no sólo en los sistemas financieros, sino en la economía y en la propia sociedad en general, un punto de inflexión con importantes consecuencias en términos de rentabilidad, empleo, creación de valor y concesión de crédito para financiar el sector real.

Este manual pretende ser un elemento de referencia bibliográfica obligatorio para cualquier estudiante que quiera trabajar en el sector bancario. Tal como en las obras anteriores, los autores han procurado dar una visión pragmática del negocio bancario y de su gestión. A lo largo de los capítulos, la abundante información cuantitativa, reflejada en figuras y tablas, constituye un elemento diferencial, permitiendo al lector analizar tendencias que pueden ser decisivas para la toma de decisiones operativas, tácticas y estratégicas.

La huella que esta crisis dejará en la Economía y en la sociedad en general está todavía por valorar y será necesario contar con una perspectiva histórica para estudiarla en toda su intensidad y objetividad.

Sin embargo, los estudios sobre banca están aportando elementos de reflexión que pueden ayudar a analizar, prevenir y abordar con más eficacia situaciones similares que puedan producirse en un futuro. En esa línea de investigación sobre banca queremos enmarcar nuestra aportación y visión del sector.

Estrictamente, la obra se compone de tres ejes principales: el primero, destinado al papel del sistema bancario en la economía de un país, su marco de actuación y funcionamiento, los efectos y repercusiones de la reciente crisis y los modelos de negocio bancario; el segundo, dedicado a la gestión del negocio tradicional de banca minorista, que recuperó su estatus, especialmente después de la crisis que ha supuesto un duro golpe para la banca de negocios o *merchant bank,* y, finalmente, el tercero, en el que se aborda el análisis de los estados financieros y de sus principales indicadores como elementos claves de la gestión orientada hacia la creación de valor para los *stakeholders.*

El presente manual, que consta de doce capítulos, se estructura sobre esos tres ejes principales mencionados, que se corresponden con las grandes aéreas temáticas desarrolladas en el libro.

La primera abarca los cuatro primeros capítulos y destaca la importancia capital del *sistema bancario en la economía de un país.* En un momento histórico en el que se cuestiona y discute la propia naturaleza y papel de la banca, es importante destacar su contribución para el crecimiento económico y su función de intermediación financiera. *El sistema financiero como marco de funcionamiento para el sistema bancario* describe el papel que desarrollan las instituciones, los activos y los mercados como canalizadores del ahorro hacia la inversión. La propia *crisis del 2007, su origen, evolución y repercusiones* es analizada de forma global y pormenorizada, destacando sus posibles causas, fases evolutivas, mutaciones, e implicaciones nacionales e internacionales, si bien su proximidad en el tiempo supone, en opinión de los autores, que será necesaria una mayor perspectiva histórica para lograr una opinión más consensuada sobre sus múltiples dimensiones y alcances. Finalmente, el último capítulo de esta primera parte se centra en el *negocio bancario: ¿hacia un nuevo modelo?,* donde tras repasar las distintas fases de la actividad bancaria se exponen los diversos modelos de banca y los desafíos y retos a que se enfrenta actualmente el sector bancario.

La segunda parte engloba el negocio bancario tradicional y algunos productos y formas de negocio de gran expansión en las últimas décadas. Así, tras analizar detenidamente las operaciones tradicionales, *operaciones de activo* y *operaciones de pasivo,* que constituyen la espina dorsal del negocio minorista, pasamos a ocuparnos de los inversores institucionales: los *fondos de inversión,* cuyo rápido desarrollo y expansión los ha convertido en uno de los productos más populares del sistema financiero. Finalmente, nos referimos a los *productos derivados,* cuyo uso se ha extendido y generalizado desde mediados de la década de los setenta y que presentan un enorme potencial de utilidades y beneficios, pero también de riesgos.

La tercera parte consta de cuatro capítulos donde se aborda el sector bancario desde el *análisis de los estados financieros,* como elemento clave para comprender la gestión y funcionamiento de la industria bancaria, permitiéndonos conocer sus aspectos más relevantes, hasta sus *principales ratios y medidas de performance,* indicadores imprescindibles para posicionar el sector dentro del actual contexto financiero.

Los dos últimos capítulos se destinan a uno de los elementos claves de la gestión bancaria: la *gestión del riesgo en banca,* aspecto inherente al ejercicio de la propia actividad bancaria y que supone la utilización de *indicadores y modelos de medición del riesgo bancario,* que siempre son necesarios pero, en un momento como el actual, de márgenes estrechos, son imprescindibles porque pueden suponer la diferencia entre obtener un beneficio o una pérdida.

Conscientes de la dificultad que puede entrañar el estudio de la materia, hemos intentado, en línea con nuestras anteriores publicaciones, combinar el rigor técnico con la claridad necesaria que permita una mejor comprensión de los contenidos de la obra.

No querríamos terminar esta presentación sin recordar a todos los organismos, instituciones, medios de comunicación y universidades de las que hemos recibido todo el apoyo y ayuda para la elaboración de los distintos capítulos que conforman este libro y a los que queremos rendir tributo públicamente. Para ellos nuestro reconocimiento y afecto.

Los autores queremos, igualmente, expresar nuestra gratitud por todas las facilidades concedidas y por su decidida confianza en nosotros, en el largo proceso de elaboración del presente libro, a Ediciones Pirámide, y muy especialmente a nuestra editora Inmaculada Jorge, que ha coadyuvado al buen fin del proyecto.

En definitiva, estamos seguros de que esta edición de *Economía y gestión bancaria* mantendrá la misma buena acogida e impacto que tuvieron las obras precedentes y que nos han animado de forma decisiva para la realización de este libro.

1

El sistema bancario como parte de la economía de un país

1.1. INTRODUCCIÓN

El sistema bancario es una pieza fundamental del entramado económico de un país y, consecuentemente, de su propia economía.

Toda economía dispone de cuatro elementos o factores de producción:

1. Los recursos naturales (mares, ríos, bosques, aire...).
2. Los recursos humanos (oferta de trabajo, educación...).
3. La formación de capital (maquinaria, carreteras, edificios...).
4. La tecnología (ingeniería, dirección de empresas...).

Estos factores de producción se relacionan conforme a diferentes técnicas de producción, generando una corriente de bienes y servicios finales cuyo valor total de mercado recibe el nombre de Producto Interior Bruto (PIB). Su cuantificación en unidades monetarias constituye un indicador de la actividad económica o riqueza de un país.

A partir del comportamiento del PIB podemos saber si la economía está contrayéndose o expandiéndose y si existe una grave amenaza de recesión o de inflación. A su vez, el PIB per cápita es el indicador utilizado por los economistas para evaluar el grado de desarrollo de un país.

De los bienes y servicios producidos en un país, una parte se destina a satisfacer las necesidades corrientes y el resto constituye el ahorro que servirá para financiar las diferentes inversiones esenciales para el crecimiento económico (figura 1.1).

A su vez, en una economía hay, por un lado, unidades económicas que ahorran más que consumen (unidades excedentarias de fondos), y, por otro lado, unidades económicas cuyas necesidades de inversión superan su capacidad de ahorro (unidades deficitarias de fondos).

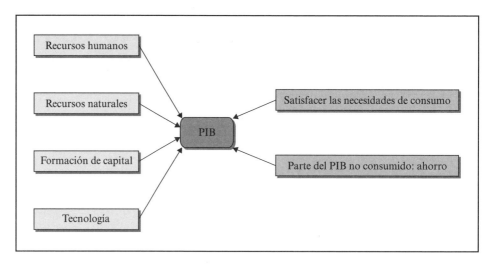

FUENTE: elaboración propia.

Figura 1.1. Formación y aplicación del PIB.

Cuanto mayor sea el volumen de recursos ahorrado y canalizado hacia la inversión productiva más eficiente será el sistema financiero y mayor el potencial de crecimiento de la economía. En este sistema tendrán un papel muy importante los intermediarios financieros, cuya función principal será fomentar el trasvase del ahorro hacia la inversión, teniendo en cuenta las distintas motivaciones y necesidades financieras de ahorradores e inversores.

En la práctica, generalmente, no sólo los ahorradores y los inversores no coinciden, sino que los deseos de los primeros no se ajustan a las necesidades de los segundos. Por eso, para rentabilizar los excedentes y poder invertir es primordial el papel del sistema financiero, que comprende los mercados, los instrumentos o activos financieros y los intermediarios o instituciones, entre los que se encuentran los bancos.

Los activos son títulos emitidos por las unidades deficitarias de fondos que constituyen un activo para quien los posee y un pasivo para quien los emite. En la parte inferior de la figura 1.2, el activo es canalizado directamente de las unidades deficitarias de fondos hacia las excedentarias de fondos a través de los mercados financieros (financiación directa).

En la parte superior de la misma figura, el proceso es distinto porque el intermediario financiero es el que emite un activo (indirecto o secundario) que es aceptado por los ahorradores y, posteriormente, prestado por el intermediario a potenciales inversores. Esta función de intermediación supone una transformación de plazos y volúmenes.

Dentro de estos intermediarios los bancos desempeñarán un papel fundamental en el sistema financiero y, por tanto, en la economía de un país.

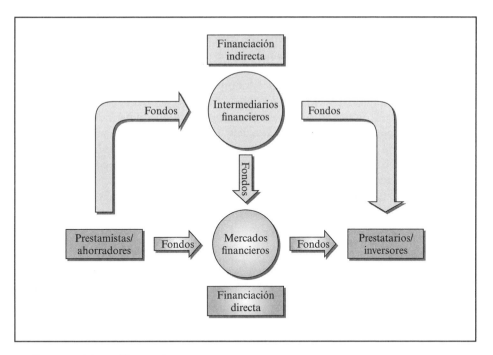

FUENTE: elaboración propia.

Figura 1.2.   El papel del sistema financiero en la economía.

1.2.   LOS PRINCIPALES INDICADORES ECONÓMICOS

La economía estudia la forma en que la sociedad gestiona y asigna los recursos, que no son ilimitados, sino escasos, utilizando para ello una serie de indicadores, tales como: el Producto Interior Bruto (PIB), el Producto Nacional Bruto (PNB), la tasa de desempleo, la inflación, el déficit público y la balanza de pagos.

Estos datos son fundamentales para elegir las políticas económicas capaces de resolver los problemas económicos. De igual modo, son indispensables para analizar el contexto de actuación de cualquier empresa, y consecuentemente de un banco, y para estimar su evolución futura.

En España, el Instituto Nacional de Estadística (INE) se encarga de la elaboración y publicación de los indicadores macroeconómicos, con la excepción de la balanza de pagos, elaborada por el Banco de España. En la Unión Europea es Eurostat el organismo que agrega y presenta estos datos.

Al analizar cualquier dato económico es muy importante tener en cuenta que el dato en sí mismo es de escasa utilidad, a no ser que lo comparemos con el mismo dato de un período anterior o de otra zona geográfica. Es decir, la afirmación «El PIB en

España, en el primer trimestre de 2013, alcanzó 260.501 millones de euros» es de dudosa utilidad. Sin embargo, sería muy relevante conocer, adicionalmente, que la evolución del PIB interanual en nuestro país fue de −1,4%, es decir, la producción, y por tanto la actividad, se contrajo un 1,4% respecto al mismo período del año anterior. Además, es importante la comparación con los países del entorno (Eurozona) para identificar si el comportamiento del PIB tiene una explicación coyuntural o estructural. Siguiendo con nuestro ejemplo, durante ese período, el crecimiento del PIB en los países de la Eurozona fue de 0,4%.

Así, todos los indicadores macroeconómicos que analicemos son útiles en la medida en que puedan ser comparados (temporal o geográficamente). Para ello, en general, preferiremos datos en términos porcentuales y no en términos absolutos. Al interpretar datos macroeconómicos debemos también tener en cuenta:

— Qué mide la magnitud analizada (PIB, PNB...).
— Qué período se ha elegido como año base.
— Si se trata de una magnitud real o nominal, es decir, en términos constantes o corrientes, respectivamente.
— Qué período se está utilizando para comparar su evolución: mes contra mes, trimestre a trimestre, año a año, etc. Se suele utilizar la terminología anglosajona, es decir: MoM, QoQ y YoY. En el ejemplo anterior hemos realizado una comparación interanual —PIB'13 *versus* PIB'12—, por lo que la evolución fue de −1,4% YoY.

1.2.1. El Producto Interior Bruto (PIB)

Éste es uno de los indicadores más frecuentemente utilizados puesto que nos permite conocer el valor total de mercado de los bienes y servicios finales generados por una economía durante una unidad de tiempo (un año o un trimestre).

El PIB del año t corresponde a la suma de todos los bienes y servicios producidos (en su respectiva unidad de medida) multiplicada por su precio de venta, es decir:

$$PIB(t) = \sum [P(t) \cdot Q(t)]$$

siendo $P(t)$ el precio de los bienes y servicios en el año t y $Q(t)$ las cantidades producidas en el año t.

Este indicador es útil para conocer la producción total de un país en un período de tiempo, así como su variación porcentual frente a períodos anteriores o en relación a otros países. De este modo, es posible evaluar si un país o zona geográfica está en crecimiento, estancamiento o recesión (figura 1.3).

La identificación de la fase o ciclo económico en que nos encontramos es de vital importancia para los empresarios, puesto que deben ajustar la cantidad de producto

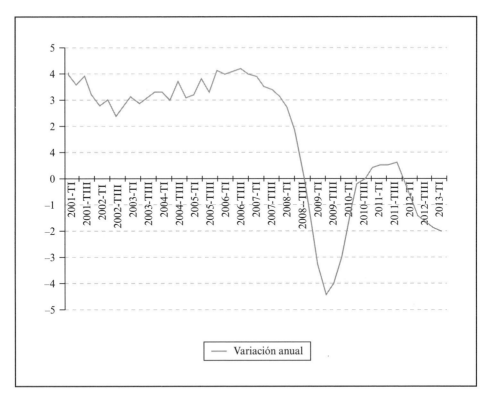

FUENTE: Instituto Nacional de Estadística.

Figura 1.3. Evolución del PIB español.

que lanzan al mercado a la demanda potencial de dicho producto. Si nos encontramos en una fase recesiva, la demanda será baja, y viceversa.

El crecimiento del PIB es el primer objetivo de las políticas macroeconómicas, puesto que si crece la actividad, es decir, la producción, crece también el empleo. Como es bien sabido, la creación de empleo estable supone también uno de los principales objetivos macroeconómicos.

Las empresas en general, y los bancos en concreto, crecerán más en resultados si operan en zonas donde crece el PIB, es decir, la actividad económica.

Como hemos señalado anteriormente, un buen análisis de los indicadores macroeconómicos requiere compararlos temporalmente o geográficamente. En el primer caso, si comparamos el PIB del período (t) con el PIB del período ($t - 1$), y observamos un crecimiento, puede ser debido a que:

a) En (t) se han producido más bienes y servicios que en ($t - 1$); luego se ha registrado verdadero crecimiento económico.

b) La producción no ha variado, pero los precios han subido generalizadamente en el período (t), es decir, ha habido inflación.

Al comparar temporalmente el PIB de dos períodos podemos llegar erróneamente a la conclusión de que ha habido crecimiento económico; sin embargo, lo que ha ocurrido es que los precios se han elevado y, por tanto, «desvirtúan» el resultado, es decir, en este caso no estamos comparando magnitudes homogéneas.

Para que la comparación de un mismo indicador entre dos períodos sea relevante es necesario que las magnitudes sean homogéneas. Para ello distinguiremos entre PIB nominal, o a precios corrientes, y PIB real, o a precios constantes, que mide el valor de la producción sin incluir las diferencias debidas a la variación de los precios. En el primer caso, tomaremos los precios del año en que se producen los bienes y servicios, es decir, el año de cálculo del indicador. En el segundo caso, tomaremos los mismos precios para cada uno de los años en que calculemos el indicador, es decir, elegiremos un año base.

Por tanto, el PIB nominal será el que se ha presentado anteriormente, empleando para cada período de cálculo los precios de dicho período, esto es:

$$\text{PIB nominal } (t) = \sum [P(t) \cdot Q(t)]$$

Y el PIB real será similar al anterior, pero a cada período de cálculo se le aplicarán siempre los mismos precios, esto es, aquellos que se registraron en el año base (año 0):

$$\text{PIB real } (t) = \sum [P(0) \cdot Q(t)]$$

siendo:

$P(0)$: precio de los bienes y servicios en el año base (año 0).
$Q(t)$: cantidades producidas en el año t.

Por tanto, las variaciones del PIB nominal entre dos períodos son de difícil interpretación puesto que obedecen a variaciones en producción y en precios. Sin embargo, las variaciones del PIB real se deben sólo a cambios en las cantidades producidas, ya que no están afectadas por el efecto precios. Esto significa que el PIB real (y cualquier otra magnitud macroeconómica real) permite homogeneizar los datos objeto de estudio y, por tanto, compararlos.

Adicionalmente, es fácil deducir que la diferencia entre el PIB nominal y el real del mismo período son precisamente los precios —puesto que el primero toma precios del año objeto de estudio (t), y el segundo los toma del año base (0).

Por tanto, el cociente entre ambos indicadores es una medida del nivel general de precios, denominada deflactor del PIB, expresada en porcentaje:

$$\text{Deflactor del PIB} = [\text{PIB nominal } (t)/\text{PIB real } (t)] \cdot 100$$

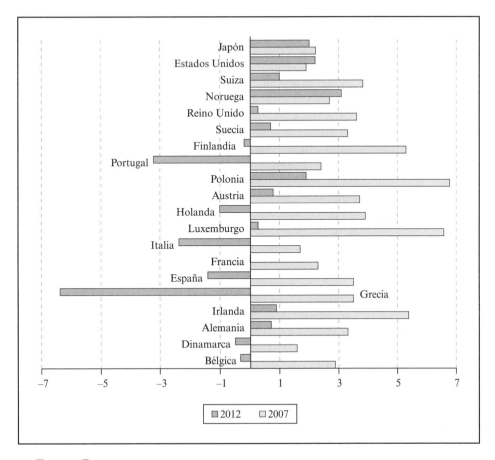

FUENTE: Eurostat.

Figura 1.4. Tasa de crecimiento anual del PIB real en porcentaje con respecto al año anterior (2007-2012).

Volveremos a esta identidad en el apartado correspondiente a la inflación.

Hasta ahora, hemos aprendido a medir el PIB en términos absolutos, es decir, en millones de euros, en términos reales o nominales. Sin embargo, generalmente, nos será más útil calcular esta magnitud en términos relativos o porcentuales, para poder realizar una comparación —temporal o geográfica— de dicho indicador y analizar así su evolución.

Pues bien, la tasa de crecimiento del PIB (figura 1.4) será la variación porcentual del PIB real, constante, durante un período; en este caso entre el año t y el año $t - 1$:

$$\text{Tasa de crecimiento del PIB real } (t, t - 1) =$$
$$= [(\text{PIB real } (t) - \text{PIB real } (t - 1))/\text{PIB real } (t - 1)] \cdot 100$$

Si el resultado es inferior a 2% o negativo durante dos trimestres consecutivos, hablaremos de recesión o crisis económica. En caso contrario, hablaremos de crecimiento económico o fase de bonanza, o bien fase alcista de la economía.

En el caso del sector bancario, que es el que nos ocupa, la pronta identificación o estimación del próximo ciclo económico es de vital importancia, puesto que en las fases de crisis y recesión el desempleo se acentúa enormemente y con ello la morosidad.

En efecto, existe una fuerte correlación entre la morosidad y el aumento del desempleo, cercana al 90%, así como con la caída de la actividad económica en general y del consumo en particular. Por ello, si los bancos prevén un empeoramiento del ciclo, endurecerán las condiciones para acceder a financiación bancaria y reducirán el volumen de financiación a otorgar.

Por otra parte, también es muy relevante conocer la distribución del PIB, es decir, cuánto corresponde a cada habitante si su reparto fuera a partes iguales (figura 1.5). Para ello calcularemos el PIB per cápita de acuerdo con la siguiente fórmula:

$$\text{PIB per cápita} = \text{PIB/n.º habitantes}$$

En España, el PIB per cápita en 2011 fue de 98 tomando como base 100 el PIB per cápita de los 27 países de la Unión Europea. A lo largo del período analizado (1995-2011) constatamos una evolución positiva hasta 2008, pero desde entonces se inició un deterioro del que todavía no nos hemos recuperado.

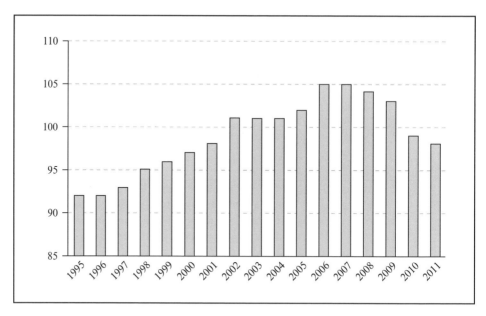

FUENTE: Eurostat.

Figura 1.5. PIB per cápita para España comparado con el de EU27 (1995-2011).

La comparación internacional tampoco nos deja en una buena posición porque estamos en cuarto lugar empezando por la cola (figura 1.6). Por detrás de España están Grecia, Portugal y Polonia.

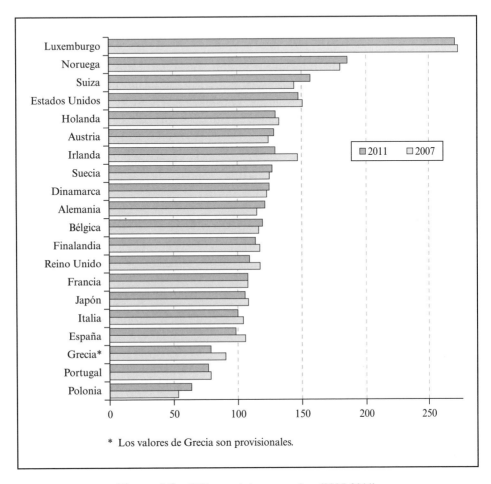

Figura 1.6. PIB per cápita por países (2007-2011).

1.2.2. El Producto Nacional Bruto (PNB)

El PNB es también una forma de medir la actividad económica de un país o zona.

PNB = PIB + Renta obtenida por las empresas nacionales en el extranjero –
– Renta obtenida por las empresas extranjeras dentro del país

Por consiguiente, la principal diferencia entre el PIB y el PNB es que:

— El PIB incluye la producción en territorio nacional aunque el titular de la misma sea extranjero. Es decir, incluye todo lo producido en el interior, independientemente de la nacionalidad de la empresa o del empresario.

mientras:

— El PNB incluye la producción en territorio extranjero cuyo titular sea nacional, es decir, computa todo lo producido por los nacionales, independientemente del lugar de fabricación o prestación del servicio.

Al igual que el PIB, el PNB se puede calcular en términos nominales y reales, y, por tanto, podremos deducir el deflactor del PNB de la misma forma que hicimos para el PIB. Análogamente, y con la misma dinámica, podemos calcular la tasa de variación del PNB y el PNB per cápita.

1.2.3. Otras medidas de crecimiento económico y bienestar

Tradicionalmente, el PIB se ha utilizado como medida del bienestar de una sociedad, pero hoy en día los expertos opinan que deberíamos tener en cuenta otras variables, tales como la tasa de paro o desempleo, la inflación, la contaminación y la distribución de la renta y mejoras sociales y medioambientales, entre otras. En este sentido, desde el año 2007, diferentes organismos internacionales (Comisión Europea y OCDE, entre otros) han propuesto reducir la importancia de la producción como medida del desarrollo económico para incluir otros indicadores de bienestar, como son las mejoras sociales (educación y sanidad) y medioambientales (calidad del aire, protección de los recursos naturales...).

1.2.4. El desempleo o tasa de paro

Probablemente, si se realizara una encuesta entre los ciudadanos preguntándoles cuál es una de sus mayores preocupaciones, sin lugar a dudas, el desempleo ocuparía uno de los primeros lugares. La existencia de una alta tasa de paro afecta al crecimiento económico y puede tener un impacto en el déficit público dado que provoca un incremento en los gastos sociales.

Siguiendo la clasificación de la figura 1.7, se pueden calcular dos indicadores básicos relativos al nivel de empleo de un país:

$$\text{Tasa de actividad} = [\text{Población activa/Población en edad de trabajar}] \cdot 100$$

$$\text{Tasa de desempleo} = [\text{Desempleados/Población activa}] \cdot 100$$

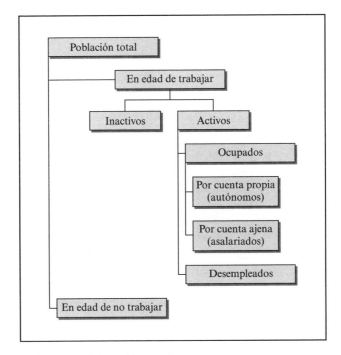

Figura 1.7. Clasificación de los tipos de población.

Existen dos formas discrepantes de medir el desempleo:

a) *Desempleo registrado.* A través de las oficinas del Instituto Nacional de Empleo (INEM), se conoce el registro de los desempleados, puesto que la afiliación es requisito imprescindible para percibir la prestación por desempleo. Sin embargo, no todos los que buscan trabajo activamente están registrados (por ejemplo, el recién licenciado buscando su primer empleo). Por tanto, dicho registro no incluye a todas las personas que buscan empleo activamente.

b) *Desempleo estimado.* Por otro lado, la Encuesta de Población Activa (EPA) del Instituto Nacional de Estadística (INE), publicada trimestralmente, es otra de las fuentes utilizadas para medir el desempleo. En este caso, lo que se obtiene es el número de personas que entre 16 y 65 años están buscando activamente empleo. La encuesta se lleva a cabo sobre familias elegidas al azar, consultando a todos sus miembros entre 16 y 65 años. Considera desempleadas a las personas dentro de esa franja de edad que han buscado empleo activamente. Según esta encuesta, el desempleo en España en el segundo trimestre de 2014 fue del 24,47% (fuente: INE, 1Q2010).

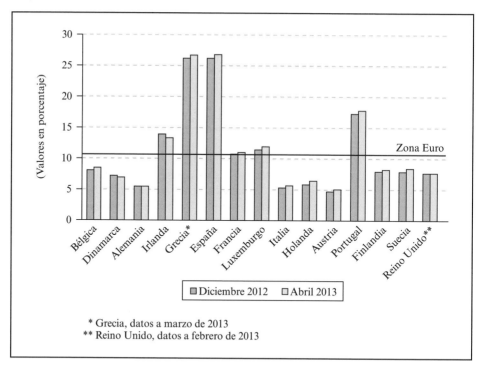

FUENTE: Eurostat.

Figura 1.8. Tasa de paro de los países de la Zona Euro.

Es imposible llegar a una situación de pleno empleo, esto es, a una tasa de desempleo del 0%. Una explicación es la naturaleza y duración de los distintos tipos de desempleo:

1. *Desempleo friccional,* es el derivado del tiempo que se tarda en encontrar trabajo. Este tipo de desempleo es de corta duración.
2. *Desempleo cíclico,* es mucho más persistente y está relacionado con la fase que atraviese la actividad económica, es decir, se relaciona con el ciclo.
3. *Desempleo estructural,* también de larga duración, es aquel que existe en una economía con independencia del ciclo económico en que se encuentre. El nivel de desempleo estructural varía de un país a otro, y dependerá de las características del mercado de trabajo y de la cualificación del capital humano. A mayor flexibilidad laboral y formación, menor tasa de desempleo estructural.

En este sentido, la Ley de Okun mide la correlación entre desempleo y crecimiento económico (PIB), que será diferente de un país a otro. Por ejemplo, se estima que el PIB en España debe crecer a ritmos del 2,5 % para que se empiece a crear empleo. Según esta ley, se comprueba que los países que necesitan crecer más para mantener una tasa de desempleo aceptablemente baja, son aquellos con menor flexibilidad laboral y legislaciones más rígidas. Es por ello que una de las reformas más relevantes en España, y que más puede contribuir a mejorar el mercado de trabajo y reducir la tasa de desempleo, es la reforma del mercado de trabajo.

Respecto a la importancia del nivel de cualificación (experiencia y formación) del capital humano de un país, es necesario destacar que aquellas personas que permanecen desempleadas largos períodos de tiempo debido a una situación de crisis económica pierden cualificación y se hace más difícil su reinserción en el mercado laboral, de ahí que, en algunos casos, estos desempleados cíclicos pasen a ser desempleados estructurales; por tanto, puede suceder que al salir de una crisis la tasa de desempleo estructural sea superior al nivel previo a la crisis. Es el problema de la histéresis o persistencia.

1.2.5. La tasa de inflación

La tasa de inflación mide la variación porcentual en el nivel general de precios. Si los precios han experimentado un aumento, hablaremos de inflación propiamente dicha. Sin embargo, si ha ocurrido lo contrario, es decir, si los precios se han abaratado, diremos que ha habido deflación.

Una elevada tasa de inflación es un problema, puesto que supone una pérdida de poder adquisitivo. Es decir, como consecuencia de la subida generalizada en el nivel de precios, nuestro dinero, nuestro salario y nuestros ahorros comprarán ahora una menor cantidad de bienes. Paradójicamente, una situación deflacionista tampoco es buena para la economía, puesto que acaba destruyendo empleo.

Es por ello que el control de los precios es el objetivo principal de la política monetaria de algunos países. Por ejemplo, el Banco Central Europeo (BCE) persigue la estabilidad de precios, que supone una tasa de inflación armonizada a largo plazo ligeramente inferior al 2 %.

Por su parte, la Reserva Federal, que es el organismo homólogo al BCE, fija el crecimiento económico como objetivo prioritario de la política monetaria.

La evolución de los precios, y posteriormente la inflación, se pueden medir de dos maneras:

1. Vía Índice de Precios al Consumo (IPC).
2. Vía deflactor del PIB.

El IPC es una media ponderada de los precios de una cesta de bienes y servicios que las familias consumen. El factor de ponderación será precisamente el porcentaje de gasto de la familia media en cada uno de dichos bienes o servicios. Al ser un índice, se toma base 100 o valor 100 en un determinado año. Matemáticamente, se utiliza la fórmula del Índice de Laspeyres encadenado. En España, el INE es el encargado de publicar el IPC mensualmente.

El Deflactor del PIB se calcula como hemos visto en el epígrafe 1.2.1, es decir:

$$\text{Deflactor del PIB} = [\text{PIB nominal (t)}/\text{PIB real (t)}] \cdot 100$$

Para obtener la tasa de inflación en un período, por ejemplo, entre los años $(t-1)$ y (t), debemos analizar la evolución de los precios en dicho período, bien vía IPC (*a*), bien vía deflactor del PIB (*b*). Así pues:

$$\text{Inflación } (t) = [(\text{IPC } (t) - \text{IPC } (t-1))/\text{IPC}(t-1)] \cdot 100$$

o bien:

$$\text{Inflación } (t) = [(\text{Deflactor } (t) - \text{Deflactor } (t-1))/\text{Deflactor } (t-1)] \cdot 100$$

El deflactor toma también un año base con valor 100. Si ha habido inflación, los deflactores de los años siguientes tomarán valores por encima de 100, mostrando así la variación de los precios entre el año base y el año de estudio (t).

Como hemos indicado, la inflación se puede medir vía IPC (1) o vía deflactor (2), pero ambos métodos llevarán a resultados diferentes. Esto es así porque el IPC incluye sólo bienes de consumo, mientras que el deflactor incluye todos los bienes computados en el PIB, es decir, todos los bienes finales producidos en una economía. Además, el IPC incluye bienes importados, a diferencia del deflactor que sólo tiene en cuenta los bienes producidos en el interior del país.

Debido a lo anterior, el índice de precios más utilizado para medir la inflación es el IPC, puesto que muestra cuánto han variado los precios de los bienes y servicios que consumen las familias y, por tanto, permite determinar cuánto afecta la evolución de los precios a las familias (figura 1.9). La tasa interanual de inflación en España (medida por IPC) en abril de 2014 fue de 0,4%.

En España, el INE publica también mensualmente la evolución de la inflación subyacente o *underlying inflation*. Este dato recoge la evolución de los precios de un subconjunto de la cesta de bienes y servicios que son menos volátiles (por ejemplo, no incluye la energía ni los alimentos frescos).

Ya sabemos que una inflación elevada no es deseable puesto que supone una merma en el poder adquisitivo de nuestros salarios y ahorros. Sin embargo, lo normal es que año a año se vayan registrando tasas moderadas de inflación. Para afrontar este problema surge la indiciación, que permite ajustar automáticamente la evolución de los precios a las transacciones económicas. Es una cláusula que suele recogerse en determinados contratos, por ejemplo, alquileres, que automáticamente permite elevar cada año el precio en proporción a la inflación.

Sin embargo, la inflación genera otros efectos negativos que son más difíciles de paliar:

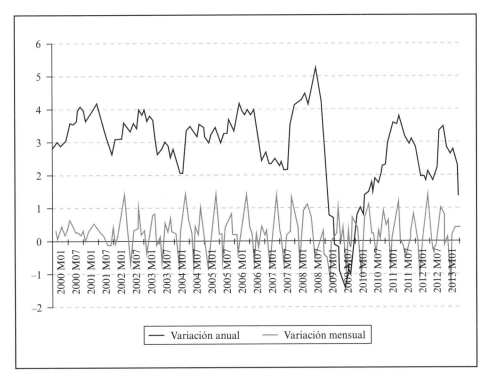

FUENTE: Instituto Nacional de Estadística.

Figura 1.9. Índice de precios al consumo (IPC) (2000-abril 2013).

— Perjudica a los ahorradores, ya que supone un menor valor real del dinero. En este caso la inflación funciona de manera análoga a un impuesto, de ahí que se denomine figuradamente «el impuesto de la inflación».

— Provoca pérdidas de competitividad. En efecto, aquellos países con tasas de inflación más elevadas verán cómo sus productos son menos competitivos en los mercados internacionales, por lo que a la postre experimentarán una caída en el nivel de sus exportaciones.

— Genera incertidumbre sobre la rentabilidad futura de las inversiones, lo que llevará a un menor nivel de inversión productiva y, por tanto, menos producción y empleo.

— Finalmente, perjudica a los acreedores o prestamistas, es decir, al sector bancario. En efecto, si los prestatarios deben devolver una cantidad fija en un período determinado en el que se registra inflación, el valor real de esa cantidad decrece. Para evitar este problema, los bancos, en su faceta de prestamistas, exigirán un tipo de interés nominal que compense la pérdida de poder adquisitivo del dinero que prestan (además del riesgo cliente, etc.).

1.2.6. El déficit público y la deuda pública

En las economías mixtas, como son hoy en día casi todas, la gran mayoría de las decisiones se llevan a cabo por el mecanismo de mercado, pero el Estado asume también decisiones importantes sobre la asignación de los recursos. De esta forma, el Estado obtiene ingresos en forma de impuestos para realizar determinados gastos. Ambas partidas, ingresos y gastos, están recogidas en los Presupuestos Generales del Estado, que realizan una previsión de las mismas para el año siguiente. Sin embargo, una vez transcurrido dicho período económico, puede suceder que:

a) Ingresos = Gastos.
b) Ingresos > Gastos.
c) Ingresos < Gastos.

En *a)* estaríamos en una situación de equilibrio fiscal; en *b)* nos encontraríamos en superávit presupuestario, y en *c)* registraríamos déficit presupuestario o déficit público.

Por tanto, el déficit público es una medida anual que recoge la cuantía, en millones de euros, en la que los gastos públicos exceden a los ingresos (figura 1.10). Como cualquier economía que gaste más de lo que ingresa, debe financiarse pidiendo prestado.

La forma que el Estado tiene de financiarse o pedir prestado es la emisión de deuda pública. Por tanto, la deuda pública emitida será la suma de todos los déficits anuales en los que el Estado ha incurrido. Se trata de títulos de renta fija que garantizan a su tenedor (particular o empresa) la percepción de un interés o cupón, que es un rendimiento explícito, y la devolución del principal al llegar el momento de vencimiento del título. Dichos pagos (cupones y devolución de principal) son una de las partidas más relevantes de los gastos del Estado. Estos títulos de renta fija pueden denominarse Letras del Tesoro, Bonos y Obligaciones del Estado, según cuál sea su vencimiento. En el caso de las Letras del Tesoro, se trata de una forma de financiación para el Estado que no supone un pago de cupón, explícito, sino que tienen un rendimiento implícito, derivado de la diferencia entre el precio de emisión (inferior al valor nominal) y el de amortización o reembolso (valor nominal).

Para analizar la magnitud del déficit y de la deuda pública de un país es aconsejable utilizar medidas relativas o porcentuales, que permiten realizar una mejor comparación que las medidas absolutas. Por tanto, el déficit público en un año determinado (*t*) puede expresarse, como hemos indicado anteriormente, por la diferencia entre los gastos y los ingresos anuales del Estado o por ese mismo valor como porcentaje sobre el PIB:

$$\text{Déficit sobre PIB } (t) = [\text{Déficit público } (t)/\text{PIB } (t)] \cdot 100$$

De la misma forma, la deuda pública puede medirse en términos absolutos, es decir, en millones de euros, que reflejan lo que el Estado ha emitido, o, lo que es lo mis-

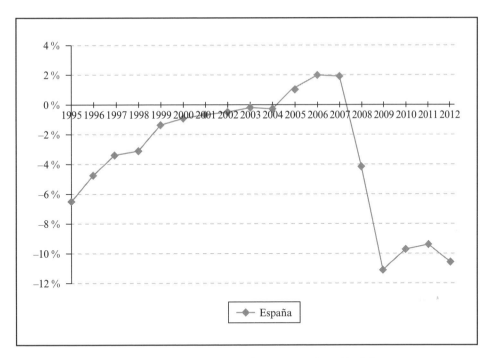

FUENTE: Banco de España, Boletín Estadístico, mayo 2013, tabla 1.6.

Figura 1.10. Evolución del déficit (−)/superávit (+) en España como porcentaje del PIB (1995-2012).

mo, lo que ha pedido prestado. Alternativamente, la deuda puede relacionarse con el PIB en la medida en que indica la producción y por tanto, la capacidad de recaudación que tiene el Estado para devolver dicha deuda en el momento de vencimiento:

$$\text{Deuda sobre PIB} = [\text{Deuda pública total/PIB }(t)] \cdot 100$$

El Tratado de Maastricht fijó una serie de condiciones de acceso a la UEM. Entre ellas, impuso determinados límites en términos de deuda y déficit sobre PIB, a saber: ningún país de la UE puede alcanzar un nivel de déficit público superior al 3 % de su PIB, ni acumular deuda pública por encima del 60 % de su PIB. A día de hoy, muchos países de la UE están fuera del límite establecido, como muestran las figuras 1.11 y 1.13, respectivamente. La razón se debe a la fuerte crisis económica y financiera que atraviesan las economías de la UE desde el año 2008. Por este motivo, la UE ha convenido una moratoria en la aplicación de dichos criterios, que volverán a ser exigibles para todos los países miembros a partir de 2013.

El sector bancario suele tener entre sus activos importantes inversiones en deuda pública puesto que supone, en condiciones normales, una alternativa de inversión de

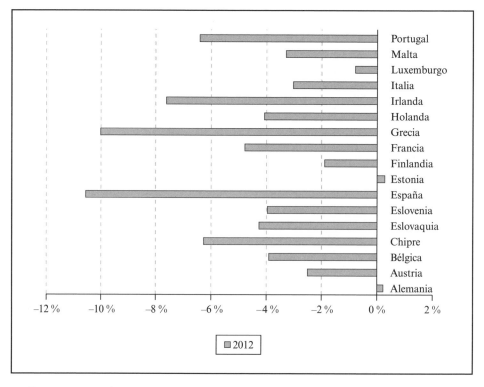

FUENTE: Banco de España, Boletín Estadístico, mayo 2013, tabla 1.6.

Figura 1.11. Déficit (–)/superávit (+) de los países de la Zona Euro como porcentaje del PIB en 2012.

bajo riesgo. Por tanto, cualquier incertidumbre sobre la capacidad de los estados de devolver su deuda a vencimiento genera serias dudas respecto a la solvencia de las entidades de crédito.

1.2.7. La balanza de pagos

La balanza de pagos es el registro contable de todas las transacciones de un país con el resto del mundo en un período determinado. Las transacciones consideradas son las relativas a bienes, servicios y rentas, las relacionadas con activos financieros y pasivos frente al resto del mundo y las que están clasificadas como transferencias (por ejemplo, las condonaciones de deuda).

El estudio de la balanza de pagos es fundamental para analizar el comercio internacional y determinar la posición o importancia de un país en términos de transacciones comerciales.

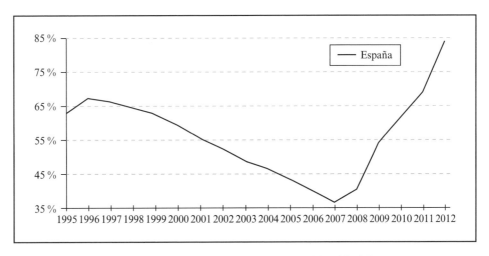

FUENTE: Banco de España, Boletín Estadístico, mayo 2013, tabla 1.7.

Figura 1.12. Evolución de la deuda pública bruta nominal en España como porcentaje del PIB (1995-2012).

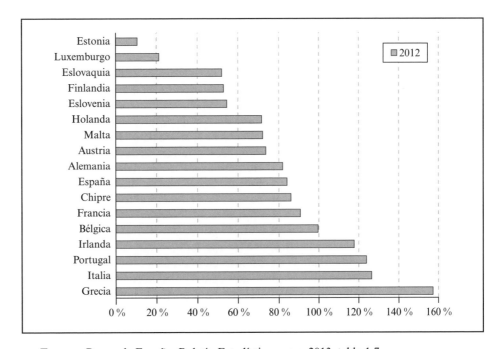

FUENTE: Banco de España, Boletín Estadístico, mayo 2013, tabla 1.7.

Figura 1.13. Deuda pública bruta nominal en los países de la Zona Euro como porcentaje del PIB en 2012.

A diferencia del resto de indicadores, que en nuestro país son elaborados y publicados por el INE, en este caso es el Banco de España el responsable de efectuar la contabilidad en la balanza de pagos.

La balanza de pagos se divide en tres cuentas:

— *Cuenta corriente:* incluye todas las operaciones de bienes y servicios, rentas y transferencias corrientes entre residentes y no residentes.

— *Cuenta de capital:* recoge todas las transferencias de capital y las adquisiciones/cesiones de activos no financieros no producidos entre residentes y no residentes.

— *Cuenta financiera:* incluye todas las operaciones relativas a inversiones directas, inversiones de cartera, otras inversiones, derivados financieros y activos de reserva entre residentes y no residentes.

Estas cuentas a su vez se subdividen en subcuentas.

Debido al principio de doble anotación, el saldo de la balanza de pagos siempre es cero, es decir, la balanza siempre está equilibrada. Sin embargo, las cuentas arrojarán saldo positivo o negativo (superávit o déficit, respectivamente). Es necesario interpretar dichos saldos a efecto de conocer la situación comercial del país.

1.3. LOS SECTORES ECONÓMICOS Y EL FLUJO DE FONDOS

En el epígrafe anterior se han descrito los diferentes indicadores macroeconómicos que nos permiten analizar la situación y salud económica de un país. Entre ellos, hemos visto cómo el PIB permite determinar si un país está creciendo o por el contrario está en recesión. Adicionalmente, el desglose del PIB permite estudiar la evolución de los diferentes sectores económicos o ramas de actividad. En efecto, es importante conocer el crecimiento de la producción de un país (su PIB) y también su composición, es decir, cuánto aporta cada sector a la producción total. Para ello, agruparemos las diferentes actividades económicas en sectores, como muestra la figura 1.14.

Así, podemos conocer que el sector económicamente más relevante en España es el sector servicios, debido a la importancia del turismo, que se incluye precisamente bajo la rúbrica «servicios». Por otro lado, el sector inmobiliario y construcción tuvo gran preponderancia en los años de bonanza económica y a la vez ha sido el que ha sufrido la mayor desaceleración en los años de crisis.

Respecto al sector bancario es importante notar su relevancia en la economía española, y tener en cuenta que ésta es aún mayor de lo que reflejan las estadísticas, debido a las actividades fuera de balance que realizan los bancos y que no se ven contabilizadas en el PIB. Efectivamente, desde la década de 1980 la mayor competencia obligó a los bancos a recurrir a productos de mayor valor añadido, más allá de la clásica intermediación. Contablemente, estas operaciones no corresponden a activos o pasivos del banco, por lo que se denominan «fuera de balance».

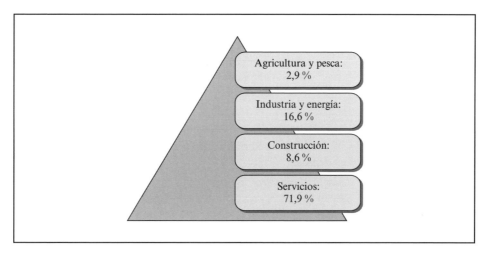

FUENTE: elaboración propia a partir de datos del INE.

Figura 1.14. Desglose del PIB español por ramas de actividad en 2013, primer trimestre.

Precisamente de este tema —la importancia del sector bancario— nos ocuparemos en los siguientes epígrafes de este capítulo.

Como sabemos, el sistema financiero cumple una misión importantísima en toda economía, esto es, canalizar el ahorro hacia la inversión. Vamos a ver en detalle cómo lleva a cabo dicha función:

En todas las economías hay dos tipos de agentes:

1. *Aquellos que ingresan más de lo que gastan.* Son, por tanto, unidades excedentarias, con capacidad de financiación. Generalmente serán los particulares.

2. *Aquellos que gastan más de lo que ingresan.* Los denominaremos unidades deficitarias, con necesidad de financiación o de pedir prestado. Generalmente son empresas que requieren fondos para iniciar o expandir su actividad.

El sistema financiero, gracias al sector bancario, permite que los flujos de las unidades excedentarias (1) pasen a las deficitarias (2) (figura 1.15). Efectivamente, en el ejercicio de su función de intermediación, los bancos: reciben prestado de las unidades excedentarias el ahorro bajo la forma de cuentas corrientes, depósitos, etc., y transforman dichos activos en préstamos y créditos que financian las unidades deficitarias (figura 1.16).

Esta labor es de suma importancia puesto que si no existiera la intermediación bancaria, sería muy difícil que las unidades deficitarias obtuvieran la financiación necesaria para invertir en sus procesos productivos. Sin financiación no hay inversión, ni tampoco hay crecimiento económico ni creación de empleo. Por tanto, la labor de

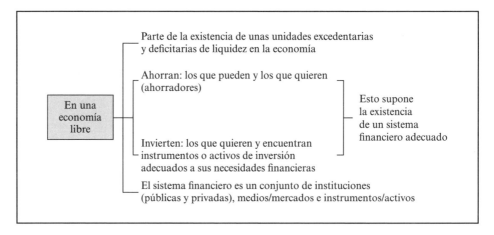

Figura 1.15. El sistema financiero y las unidades deficitarias y excedentarias.

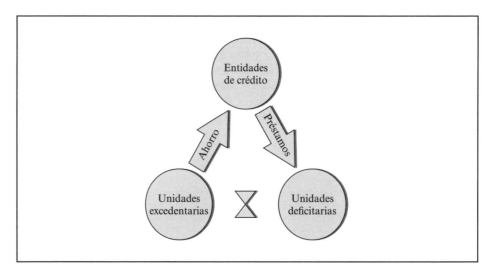

Figura 1.16. La transformación de ahorro en préstamos a la inversión por parte de las entidades de crédito.

intermediación de la banca aquí descrita, que permite canalizar el ahorro hacia la inversión, es condición necesaria para el desarrollo económico de un país. De hecho, aquellos países cuyo sistema bancario se encuentra más desarrollado (esto es, ofrece una mayor adecuación de plazos, precios y productos a las necesidades de *a*) y *b*), registran también mayores tasas de crecimiento económico. Por tanto, hay una fuerte correlación entre el desarrollo del sistema financiero (siendo la banca su principal arteria) y el crecimiento bancario.

En suma, el sistema financiero y su componente fundamental, las entidades de crédito, son clave para llevar a cabo el proceso de intermediación entre el ahorro y la inversión, y, por tanto, fundamental para financiar el desarrollo económico.

1.4. IMPORTANCIA DE LA BANCA EN LA ECONOMÍA

Para determinar la importancia de la banca en la economía no basta con estudiar magnitudes absolutas como el número de entidades de crédito, de oficinas, de empleados, etc., sino que es necesario analizar magnitudes relativas. A título de ejemplo, podemos calcular la proporción de los activos bancarios sobre el PIB, la proporción de los créditos al sector privado frente al PIB, el número de oficinas, el volumen de activos o la población por oficina y el activo por entidad, entre otros.

En relación al número de entidades, asistimos a una significativa reducción impulsada por la crisis financiera. Entre 2008 y 2012 (figura 1.17), el número de entidades de depósitos pasó de 286 a 258. A su vez, en el período poscrisis financiera, el peso de los activos bancarios aumentó con respecto al PIB y por entidad debido a la recesión económica que está afectando a España y al proceso de consolidación que sufrió nuestro sector bancario. Estos dos indicadores evidencian la importancia y peso de la banca en la economía. En el mismo período, el número de oficinas sufrió una reducción todavía mayor que el número de entidades y, consecuentemente, el activo y el número de habitantes por oficina registraban un aumento (tabla 1.1).

TABLA 1.1

Evolución del sector financiero en España

Indicadores bancarios	2007	2012
Activos bancarios/PIB (x)	2,9	3,4
Crédito/PIB (x)	1,6	1,5
Número de oficinas	45.086	37.903
Activos bancarios/número oficinas (millones de euros)	56,05	94,48
Población/oficinas (habitantes)	986,4	1.218,8
Activo/entidad de depósitos (millones de euros)	9.024,54	13.880,13

FUENTE: elaboración propia a partir de datos de European Banking Federation.

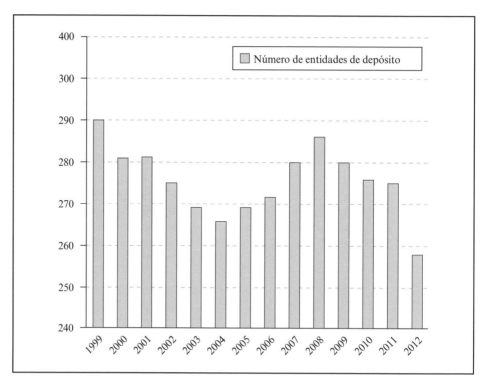

FUENTE: Banco de España, Boletín Estadístico.

Figura 1.17. Número de entidades de depósitos (1999-2012).

1.5. COMPARACIONES INTERNACIONALES

Una vez analizada la situación del sector bancario en nuestro país, es necesario realizar comparaciones a escala internacional, puesto que, como sabemos, los bancos compiten a escala global y no en ámbitos geográficos acotados. La figura 1.18 muestra el peso de los activos bancarios en el PIB de los 27 países de la Unión Europea y refleja no sólo la importancia del sector para las respectivas economías, como su creciente papel.

Entre 2007 y 2011, sólo en Bélgica, Irlanda, Luxemburgo y Eslovaquia los activos bancarios crecieron menos que el PIB.

En lo que se refiere al número de entidades de crédito, la crisis financiera es la gran responsable por la disminución en el número de entidades de crédito, un 8 % entre 2008 y 2012 en los 27 países de la Unión Europea (tabla 1.2). La excepción a dicha tendencia la protagonizaron cinco países: Lituania, Eslovaquia, República Checa, Bulgaria y Malta.

TABLA 1.2

Número de entidades de crédito en los 27 países
de la Unión Europea (2008-2012)

Países	2008	2009	2010	2011	2012	Variación (%)
Austria	803	790	780	766	751	–6
Bélgica	105	104	106	108	103	–2
Bulgaria	**30**	**30**	**30**	**31**	**31**	**3**
Chipre	163	155	152	141	137	–16
República Checa	**54**	**56**	**55**	**58**	**56**	**4**
Alemania	1.989	1.948	1.929	1.898	1.869	–6
Dinamarca	171	164	161	161	161	–6
Estonia	17	18	18	17	16	–6
España	362	352	337	335	314	–13
Finlandia	357	349	338	327	313	–12
Francia	728	712	686	660	639	–12
Reino Unido	396	389	375	373	373	–6
Grecia	66	66	62	58	52	–21
Hungría	204	190	189	189	189	–7
Irlanda	501	498	489	480	472	–6
Italia	818	801	778	754	714	–13
Lituania	**84**	**85**	**87**	**92**	**94**	**12**
Luxemburgo	153	147	146	141	141	–8
Letonia	34	37	39	31	29	–15
Malta	**23**	**23**	**26**	**26**	**28**	**22**
Holanda	302	295	290	287	266	–12
Polonia	712	710	706	700	695	–2
Portugal	175	166	160	155	152	–13

TABLA 1.2 *(continuación)*

Países	2008	2009	2010	2011	2012	Variación (%)
Rumania	45	44	42	41	39	–13
Suecia	182	180	173	175	176	–3
Eslovenia	25	25	25	25	23	–8
Eslovaquia	**26**	**26**	**29**	**31**	**28**	**8**
Total EU-27	8.525	8.360	8.208	8.060	7.861	–8

FUENTE: elaboración propia a partir de datos de European Banking Federation.

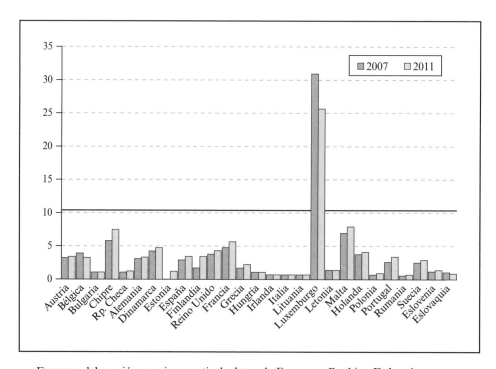

FUENTE: elaboración propia a partir de datos de European Banking Federation.

Figura 1.18. La relación entre los activos bancarios y el PIB de la Europa de los 27 (2007-2011).

Figura 1.19a

Figura 1.19b

CONCEPTOS CLAVE

- Indicadores económicos.
- PIB.
- PNB.
- Tasa de desempleo.
- Tasa de actividad.

- Inflación.
- Índice de precios.
- Deuda pública.
- Déficit público.
- Sistema financiero.

BIBLIOGRAFÍA

Freixas, X. y Rochet, C. (1999). *Economía bancaria*. Antoni Bosch.

Howells, P. y Bain, K. (2007). *Financial Markets and Institutions*. 5th edition. Financial Times, Prentice-Hall.

O'Neill, J. (2001). *Building Better Global Economic BRICs*. Goldman Sachs. Global Economics Paper n.º 66.

PÁGINAS WEB

www.ine.es
www.ifm.org
www.ecb.int
www.ebf-fbe.eu
www.epp.ec.europa.eu/portal/page/portal/eurostat
www.bde.es
www.mineco.gob.es

2

El sistema financiero: marco de funcionamiento para el sistema bancario

2.1. INTRODUCCIÓN

En el presente libro hemos analizado la importancia del sistema bancario en la economía y su papel clave como elemento fundamental para canalizar el ahorro hacia la inversión. Parece, por tanto, necesario abordar con detalle el marco de actuación de dicho sistema, con especial interés en sus intermediarios más importantes, los bancos y las entidades financieras en general, resaltando sus características, estructura y funcionamiento, así como la diferente tipología de instituciones intervinientes.

El enorme impacto que la crisis financiera originada en 2007 ha provocado no sólo en los sistemas financieros, sino en las economías y en la propia sociedad en general, requerirá de un análisis más específico, que se abordará con profundidad en el capítulo 3, focalizado fundamentalmente en dicha crisis, su origen y evolución.

2.2. CONCEPTOS BÁSICOS

El sistema financiero, como vimos en el capítulo anterior, parte de la existencia de unas *unidades excedentarias* y *deficitarias* de liquidez en la economía.

Las unidades excedentarias pueden optar por gastar o consumir esa liquidez (estaríamos ante *unidades de consumo*), o pueden sacrificar la satisfacción de una necesidad y ahorrar *(unidades de ahorro)*. A su vez, estas unidades pueden desear rentabilizar dicho ahorro, asumiendo riesgos y canalizándolo hacia la inversión financiera *(unidades de inversión)*, todo ello a través del sistema financiero.

Podemos definir el sistema financiero como un ***conjunto de instituciones, instrumentos y mercados a través de los cuales se canaliza el ahorro hacia la inversión.*** En este sistema tendrán un papel muy importante los intermediarios financieros, cuya función principal será fomentar el trasvase del ahorro hacia la inversión, teniendo en cuenta las distintas motivaciones y necesidades financieras de ahorradores e inversores.

Este ahorro será canalizado desde las unidades excedentarias *(prestamistas)* hacia las unidades deficitarias *(prestatarios)* mediante la intervención de una serie de intermediarios financieros.

EN EL SISTEMA FINANCIERO

— Los ahorradores pueden ser distintos de los inversores, por lo que hay que procurar que el ahorrador decida convertirse en un inversor.
— Para ello hay que poner a disposición del inversor un sistema financiero donde pueda rentabilizar sus ahorros.
— Por su parte, las unidades deficitarias de liquidez (prestatarios) deben contar con un sistema financiero donde obtener financiación, en contacto con ambos grupos.
— Este contacto se produce a través del sistema financiero, que ocupa un lugar clave en este proceso y permite canalizar fondos de los ahorradores a los inversores.

2.3. ELEMENTOS DEL SISTEMA FINANCIERO

En cualquier sistema financiero nos encontraremos siempre con tres elementos fundamentales:

a) Instrumentos o activos financieros.
b) Instituciones o intermediarios financieros.
c) Mercados financieros.

El sistema financiero será el marco dentro del cual las unidades excedentarias y deficitarias buscarán los instrumentos financieros que necesiten, ofertados generalmente por los intermediarios financieros a través de los mercados financieros.

Las principales características de los activos, el tipo de intermediarios y las funciones de los mercados configuran los elementos fundamentales de cualquier sistema financiero (véase figura 2.1).

2.3.1. Instrumentos o activos financieros

Los activos financieros son valores emitidos por las unidades económicas de gasto deficitarias que tienen como características principales: el grado de liquidez, en función de su facilidad de conversión en dinero; el riesgo, en función de la solvencia del emisor y sus garantías, y la rentabilidad, es decir, la capacidad de producir intereses u otro tipo de rendimiento (por ejemplo, dividendos).

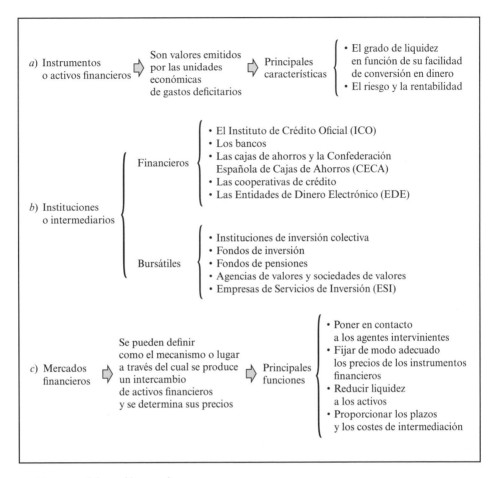

Figura 2.1. Elementos fundamentales del sistema financiero.

2.3.2. Instituciones o intermediarios financieros

Los intermediarios pueden ser de dos clases: financieros y bursátiles; veamos una primera clasificación general de los mismos (figura 2.2), aunque nos ocuparemos más adelante con más detalle de cada uno de ellos.

Las entidades financieras se han visto sometidas a diversos cambios legislativos tanto en España como en los diferentes países de la Unión Europea.

Dentro de las entidades de crédito (es decir, aquellas entidades encargadas de recibir fondos prestables del público con el compromiso futuro de reembolsar dichos fondos) encontramos cinco grandes grupos (figura 2.3).

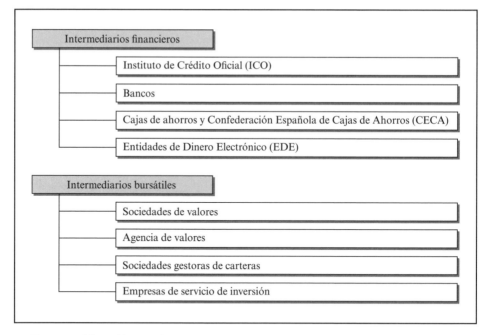

FUENTE: elaboración propia.

Figura 2.2. Clasificación de intermediarios financieros y bursátiles.

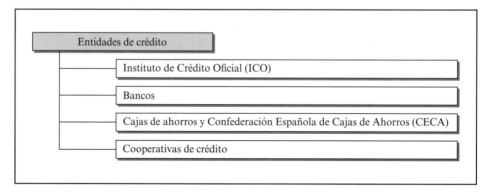

FUENTE: elaboración propia.

Figura 2.3. Clasificación de entidades de crédito.

1. Entidades de crédito

Las actividades típicas por las que éstas se benefician de un reconocimiento mutuo dentro de la UE son las siguientes:

A. Captación de depósitos u otros fondos reembolsables.

B. Las de préstamo y crédito, incluyendo crédito al consumo, crédito hipotecario y financiación de transacciones comerciales.

C. Las de *factoring*.

D. Las de arrendamiento financiero.

E. Las operaciones de pago con inclusión, entre otros, de los servicios de pago y transferencia.

F. La emisión y gestión de medios de pago, tales como tarjetas de crédito, cheques de viaje o cartas de crédito.

G. La concesión de avales y garantías y suscripción de compromisos similares.

H. La intermediación en los mercados interbancarios.

I. Las operaciones por cuenta propia o de su clientela que tengan por objeto: valores negociables, instrumentos de los mercados monetarios o de cambio, instrumentos financieros a plazo, opciones y futuros financieros y permutas financieras.

J. La participación en las emisiones de valores y mediación por cuenta directa o indirecta del emisor en su colocación, y aseguramiento de la suscripción de emisiones.

K. El asesoramiento y prestación de servicios a empresas en las siguientes materias: estructura de capital, estrategia empresarial, adquisiciones, fusiones y materias similares.

L. La gestión de patrimonios y asesoramiento a sus titulares.

M. La actuación, por cuenta de sus titulares, como depositario de valores representados en forma de títulos, o como administradores de valores representados en anotaciones en cuenta.

N. La realización de informes comerciales.

O. El alquiler de cajas fuertes.

2. No entidades de crédito

Dentro de este grupo encontramos, entre otras, las sociedades de garantía recíproca, reafianzamiento y entidades de dinero electrónico.

2.3.3. Mercados financieros

Los mercados financieros se pueden definir como el mecanismo o lugar a través del cual se produce un intercambio de activos financieros y se determinan sus precios. Las funciones principales de estos mercados son las siguientes:

— Poner en contacto a los agentes intervinientes.
— Fijar de modo adecuado los precios de los instrumentos financieros.

— Proporcionar liquidez a los activos.
— Reducir los plazos y los costes de intermediación.

En líneas generales, los mercados financieros se pueden clasificar de acuerdo con los criterios que resumimos en la figura 2.4, y que más adelante veremos con más detalle.

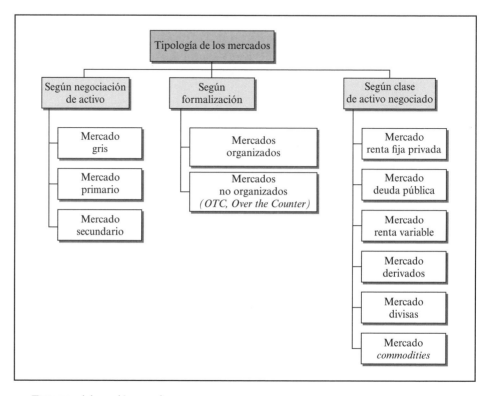

Figura 2.4.   Clasificación de los mercados financieros.

2.3.4.   Estructura del sistema financiero

2.3.4.1.   *Conceptos básicos*

El sistema financiero español ha variado sustancialmente su organización, estructura y funcionamiento en los últimos años como consecuencia del proceso de adaptación de nuestros mercados financieros y de valores a las necesidades contempladas en la normativa comunitaria, y a los cambios operados como consecuencia de la crisis originada a principios del año 2007, cuyo final y alcance son todavía una incógnita.

Muy diversos han sido los cambios legislativos en esta materia. La Ley de Disciplina e Intervención de Entidades de Crédito, Ley 26/1988, de 29 de julio, y la Ley del Mercado de Valores, Ley 24/1988, de 28 de julio, que supusieron una modificación radical del mercado de valores, en general, y de nuestro sistema financiero en particular, diseñando un marco institucional y operativo distinto con la aparición de nuevos intermediarios, como, por ejemplo, las sociedades y agencias de valores.

Transcurridos, prácticamente diez años, desde que se pusiera en marcha un punto de inflexión en la reforma de nuestros mercados financieros, se aprobó la reforma de la Ley 37/1998, de 16 de noviembre, incorporando los aspectos normativos básicos para permitir a nuestros mercados competir, de una manera más eficiente, en el reto de la Unión Económica y Monetaria de 1999, modernizando y equiparándonos al ordenamiento jurídico comunitario para la consecución plena del «Mercado Único Europeo[1]». Todo ello permitió, indudablemente, la continuación en la «mejora de la financiación de nuestros agentes económicos[2]».

En esa misma dirección cabe enmarcar la Ley 44/2002, de 22 de noviembre, de Medidas de Reforma del Sistema Financiero, cuyo objetivo era aumentar la eficiencia y la competitividad del sistema financiero español, respondiendo al reto exterior y favoreciendo la canalización del ahorro hacia la economía real, todo ello sin originar una desprotección de los clientes de los servicios financieros.

Posteriormente, la Ley 47/2007, de 19 de diciembre, modificaba la Ley 24/1988 de Mercado de Valores adaptándola a la mayor complejidad y variedad de productos e instrumentos financieros y procurando reforzar las medidas de protección a los inversores. Con este objetivo se ampliaban las potestades supervisoras de la Comisión Nacional del Mercado de Valores.

Más recientemente, el Plan de Acción de los Servicios Financieros (1999-2005), con el propósito de avanzar en la consecución del mercado financiero único; el Libro Blanco de la Política de Servicios Financieros (2005-2010), cuyo objetivo reside en la implantación definitiva de un mercado único bancario, y los conocidos como Acuerdos de Basilea, de los que nos ocuparemos ampliamente en el capítulo 10 del presente libro.

Obviamente, la crisis del 2007, a la que dedicaremos íntegramente el capítulo siguiente, ha provocado, tanto a escala mundial como en nuestro país, lo que se ha venido en llamar «tsunami financiero» de incalculables proporciones.

Sólo como referencia, aunque será tratado más adelante con más detalle, la crisis del 2007 ha provocado un fortísimo proceso de reestructuración de nuestro sistema financiero, al igual que en múltiples países, obligando a la adopción de importantes

---

[1] Véase López Pascual, J. (1990). «La reforma del mercado». Corporación Financiera Caja de Madrid.
[2] Véase Caruana, J. (1999). «Importancia de la Reforma de la Ley del Mercado de Valores». Perspectivas del Sistema Financiero, n.º 65.

y relevantes medidas de ajuste; entre otras, la creación y puesta en marcha de los Fondos de Adquisición de Activos Financieros, para conceder apoyo a la liquidez de las entidades de crédito, o la creación del Fondo de Reestructuración Ordenada Bancaria (FROB), con el que se implementa un mecanismo de apoyo a determinadas entidades. La figura 2.5 refleja la estructura fundamental de nuestro sistema financiero.

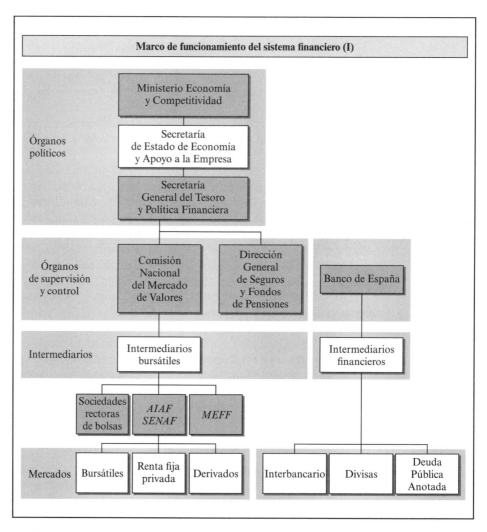

FUENTE: elaboración propia.

Figura 2.5. Marco de funcionamiento del sistema financiero (I).

2.3.4.2. *Órganos rectores del sistema financiero español*

El sistema financiero español se estructura en torno a una serie de órganos político-decisorios y unos órganos ejecutivos.

Los primeros están encabezados por el Gobierno, máxima autoridad en materia de política financiera, representado por el Ministerio de Economía y Competitividad, responsable del funcionamiento de las instituciones financieras. Las Comunidades Autónomas tienen competencia sobre determinados aspectos.

Por su parte, los órganos ejecutivos se centran en torno a los siguientes:

— Secretaría de Estado de Economía y Apoyo a la Empresa.
— Secretaría General del Tesoro y Política Financiera.
— Dirección General de Seguros y Fondos de Pensiones.
— Comisión Nacional del Mercado de Valores.
— Banco de España.

De entre todos ellos nos interesa destacar especialmente los dos últimos, Comisión Nacional del Mercado de Valores (CNMV) y Banco de España (BE), si bien conviene señalar que, en la actualidad, los supervisores españoles están coordinados, desde el punto de vista de la estabilidad financiera y la prevención de las crisis que puedan afectar al sistema financiero, a través del Financial Stability Board (FSB) o Consejo de Estabilidad Financiera. Sobre la supervisión del sistema financiero europeo se puede consultar el capítulo siguiente, dedicado al Sistema Financiero y a la Crisis de 2007.

El inicio de la tercera fase de la Unión Económica y Monetaria, el 1 de enero de 1999, y la constitución del Sistema Europeo de Bancos Centrales (SEBC) y del Banco Central Europeo (BCE), supuso una redefinición de algunas de las funciones que tradicionalmente venían desarrollando los bancos centrales nacionales de los países participantes en la Zona del Euro. En este contexto, mediante la Ley 66/1997, de 30 de diciembre, y la Ley 12/1998, de 28 de abril, ha sido necesario modificar la Ley de Autonomía del Banco de España (Ley 13/1994, de 1 de junio), con el objetivo de garantizar la plena integración de nuestro banco central en el SEBC, reconociéndose, entre otros extremos, las potestades del BCE en la definición de la política monetaria de la Zona Euro (y su ejecución por el Banco de España) y sus facultades en relación con la política de tipo de cambio.

La ley también reconoce que el Banco de España, como parte integrante del SEBC, queda sometido a las disposiciones del Tratado de la Unión Europea (TUE) y a los Estatutos del SEBC.

A) El Banco de España

La introducción del euro como moneda única y la constitución del Eurosistema han supuesto para el Banco de España una redefinición de algunas de sus tareas, si bien mantiene aquellas que le otorga la Ley de Autonomía como banco central español.

El Banco de España va a desempeñar unas funciones de vital importancia para el sistema financiero. Estas funciones tendrán un carácter propio o se realizarán en cuanto integrante del SEBC, ajustándose a las orientaciones e instrucciones emanadas del BCE.

Sin perjuicio de lo anterior, el Banco de España podrá dictar las normas precisas para el ejercicio de sus funciones. Las normas relativas a la política monetaria se denominarán «Circulares monetarias». Las normas para el ejercicio del resto de sus competencias se denominarán «Circulares». Unas y otras disposiciones serán publicadas en el Boletín Oficial del Estado.

Respetando las funciones anteriores como parte integrante del Eurosistema, la Ley de Autonomía otorga al Banco de España el desempeño de las siguientes funciones:

1. **Poseer y gestionar las reservas de divisas y metales preciosos** no transferidas al Banco Central Europeo.
2. **Supervisión de las entidades de crédito y otras entidades y mercados financieros,** que le hayan sido atribuidas, de acuerdo con las disposiciones vigentes.

TABLA 2.1

Órganos rectores del sistema financiero español. El Banco de España

El inicio de la tercera fase de la Unión Económica y Monetaria, el 1 de enero de 1999, y la constitución del Sistema Europeo de Bancos Centrales (SEBC) y del Banco Central Europeo (BCE) supuso la redefinición de algunas de las funciones que tradicionalmente venían desarrollando los bancos centrales nacionales de los países participantes en la Zona Euro.	
Desde el 1 de enero de 1999, el Banco de España participa en el desarrollo de las siguientes funciones básicas atribuidas al SEBC.	Definir y ejecutar la política monetaria de la Zona Euro con el objetivo principal de mantener la estabilidad de precios en el conjunto dicha zona.
	Realizar las operaciones de cambio de divisas que sean coherentes con las disposiciones del Artículo 109 del Tratado de la Unión Europea, así como poseer y gestionar las reservas oficiales de divisas del Estado.
	Promover el buen funcionamiento del sistema de pagos en la Zona Euro.
	Emitir los billetes de curso legal.

FUENTE: elaboración propia.

3. **Promover el buen funcionamiento y estabilidad del sistema financiero** y, sin perjuicio de las funciones del BCE, de los sistemas de pagos nacionales.
4. **Poner en circulación la moneda metálica** y desempeñar, por cuenta del Estado, las demás funciones que se le encomienden respecto a ella.

5. **Elaborar y publicar las estadísticas relacionadas con sus funciones** y asistir al BCE en la recopilación de la información estadística necesaria.

6. Prestar los **servicios de Tesorería y agente financiero de la Deuda Pública.**

7. **Asesorar al Gobierno,** así como realizar los informes y estudios que resulten procedentes.

8. Ejercer las **demás competencias** que la legislación le atribuya.

De entre todas ellas queremos destacar muy especialmente la referida a *Supervisión de entidades de crédito y otras entidades y mercados financieros,* que se ha visto especialmente reforzada por distinta normativa del 2012 y 2013, desarrolladas en cumplimiento de los acuerdos asumidos por España con ocasión del rescate de parte del sector en 2012, que quedó recogido en el conocido como Memorando de Entendimiento, o *MoU* (Memorandum of Understanding on Financial-Sector Policy Conditionality). Estas medidas se centran en la autorización de la creación de entidades de crédito e imposición de sanciones en aplicación de la disciplina e intervención de entidades de crédito. Sobre este asunto nos ocuparemos con más detenimiento en el capítulo siguiente al analizar la crisis de 2007, su origen, evolución y repercusiones.

La supervisión se realiza por parte del Banco de España en el ejercicio de sus funciones sobre la totalidad de los intermediarios financieros existentes, que se recogen en la figura 2.6.

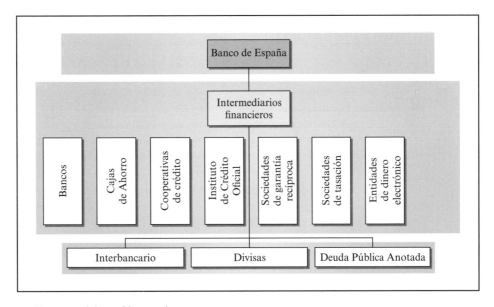

FUENTE: elaboración propia.

Figura 2.6. Entidades y mercados bajo la supervisión del Banco de España.

B) La Comisión Nacional del Mercado de Valores

La Comisión Nacional del Mercado de Valores va a desempeñar unas funciones genéricas y otras específicas.

TABLA 2.2

Funciones genéricas

Funciones	Se crea como consecuencia de la reforma del mercado de valores de 1988 a semejanza de la Securities and Exchange Commisión, SEC (órgano regulador del mercado de valores norteamericano).
	Supervisión, inspección y ejercicio de la potestad sancionadora en los mercados de valores.
	Garantía de la transparencia de los mercados, la correcta formación de precios y la protección de los inversores.
	Asesoramiento y elevación de propuestas a los órganos competentes de la Administración Central y Autonómica.
	Elaboración de informes anuales sobre la situación general de los mercados de valores.

FUENTE: elaboración propia.

Además, la CNMV desempeña funciones de supervisión y control específico en materias como: mercados primarios (folletos de emisión); mercados secundarios oficiales (suspensión de negociación de un valor en Bolsa), Bolsas de Valores [controlar las ofertas públicas de adquisición de acciones (opas)]; empresas de servicios de inversión; normas de conducta; fondos de inversión, etc.

Los distintos procesos de reformas de los mercados de valores han provocado una serie de cambios estructurales importantes en las Bolsas de Valores que consideramos interesante recoger, aunque sea de forma sucinta, en la figura 2.7:

a) ***Sociedades Rectoras de Bolsas:*** son sociedades participadas por la Sociedad Holding «Bolsas y Mercados Españoles». Las sociedades rectoras no llevan a cabo actividades de intermediación, sino que son las responsables del funcionamiento interno y organización de sus correspondientes mercados, así como las encargadas de autorizar la entrada de nuevos valores a cotizar (previa autorización de la CNMV), elaboración de informes referentes a la evolución del mercado, etc.

b) ***Sociedad de Bolsas:*** es una sociedad anónima, cuyos socios son, a partes iguales, las sociedades rectoras de las cuatro bolsas españolas, que se encarga de gestionar el SIBE.

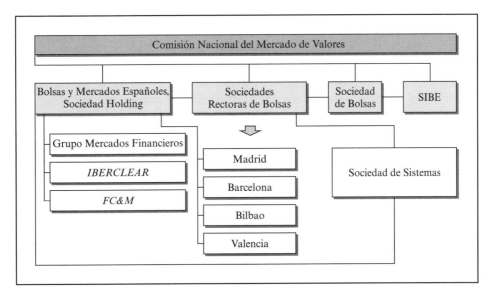

FUENTE: elaboración propia.

Figura 2.7. Comisión Nacional del Mercado de Valores[3].

c) ***Sistema de Interconexión Bursátil Español (SIBE):*** es la actual plataforma de contratación bursátil que conecta a las cuatro bolsas españolas. Las bolsas están interconectadas continuamente en tiempo real, proporcionando un único precio por valor y un solo libro de órdenes compradoras y vendedoras. El SIBE es un sistema dirigido por órdenes, no por precios, que se encarga de difundir la información en tiempo real, garantizando en este sentido la transparencia de los precios.

d) ***Sociedad de Gestión de los Sistemas de Registro, Compensación y Liquidación de Valores (Sociedad de Sistemas):*** organismo que surge con la reforma de noviembre de 2002 que sustituye en sus actividades al antiguo Servicio de Compensación y Liquidación de Valores (SCLV), encargado tradicionalmente de las labores de *clearing* y *settlement* de valores negociables. Las funciones de esta sociedad de sistemas son, esencialmente, las siguientes:

1. Llevar el registro contable correspondiente a los valores representados por medio de anotaciones en cuenta.
2. Gestionar la liquidación y, en su caso, la compensación de valores y efectivo derivadas de las operaciones ordinarias realizadas en mercados de valores.

---

[3] Véase López Pascual, J. y Rojo, J. (2004). *Los Mercados de Valores. Organización y funcionamiento*, Pirámide, Madrid.

3. Prestar servicios técnicos y operativos directamente relacionados con los de registro, compensación y liquidación de valores.

Esta estructura se gesta en 2001 con la firma del denominado *Protocolo de Mercados Españoles* y con la creación del holding **Bolsas y Mercados Españoles,** que implica un principio de unidad de acción y coordinación estratégica de los sistemas de registro, compensación y liquidación de valores de renta fija, variable y de activos derivados, y agrupa a las cuatro bolsas españolas, al holding Mercados Financieros, Iberclear y FC&M (activos financieros derivados sobre cítricos). Se constituye así la *Promotora para la Sociedad de Gestión de los Sistemas de Liquidación Españoles, S. A.,* o **IBERCLEAR,** por parte del SCLV y el Banco de España, con el objeto de realizar los estudios pertinentes para que una nueva entidad pasara a gestionar los sistemas de compensación, liquidación y registro llevados a cabo por el SCLV y la Central de Anotaciones de Deuda Pública.

2.3.4.3. *Intermediarios financieros*

Los intermediarios financieros (figura 2.8) van a desempeñar un papel importante dentro del sistema financiero, pues van a poner en conexión a los prestatarios y a los prestamistas que existan en el sistema, permitiendo compatibilizar las necesidades de unos y otros.

Estos intermediarios se han visto afectados por dos fenómenos conocidos como *desintermediación* e *innovación financiera*.

La «desintermediación», de forma resumida, consiste en un proceso por el cual los intermediarios tradicionales se ven sorteados por los ofertantes de los productos y por los clientes finales. Esta «desintermediación» va estrechamente vinculada a la «desregulación», que supone la caída de las barreras tradicionales que permitían a los bancos realizar sus actividades de forma exclusiva sobre determinados productos.

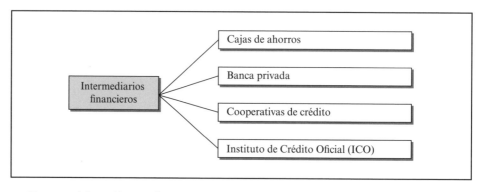

FUENTE: elaboración propia.

Figura 2.8. Intermediarios financieros.

En la práctica, nos encontramos con que, como consecuencia de estos fenómenos, los bancos y las cajas de ahorros (intermediarios financieros tradicionales) han visto cómo otras entidades se han introducido en su negocio ofreciendo sus mismos productos.

Todo ello ha ido unido a un desarrollo tecnológico cada vez mayor y a la necesidad de ofrecer a los clientes unos productos financieros más apropiados a sus características y necesidades financieras, contribuyendo a una «innovación financiera», es decir, a una creación de nuevos productos para satisfacer una demanda de un cliente cada vez más exigente, dotado de una mayor cultura financiera, que analiza muy detenidamente sus proyectos de inversión. De la mano de estos fenómenos, los mercados financieros, como veremos a continuación, se han ido dotando de instrumentos más sofisticados y provocando la aparición de nuevos intermediarios.

a) La banca privada y las cajas de ahorros

En líneas generales, las entidades de crédito cumplen en su totalidad las actividades mencionadas anteriormente.

La banca privada es la unidad económica más importante dentro del sector financiero, en términos de los flujos que moviliza. La captación de pasivo y la inversión crediticia son las principales actividades de los bancos.

Las cajas de ahorros, con la configuración que actualmente tienen, nacen en España en el siglo pasado[4]. En estas entidades se ha considerado desde siempre que la actividad benéfico-social y cultural es algo consustancial con su denominación y esencia, de ahí que, durante mucho tiempo, hacer posible el fin benéfico de los Montes de Piedad preocupaba más que los actuales temas de rentabilidad, eficiencia, etc.

Tradicionalmente, las cajas han cumplido una función de tinte social, apoyando a los sectores menos favorecidos y destinando una parte de sus beneficios a obras de carácter benéfico-social.

La profunda crisis financiera iniciada en 2007, de la que nos ocuparemos en el capítulo siguiente, ha provocado una profundísima modificación de nuestro sistema financiero, cuyas últimas repercusiones todavía no estamos en condiciones de analizar, pero que afectó a la propia existencia, funcionamiento y supervivencia de las cajas de ahorros.

b) Las cooperativas de crédito

El sector de cooperativas de crédito comprende dos tipos de instituciones: las cooperativas de crédito propiamente dichas y las cajas rurales, que limitan su actuación a los sectores agrícola, ganadero y forestal.

---

[4] Véase Rodríguez, L., Parejo, J. A., Cuervo, A. y Calvo, A. (2012). *Manual del sistema financiero español* (24.ª edición actualizada), Ariel Economía.

Entre sus aspectos más característicos destacan que las cooperativas de crédito no pueden actuar fuera del ámbito territorial delimitado en su estatuto, que, en materia de resultados, si se trata de beneficios, deberán destinarlos en primer lugar a cubrir pérdidas de los ejercicios anteriores, en su caso, si éstas no se hubieran podido absorber con cargos a los recursos propios.

Además, las cooperativas no podrán anticipar fondos, conceder préstamos o prestar garantías de ningún tipo para la adquisición de sus aportaciones, salvo en el caso de que el acreditado o garantizado sea empleado de la entidad.

c) **Los establecimientos financieros de crédito**

Desde el 1 de enero de 2014 los Establecimientos Financieros de Crédito (EFC) han dejado de ser considerados dentro de la categoría de entidades financieras. Sin embargo, se han mantenido dentro del grupo de Instituciones Financieras Monetarias, que es el que delimita los principales agregados monetarios y crediticios cuya evolución es objeto de un seguimiento especial por parte de la política monetaria.

El 1 de enero de 1997, las conocidas como «Entidades de Crédito de Ámbito Operativo Limitado» (ECAOL) se transforman en «Establecimientos Financieros de Crédito». Estos nuevos intermediarios se crearon con un componente de mayor especialización y han ido ocupando «nichos de negocio» a los que los bancos o cajas no llegaban. Las Sociedades de Leasing (arrendamiento financiero) y las compañías de Factoring y de Crédito Hipotecario configuraban lo que se ha venido en llamar «Entidades de Crédito de Ámbito Operativo Limitado (ECAOL)», cuya principal distinción con los bancos o cajas se encontraba en su capacidad de pedir o conceder créditos, más **limitada** que la de las otras entidades de crédito tradicionales (bancos o cajas, por ejemplo).

Cambios normativos posteriores van a modificar el panorama de estas entidades convirtiéndolas, a partir del 1 de enero de 1997, en una nueva categoría legal, «Establecimientos Financieros de Crédito», en la que quedan englobadas las antiguas «ecaol». En la práctica, van a ser plenas entidades de crédito con alguna limitación en materia de riesgos (por ejemplo, no tienen que pertenecer a ningún fondo de garantía de depósito) y con la limitación de no poder captar fondos reembolsables del público en forma de depósito, préstamo, cesión temporal de activos u otros medios análogos.

2.3.4.4. *Los intermediarios bursátiles*

Las sucesivas reformas del mercado de valores provocaron, igualmente, la aparición de intermediarios especializados en estos mercados, como es el caso de las Empresas de Servicios de Inversión, o ESI (figura 2.9).

Hoy en día, en España, hay cuatro tipos básicos de intermediarios bursátiles que pueden revestir varias modalidades:

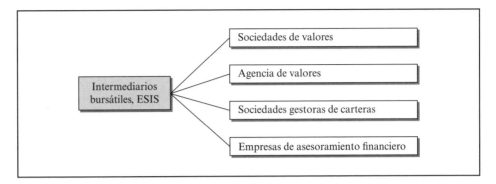

FUENTE: elaboración propia.

Figura 2.9. Tipos de intermediarios bursátiles.

1.º Las empresas de servicios de inversión

Son entidades cuya actividad principal consiste en prestar servicios de inversión con carácter profesional a terceros sobre instrumentos financieros (acciones de sociedades y equivalentes, cuotas participativas de cajas de ahorros, bonos, obligaciones, cédulas, bonos de titulización, participaciones y acciones de instituciones de inversión colectiva, instrumentos de mercado monetario, participaciones preferentes, cédulas territoriales, *warrants,* etc.).

Además, podrán realizar servicios de inversión y servicios auxiliares. Dentro de los primeros, podemos destacar: recepción y transmisión de órdenes de clientes en relación con instrumentos financieros, ejecución de órdenes por cuenta de clientes y por cuenta propia, gestión individualizada de carteras de inversión, colocación de instrumentos financieros, aseguramiento de emisiones, asesoramiento en materia de inversión y gestión de sistemas multilaterales de negociación.

Por lo que a los servicios auxiliares se refiere, como actividad complementaria de los anteriores, podrá realizar: custodia o administración de esos instrumentos financieros; concesión, en casos muy concretos, de créditos a inversores para realizar operaciones; asesoramientos a empresas en materia financiera; elaboración de informes, análisis, etc.

Clasificación de las ESI[5] (véanse figuras 2.10 y 2.11):

a) **Sociedades de valores:** son empresas de servicios de inversión que pueden operar profesionalmente, tanto por cuenta ajena como propia, y realizar todos los servicios de inversión y auxiliares, comentados anteriormente. En este sentido, se identifican con la figura de *dealer* explicada en el apartado anterior, aunque actúan también como *brokers*.

---

[5] De conformidad con el Artículo 64 de la Ley 44/2007, de 19 de diciembre, por la que se modifica la Ley 24/1988, de 28 de julio, del Mercado de Valores.

A) La recepción y transmisión de órdenes de clientes en relación con uno o más instrumentos financieros.
B) La ejecución de dichas órdenes por cuenta de clientes.
C) La negociación por cuenta propia.
D) La gestión discrecional e individualizada de carteras de inversión con arreglo a los mandatos conferidos por los clientes.
E) La colocación de instrumentos financieros, se base o no en un compromiso firme.
F) El aseguramiento de una emisión o de una colocación de instrumentos financieros.
G) El asesoramiento en materia de inversión, es decir: acciones de sociedades y equivalentes, cuotas participativas de cajas de ahorros, bonos, obligaciones, cédulas, bonos de titulización, participaciones y acciones de instituciones de inversión colectiva, instrumentos de mercado monetario, participaciones preferentes, cédulas territoriales, *warrants,* etc.
H) La gestión de sistemas multilaterales de negociación.

1. Sociedad de valores

A) La recepción y transmisión de órdenes de clientes en relación con uno o más instrumentos financieros.
B) La ejecución de dichas órdenes por cuenta de clientes.
C) La gestión discrecional e individualizada de carteras de inversión con arreglo a los mandatos conferidos por los clientes.
D) La colocación de instrumentos financieros, se base o no en un compromiso firme.
E) El asesoramiento en materia de inversión, es decir: acciones de sociedades y equivalentes, cuotas participativas de cajas de ahorros, bonos, obligaciones, cédulas, bonos de titulización, participaciones y acciones de instituciones de inversión colectiva, instrumentos de mercado monetario, participaciones preferentes, cédulas territoriales, *warrants,* etc.
F) La gestión de sistemas multilaterales de negociación.

2. Agencias de valores

3. Sociedades gestoras de carteras

4. Empresas de asesoramiento financiero

D) La gestión discrecional e individualizada de carteras de inversión con arreglo a los mandatos conferidos por los clientes.
G) El asesoramiento en materia de inversión, es decir: acciones de sociedades y equivalentes, cuotas participativas de cajas de ahorros, bonos, obligaciones, cédulas, bonos de titulización, participaciones y acciones de instituciones de inversión colectiva, instrumentos de mercado monetario, participaciones preferentes, cédulas territoriales, *warrants,* etc.

G) El asesoramiento en materia de inversión, es decir: acciones de sociedades y equivalentes, cuotas participativas de cajas de ahorros, bonos, obligaciones, cédulas, bonos de titulización, participaciones y acciones de instituciones de inversión colectiva, instrumentos de mercado monetario, participaciones preferentes, cédulas territoriales, *warrants,* etc.

Fuente: elaboración propia.

Figura 2.10. Resumen de los servicios de inversión de los intermediarios bursátiles.

A) La custodia y administración por cuenta de clientes de instrumentos como la presentación de recomendaciones personalizadas a un cliente con respecto a operaciones relativas a instrumentos financieros.

B) La concesión de créditos o préstamos a inversores.

C) El asesoramiento a empresas sobre estructura del capital, estrategia industrial y cuestiones afines, así como el asesoramiento y demás servicios en relación con fusiones y adquisiciones de empresas.

D) Los servicios relacionados con las operaciones de aseguramiento de emisiones o de colocación de instrumentos financieros.

E) La elaboración de informes de inversiones y análisis financieros u otras formas de recomendación general relativas a las operaciones sobre instrumentos financieros.

F) Los servicios de cambio de divisas, cuando estén relacionados con la presentación de servicios de inversión.

G) Los servicios de inversión, así como los servicios auxiliares que se refieran al subyacente no financiero de los instrumentos financieros derivados contemplados cuando se hallen vinculados a la presentación de servicios de inversión o a los servicios auxiliares.

1. Sociedad de valores

A) La custodia y administración por cuenta de clientes de instrumentos como la presentación de recomendaciones personalizadas a un cliente con respecto a operaciones relativas a instrumentos financieros.

B) La concesión de créditos o préstamos a inversores.

C) El asesoramiento a empresas sobre estructura del capital, estrategia industrial y cuestiones afines, así como el asesoramiento y demás servicios en relación con fusiones y adquisiciones de empresas.

D) Los servicios relacionados con las operaciones de aseguramiento de emisiones o de colocación de instrumentos financieros.

E) La elaboración de informes de inversiones y análisis financieros u otras formas de recomendación general relativas a las operaciones sobre instrumentos financieros.

F) Los servicios de cambio de divisas, cuando estén relacionados con la presentación de servicios de inversión.

G) Los servicios de inversión, así como los servicios auxiliares que se refieran al subyacente no financiero de los instrumentos financieros derivados contemplados cuando se hallen vinculados a la presentación de servicios de inversión o a los servicios auxiliares.

2. Agencias de valores

3. Sociedades gestoras de carteras

C) El asesoramiento a empresas sobre estructura del capital, estrategia industrial y cuestiones afines, así como el asesoramiento y demás servicios en relación con fusiones y adquisiciones de empresas.

E) La elaboración de informes de inversiones y análisis financieros u otras formas de recomendación general relativas a las operaciones sobre instrumentos financieros.

4. Empresas de asesoramiento financiero

C) El asesoramiento a empresas sobre estructura del capital, estrategia industrial y cuestiones afines, así como el asesoramiento y demás servicios en relación con fusiones y adquisiciones de empresas.

E) La elaboración de informes de inversiones y análisis financieros u otras formas de recomendación general relativas a las operaciones sobre instrumentos financieros.

FUENTE: elaboración propia.

Figura 2.11. Resumen de los servicios auxiliares de los intermediarios bursátiles.

b) **Agencias de valores:** son empresas de servicios de inversión que pueden operar profesionalmente sólo por cuenta ajena. Pueden realizar todos los servicios de inversión y auxiliares comentados anteriormente, con la excepción de la negociación por cuenta propia, el aseguramiento de emisiones y colocación de instrumentos financieros y la concesión de créditos o préstamos a inversores para que puedan realizar una operación sobre uno más instrumentos financieros. En este sentido se identifican con la definición de *broker*. Dado que, como ya sabemos, los *brokers* no incurren en riesgo de mercado, los requisitos de capital social, fondos propios y demás, para constituir una agencia de valores son menores que para constituir una sociedad de valores.

c) **Sociedades gestoras de carteras:** son empresas de servicios de inversión que exclusivamente pueden gestionar discrecional e individualizadamente carteras de inversión con arreglo a mandatos conferidos por los clientes y asesoramiento en materia de inversión.

d) **Empresas de asesoramiento financiero:** son personas físicas o jurídicas que exclusivamente pueden realizar asesoramiento en materia de inversión. Además, pueden realizar servicios auxiliares de asesoramiento a empresas sobre estructura de capital, estrategia industrial y asesoramiento en fusiones y adquisiciones de empresas, y elaboración de informes.

2.º Las instituciones de inversión colectiva

Pueden revestir dos modalidades: la de sociedades de inversión bajo la forma de sociedad anónima, y con un objeto social exclusivo, y la de fondo de inversión, que responde al concepto de patrimonio perteneciente a una pluralidad de inversores que reciben la denominación de partícipes. Sobre este aspecto, en el capítulo 7, nos referiremos con mucha más amplitud a las instituciones de inversión colectiva como fuente de ingresos para las entidades de crédito.

3.º Sociedades de capital riesgo

Las entidades de capital-riesgo son entidades financieras cuyo objeto principal consiste en la toma de participaciones temporales en el capital de empresas no financieras y de naturaleza no inmobiliaria que, en el momento de la toma de participación, no coticen en el primer mercado de Bolsa de valores o en cualquier otro mercado regulado equivalente de la Unión Europea o del resto de países miembros de la Organización para la Cooperación y el Desarrollo Económicos (OCDE),

4.º Sociedades gestoras de fondos de titulización

Son intermediarios cuyo objetivo se centra en operaciones con activos conocidos como ABS *(Assets Backed Securities),* o MBS *(Mortgage Backed Securities),* que son emitidos por un fondo de titulización. Este término supone una traducción del vocablo *securitization,* tomado del inglés. Con esta palabra se pretende expresar la tendencia hacia la sustitución de las formas tradicionales de crédito bancario por otras caracterizadas por la incorporación de activos o derechos a valores negociables *(securities)*.

Las primeras emisiones al público con una cierta envergadura se realizaron en el mercado estadounidense en el año 1985, permaneciendo buena parte de ellas como emisiones vivas y todas calificadas con un *rating*[6].

Poderosas razones económicas, tales como la desintermediación, han animado el crecimiento de la titulización[7] a niveles récord.

En definitiva, la titulización, o *securitization,* es una técnica financiera por la que se van a convertir unos activos financieros escasamente líquidos en instrumentos negociables. Mediante este método se elimina del balance de situación una parte de la cartera crediticia, la cual se refinancia a través de una emisión de instrumentos del mercado de capitales (bonos), a la vez que el originador de los créditos se puede seguir beneficiando de la rentabilidad generada por ellos.

La titulización supone una transformación financiera de activos (generalmente no negociables o poco líquidos) a *valores* (negociables en mercados organizados, homogéneos y adaptados a los inversores en plazo y tipos de interés).

Los **Activos** pueden ser de diversos tipos (figura 2.12).

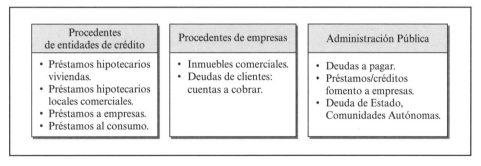

FUENTE: elaboración propia.

Figura 2.12. Tipos de activos «titulizables».

---

[6] El *rating* es un indicador de referencia sobre el riesgo que asume un inversor de recuperar el principal más los intereses prometidos. Las agencias de calificación (las más importantes son Moody's y Standard & Poor's) han establecido unas categorías de calificación que se representan por medio de letras, por ejemplo, AA o BBB (véase López Pascual, J. (1966). *El rating y las agencias de calificación.* Dykinson.

[7] Lederman, J. The Handbook of Asset-Backed Securities. Ed. New York Institute of Finance, p. 3. Nueva York 1990. Lederman, J. The Handbook of Asset-Backed Securities Ed. New York Institute of Finance, p. 4: «In essence, securitization is the open market selling of financial instruments backed by asset cash flow or asset value. It is characterized by the pooling of assets or asset cash flow, and division of the benefits among investors on a pro rata basis, by systematic risk assessment, and its offering form as a security (rather than, for example, as a loan or a group of receivables)».

A continuación, en la figura 2.13, reproducimos el esquema básico de una operación de titulización.

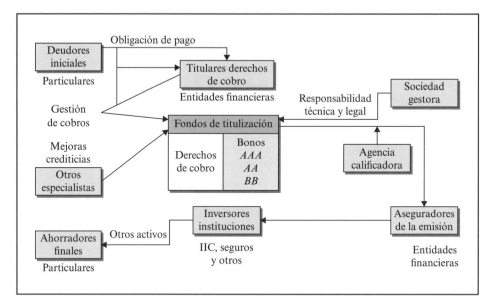

FUENTE: AIAF.

Figura 2.13. Esquema de una titulización.

Los intermediarios bursátiles internacionales

Desde una perspectiva internacional, quisiéramos señalar que la mayoría de los intermediarios bursátiles transnacionales responden a una estructura de actividades centrada en torno a dos figuras de profunda raigambre en los mercados financieros internacionales, como son los *brokers* y los *dealers,* cuyas principales actividades y funciones recogemos con carácter puramente orientativo y por análisis comparado en la tabla 2.3, si bien en los distintos mercados financieros pueden revestir diferentes denominaciones (*securities houses, specialists,* etc.).

2.3.4.5. *Los mercados financieros*

Como dijimos al principio de este capítulo, los mercados financieros se pueden definir como el mecanismo o lugar a través del cual se produce un intercambio de activos financieros y se determinan sus precios.

Veamos las posibles formas de clasificarlos:

TABLA 2.3

Funciones de los «brokers» y «dealers»

Las figuras de los *brokers* y los *dealers*	*Brokers*
	• Ponen en contacto a los compradores y vendedores de activos financieros actuando por cuenta de terceros. • No toman posiciones en los mercados. • Sus beneficios vienen dados por el cobro de comisiones por las operaciones realizadas. • No incurren en riesgo de mercado ni de cartera. • Para su constitución no precisan de recursos financieros y garantías tan elevados como los *dealers,* dado que asumen menos riesgo.
	Dealers
	• Ponen en contacto a los compradores y vendedores de activos financieros actuando por cuenta propia. • Toman posiciones en los mercados. • Sus beneficios vienen dados por la diferencia entre los precios de venta a los inversores y de compra en los mercados. • Incurren en riesgo de mercado y de cartera. • Para su constitución precisan de un elevado volumen de recursos financieros y garantías, dado que incurren en riesgo de mercado.

FUENTE: elaboración propia.

— Según la fase de negociación del activo

1. *Mercado gris*

Es el mercado en el que la emisión del activo se compra y se vende (se cotiza) antes de iniciarse el período de oferta pública. Ejemplo típico de mercado gris es el de los mercados internacionales, como el «Euromercado». Éste es un mercado internacional de dinero y capitales privados depositados en bancos en las principales plazas financieras del mundo, donde quedan englobados los mercados de «eurocréditos», «eurobonos y euroobligaciones» y «eurodivisas». En Estados Unidos se le denomina *when issued*.

2. *Mercado primario*

Es el mercado en el que se vende por primera vez la emisión, es decir, el mercado donde se origina la oferta de activos y se adjudican o suscriben por primera vez, y cuya duración abarca el período de suscripción. También se le denomina *mercado de emisión*.

3. *Mercado secundario*

Es el mercado donde se cotiza la emisión en sucesivas ocasiones posteriores a su emisión. El ejemplo típico de mercado secundario son las bolsas de valores.

— **Según su estructura**

4. *Mercados organizados*

Son mercados donde se negocian diversos valores de forma simultánea y bajo ciertos requisitos normativos. Un ejemplo es el mercado organizado de derivados. En este mercado organizado se cumplen tres características: estandarización de contratos negociados, existencia de un órgano regulador y sistema de garantía y liquidación de posiciones. Las bolsas de valores y el holding mercados financieros, que integra la negociación, compensación y liquidación de deuda pública, futuros y opciones y de renta fija privada, conforman el conjunto de mercados financieros oficiales y organizados de nuestro país.

5. *Mercados no organizados (Over The Counter, OTC)*

Son mercados totalmente flexibles que acogen cualquier tipo de producto derivado a medida del inversor y creado por cualquier entidad financiera. La gama de productos que se negocian en este mercado es muy amplia: *swaps, fras, caps, floors,* etc.

— **Según las características de sus activos**

6. *Mercados monetarios*

Las características básicas de un mercado monetario son sus activos a corto plazo, es decir, su vencimiento (la fecha de amortización del activo) es inferior a dieciocho meses; son activos que poseen riesgo en general reducido y muy líquidos, esto es, fácilmente convertibles en dinero.

Un ejemplo de mercado monetario es el mercado interbancario, en el que las instituciones de crédito, directamente o a través de intermediarios financieros, se ceden depósitos u otros activos financieros a un día *(overnight deposits)* o a plazos superiores. El activo típico de estos mercados es la Letra del Tesoro.

Sin embargo, en lo que respecta a los mercados monetarios debemos realizar algunas matizaciones. Así, por mercado monetario entendemos el conjunto de mercados al por mayor, independientes pero relacionados, en los que se intercambian activos financieros que, como ya se ha dicho, tienen las características, en general, de tener un plazo de amortización corto, bajo riesgo y elevada liquidez.

Dentro de los mercados monetarios encontramos varias clases:

1. Mercado Interbancario.
2. Mercado Monetario de Fondos Públicos.
3. Mercado de Pagarés de Empresa.

El Mercado Interbancario es aquel en el que las instituciones de crédito, directamente o a través de intermediarios financieros, se ceden depósitos u otros activos financieros a un día o plazos superiores. En este mercado participa un gran número de entidades (bancos, cajas, cooperativas de crédito, sociedades de leasing, etc.), negociándose un alto volumen de euros.

El Mercado Monetario de Fondos Públicos aglutinaría fundamentalmente a los activos conocidos como Letras del Tesoro, que son activos emitidos *al descuento,* por lo que su precio de adquisición es inferior al valor nominal (1.000 €), importe que el inversor recibirá en el momento del reembolso. La diferencia entre este valor y su precio de adquisición se denomina rendimiento implícito.

El Mercado de Pagarés de Empresa puede revestir dos formas: la de «mercado no organizado» (es decir un mercado donde se compran y venden estos activos entre los intermediarios financieros), o bien, la forma de «mercado organizado».

El Mercado Secundario oficial organizado de Pagarés de Empresa es la Asociación de Intermediarios de Activos Financieros *(Mercado AIAF),* ahora integrado en el holding Mercados Financieros, donde se negocian también otros activos, no necesariamente ligados al mercado monetario, como son: *cédulas hipotecarias* (emitidas por entidades de crédito, con la peculiaridad de estar garantizadas por la totalidad de los préstamos hipotecarios concedidos por sus emisores), *bonos y obligaciones domésticas* (renta fija privada, cuyo plazo de vencimiento va de dos años en adelante, admitiendo diversas variantes en función de los flujos de interés o los plazos en los que se efectúan los pagos), *emisiones titulizadas,* las *participaciones preferentes* (activo de reciente existencia en nuestro país, muy utilizado por entidades de crédito estadounidenses para captar fondos que, al igual que ocurre en España, computan como recursos propios), *Cédulas Territoriales* y los propios *Pagarés de Empresa* (activos destinados a cubrir las necesidades de corto plazo de emisores e inversores).

7. *Mercados de capitales*

Son los mercados que tienen como objetivo la financiación a largo plazo. Generalmente se suelen dividir en dos: mercado de valores (dividido a su vez en mercado de renta fija y mercado de renta variable) y el mercado de crédito a largo plazo.

De forma resumida, en la figura 2.1 aparece reflejada la actual estructura organizativa de los mercados de valores, resultante de la aplicación de las últimas modificaciones legislativas, entre la que destaca la Ley 49/2002, de 22 de noviembre, de Medidas de Reforma del Sistema Financiero.

CONCEPTOS CLAVE

- Sistema financiero.
- Instrumentos o activos financieros.
- Intermediarios financieros y bursátiles.
- Entidades de crédito.
- Mercados financieros.
- Órganos rectores del sistema financiero.

- El Banco de España.
- La Comisión Nacional del Mercado de Valores.
- Las empresas de servicios de inversión.
- Las sociedades y agencias de valores.
- Las sociedades gestoras de carteras.
- Las empresas de asesoramiento financiero.

BIBLIOGRAFÍA

Lederman, J. (1990). *The Handbook of asset-backed securities,* New York Institute of Finance.

López Pascual, J. (1996). *El Rating y las agencias de Calificación,* Dykinson.

López Pascual, J. y Rojo, J. (2004). *Los mercados de valores. Organización y funcionamientos,* Pirámide, Madrid.

Rodríguez, L, Parejo, J. A., Cuervo, A. y Calvo, A. (2012). *Manual del sistema financiero español* (24.ª ed. actualizada), Ariel Economía.

Saunders, A. y Cornett's, M. M. (2011). *Financial Institutions Management: A Risk Management Approach* (7.ª ed.), McGraw-Hill Publishing Co.

PÁGINAS WEB

www.ifm.org
www.ecb.int
www.bde.es
www.cnmv.es
www.bolsasymercados.es
www.bmerf.es
www.inverco.es
www.dgsfp.mineco.es
www.aebanca.es
www.mineco.gob.es

3

La crisis de 2007: origen, evolución y repercusiones

3.1. INTRODUCCIÓN

Una vez explicado en el capítulo anterior el sistema financiero y su marco de funcionamiento para el sector bancario, y a lo largo del libro la importancia y repercusión del mismo para la economía de un país, es necesario analizar el origen, la evolución y las repercusiones de la conocida como «crisis de 2007», cuyas implicaciones finales y alcance real son todavía, en estos momentos y transcurridos más de siete años, una incógnita. El enorme impacto que la crisis financiera ha provocado no sólo en los sistemas financieros, sino en las economías y en la propia sociedad en general, demanda un análisis más profundo y exhaustivo que abordaremos en el presente capítulo.

3.2. EL ORIGEN DE LA CRISIS

Muchas son las explicaciones, muchos son los analistas y muchos son los estudios que mantienen distintas opiniones sobre el origen de la crisis. Nosotros, a lo largo de este capítulo, intentaremos exponer del modo más objetivo y didáctico la posible evolución de los acontecimientos para que el propio lector vaya forjándose su propia opinión al respecto, sin perjuicio de recoger algunas corrientes doctrinales existentes sobre la misma.

La mayoría coincide en considerar el año 2007 como el momento en que la crisis se manifiesta, si bien es preciso tener en cuenta la existencia de algunos factores previos a esta fecha que pueden considerarse desencadenantes y coadyuvantes de la misma.

La crisis financiera, en nuestra opinión, tiene un carácter internacional, global y de gran magnitud, siendo sus consecuencias profundas, amplias y en su mayoría irreversibles.

Cronológicamente, las primeras señales de la crisis se sitúan en Estados Unidos vinculadas a distintos acontecimientos puntuales. En primer lugar, las *hipotecas subprime,* aunque una de las primeras víctimas de la crisis tiene lugar en el Reino Unido con la quiebra del banco Northern Rock. En segundo lugar, el *abuso de las emisiones titulizadas*[1], tanto en su modalidad de *Mortgage Backed Securities* como en la de *Asset Backed Securities,* vinculadas a empresas como Fannie Mae y Freddie Mac, cuyos efectos y repercusión en la empresa de seguros americana American International Group (AIG) fueron inmediatos.

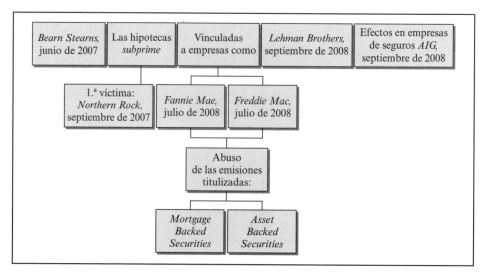

FUENTE: elaboración propia.

Figura 3.1. Evolución de la crisis de 2007.

Si desde un punto de vista cronológico tuviéramos que situar el punto inicial de la crisis, probablemente estaría en junio de 2007, cuando varios *hedge funds* de Bear Stearns[2], quiebran como consecuencia de las pérdidas generadas por las hipotecas «subprime»[3].

En los primeros días de agosto la crisis empieza a hacerse notar en las bolsas internacionales, que terminan con fuertes pérdidas y provocan que los bancos centrales intenten, mediante inyecciones de liquidez, calmar a los mercados financieros a lo largo de todo el mes de agosto.

El 13 de septiembre aparece claramente la primera víctima de la crisis, el banco británico *Northern Rock,* especializado en hipotecas, donde surgen de forma espontánea colas de clientes para retirar sus depósitos.

---

[1] Véase capítulo anterior sobre titulización.

[2] Bear Stearns era uno de los principales *investment banks* hasta que, como consecuencia de la crisis financiera de 2007, es vendido a JP Morgan Chase en el año 2008.

[3] Si bien algunos analistas como George Soros fijan su origen en agosto del 2007, cuando los bancos centrales tuvieron que intervenir para proporcionar liquidez. Véase *El nuevo paradigma de los mercados financieros*. Taurus, 2008.

A finales de 2007 los principales bancos centrales del mundo (Estados Unidos, Unión Europea y Reino Unido) pactan medidas para ayudar al sector bancario y hacer frente a la crisis crediticia, o *credit crunch crisis,* inyectando 100.000 millones de dólares en fondos de emergencia.

La desconfianza y la crisis de liquidez se instalan en los mercados, lo que afecta directamente a las entidades financieras, entre otras razones por su alta exposición al sector inmobiliario.

Durante el año 2008 la crisis se agudiza y se produce un salto cualitativo con el rescate, en julio, de las dos principales entidades hipotecarias norteamericanas: Fannie Mae y Freddie Mac. Para darnos una idea de las dimensiones de esta crisis, cabe recordar que estas dos compañías reunían más de la mitad del mercado de hipotecas sobre viviendas de los Estados Unidos (véase la figura 3.2).

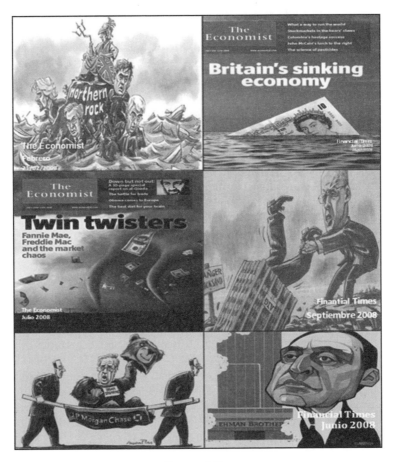

FUENTE: *The Economist* y *Financial Times*.

Figura 3.2. La crisis en imágenes de la prensa internacional.

El 15 de septiembre, el mítico Lehman Brothers, cuarto banco de inversión por volumen de activos de Estados Unidos, se declaraba oficialmente en quiebra como consecuencia de las pérdidas en el sector hipotecario y la existencia en sus portfolios de los llamados *«toxic assets»*, o *«activos tóxicos»*, que suponían activos, buena parte de ellos procedentes de esas emisiones titulizadas o de las propias hipotecas subprime. Ese mismo mes, el Bank of América se veía forzado a comprar Merrill Lynch.

Días después, Morgan Stanley y Goldman Sachs se convertían en bancos comerciales, dejando su actividad como banco de inversión.

La crisis subprime afectó también a American International Group (AIG), compañía estadounidense líder en el sector seguros (cuyos clientes eran tanto particulares y familias como instituciones y empresas), que afrontaba un gravísimo problema de refinanciación de su deuda, habiendo perdido entre enero y septiembre de 2008 un 92% de su valor en bolsa.

El 17 de septiembre, en una controvertida operación de rescate, la Federal Reserve nacionalizó a AIG para evitar que su quiebra tuviera un efecto sistémico global.

El efecto contagio de la crisis a escala mundial y especialmente a Europa estaba servido.

3.3. CAUSAS DE LA CRISIS

Aunque existen diversas corrientes de opinión académicas sobre las causas que dieron lugar a la crisis de 2007, la mayoría parece situar su epicentro en los Estados Unidos.

El contexto estadounidense no permite afirmar que el origen de la crisis sea solamente una «burbuja inmobiliaria», o *housing bubble,* sino que también es preciso tener presente una visión económica y del marco regulatorio.

Diversos analistas apuntan a la existencia de una enorme liquidez a principios del siglo XXI generada por varios factores, tales como la huida de capitales después del estallido de la burbuja tecnológica, y un escenario de fuerte bajada de los tipos de interés hasta niveles históricos.

Así pues, a partir de finales del 2001 la Federal Reserve estadounidense, para reactivar el consumo, había llevado a cabo una política monetaria de carácter expansivo que había contribuido a un endeudamiento desmedido, permitiendo el acceso a hipotecas a personas que no tenían capacidad crediticia mínima para poder hacer frente a sus préstamos[4].

En efecto, el marco económico se había caracterizado por unos bajos tipos de interés, por ejemplo, del 1% en 2003, lo que contribuyó a que existiera una gran cantidad de liquidez en busca de un destino para invertir; en definitiva, una gran expansión del crédito, hasta tal punto que la expresión *We use the house like an ATM* se había hecho popular (véase figura 3.3).

---

[4] Son las conocidas como «hipotecas subprime».

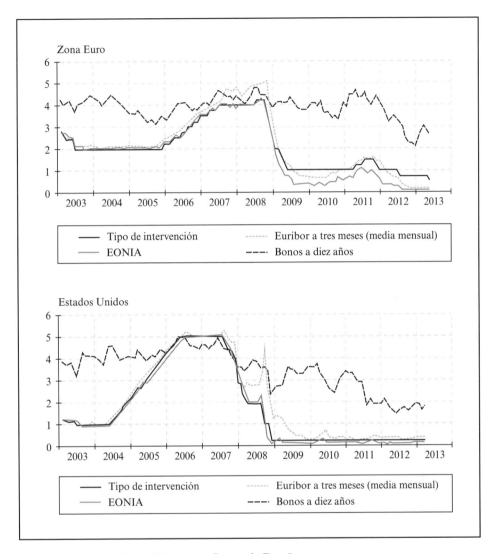

FUENTE: Banco Central Europeo y Banco de España.

Figura 3.3. Tipos de interés de la Zona del Euro y Estados Unidos.

Sin embargo, la subida de tipos de interés que se había producido a lo largo del año 2004 con el fin de intentar parar estas burbujas inmobiliarias y detener la inflación trajo consigo que se empezaran a producir dificultades en el pago de intereses y en la amortización del principal de las deudas contraídas, apareciendo de este modo los primeros impagos, o *defaults*.

Por su parte, los ahorros provenían de mercados emergentes que estaban prestando a las economías más desarrolladas del llamado primer mundo, en lugar de al revés, como venía siendo tradicional. El resultado era unas economías desarrolladas que, cada vez más, pedían prestado, provocando una fragilidad económica y contribuyendo a la creación y desarrollo de burbujas, en este caso, las inmobiliarias, donde los activos tenían un precio mucho mayor que su valor.

En este sentido se había producido una concesión de créditos hipotecarios sin las suficientes garantías, de tal modo que muchos prestatarios no reunían las condiciones necesarias para devolver los principales y/o intereses de los préstamos obtenidos *(subprimes)*, una buena parte de los cuales había servido de garantía para emisiones titulizadas.

A su vez, esas emisiones calificadas por agencias de *rating* habían sido adquiridas por inversores institucionales, tanto fondos de pensiones como de inversión, y *hedge funds*, habiéndose ido transfiriendo, en definitiva, el riesgo de un producto financiero a otro, «contagiando» buena parte de los instrumentos financieros y las entidades de crédito.

Por su parte, el ámbito regulatorio estadounidense había sufrido profundas transformaciones. Desde la mítica Glass and Steagall Act del año 1933, en la que se establecía la división tradicional entre banca comercial e *investment banking* y seguros. Algunos factores como la desintermediación, la desregulación y la globalidad de los mercados[5] motivaron al legislador a derogar esta ley y sustituirla, en el año 1999, por la «Gramm-Leach-Bliley Act» (GLBA), conocida como la Ley de Modernización de los Servicios Financieros, en la que se finalizaba con esa división histórica del modelo de banca.

Pues bien, esta derogación de la ley del año 1933 es para algunos, como Paul Volcker[6], el verdadero origen de la crisis del 2007, en la medida en que los bancos comerciales podían tomar más riesgos y apalancarse más, ya que eran al mismo tiempo tanto bancos comerciales como bancos de inversión.

Recientemente, la conocida como «Dodd-Frank Act»[7] de 2010, daba una respuesta a la crisis financiera del 2007 centrando su actuación en los siguientes aspectos: consolidación de las agencias regulatorias, incremento de la transparencia fiscal (sobre todo en derivados financieros), reformas en materia de protección de consumidores financieros, desarrollo de instrumentos financieros para la crisis, endurecimiento de la regulación de las agencias de *rating*, etc.

---

[5] Véase el libro *Gestión bancaria: factores clave en un entorno competitivo,* de López Pascual, J. y Sebastián González, A. Editorial McGraw-Hill. 3.ª ed. (2007).

[6] *Paul Adolph Volcker* fue presidente de la Reserva Federal de Estados Unidos desde agosto de 1979 hasta agosto de 1987.

[7] Su denominación completa es The Dodd-Frank Wall Street Reform and Consumer Protection Act, y fue firmada por el presidente Barack Obama el 21 de julio de 2010.

3.4. DESARROLLO DE LA CRISIS

La crisis, hasta entonces financiera, a primeros del 2008 empieza a dar señales de cambio y evolución, registrando, a nuestro juicio, una muy peculiar: la «mutación», apuntando, síntomas claros de crisis económica (figura 3.4).

Sus primeros síntomas se empiezan a notar ya a lo largo del 2008, especialmente con la subida de los precios de las materias primas; concretamente, el precio del barril Brent superó los 100 US$, alcanzando los 147 en el mes de julio, e idéntico proceso experimentaron otros metales. A este proceso es preciso añadir la constante depreciación del dólar estadounidense. La previsible ventaja exportadora de un dólar débil quedaba completamente anulada en el intercambio comercial por el alza de los precios del petróleo.

Las bolsas del viejo continente y Estados Unidos fueron superadas por las de países denominados «BRIC»[8] (Brasil, Rusia, India y China).

Su papel en una posible recuperación de la crisis es todavía una incógnita, si bien es interesante señalar que en los últimos años han acumulado aproximadamente el 40% de las reservas mundiales de divisas.

En este sentido, el surgimiento de los BRIC parece reflejar un nuevo «orden geoeconómico y geopolítico» en los albores del siglo XXI que puede suponer una reorganización del orden mundial.

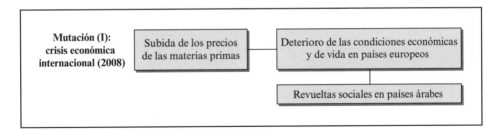

FUENTE: elaboración propia.

Figura 3.4. Mutación (I): crisis económica internacional (2008).

La crisis ha afectado y conlleva un claro deterioro en las condiciones económicas y de vida de muchos países, tales como el incremento en el desempleo y la disminución de salarios, provocando todo ello un caldo de cultivo idóneo para revueltas sociales, o *civil uprisings,* como la denominada *primavera árabe,* cuyo origen se situó en Túnez a lo largo del año 2010.

---

[8] Jim O'Neill acuñó el término en su trabajo «Building Better Global Economic BRICs», publicado por la consultora Goldman Sachs en 2001.

A finales de 2009 la crisis cobraba una nueva dimensión y su mutación daba lugar a una *crisis de Deuda soberana* materializada en la dificultad de colocar *Government Debt,* o deuda pública, de los distintos países o en el pago de importantes «primas de riesgo», elevando los costes de financiación de la Deuda Pública a niveles prácticamente insostenibles (figura 3.5). Todo ello iba acompañado de procesos de *downgrades,* o deterioro en los *ratings* de las deudas de los Estados, en parte por asumir la deuda privada surgida como consecuencia de burbujas en los precios de los activos inmobiliarios que era transferida a la deuda soberana.

Este proceso se agudizó especialmente a lo largo de 2010, obligando a los ministros de finanzas europeos, el 9 de mayo de 2010, a aprobar un rescate de 750.000 millones de euros con el propósito de asegurar la estabilidad financiera de Europa mediante la creación del Fondo Europeo de Estabilidad Financiera (FEEF)[9].

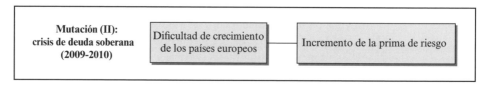

FUENTE: elaboración propia.

Figura 3.5. Mutación (II): crisis de deuda soberana (2009-2010).

El fondo pretende preservar la estabilidad financiera de Europa mediante el ofrecimiento de ayuda financiera a los Estados de la Zona Euro que se encuentren en una situación de crisis económica. Además, está autorizado a pedir prestado hasta 440.000 millones de euros, de los cuales 250.000 quedaron disponibles después de los rescates a dos países miembros: Irlanda y Portugal.

Su funcionamiento se basa en la petición de ayuda de un estado miembro de la Zona Euro después de una negociación con la Comisión Europea y el Fondo Monetario Internacional y tras haber sido aceptado unánimemente por el Eurogrupo y firmarse un Memorándum de Entendimiento[10].

Si hay una petición de un estado miembro de la Eurozona, el FEEF elaborará, en un mes aproximadamente, un programa de apoyo incluyendo el envío de un grupo de expertos conocido como *La Troika,* que representa a tres organismos (Comisión Europea, Fondo Monetario Internacional y Banco Central Europeo).

Independiente del FEEF, se encuentra el Mecanismo Europeo de Estabilidad Financiera (MEEF)[11], cuya supervisión corresponde a la Comisión Europea, y su objetivo también es preservar la estabilidad financiera en Europa, prestando asistencia financiera a los estados miembros de la unión en situación de crisis económica.

---

[9] El FEEF o, en inglés, *European Financial Stability Facility,* abreviado *EFSF.*
[10] En inglés, *Memorandum of Understanding,* abreviado *MOU.*
[11] En inglés, *European Financial Stabilisation Mechanisms,* abreviado *EFSM.*

El MEEF puede prestar 60.000 millones de euros y, finalmente, el Fondo Monetario Internacional podría alcanzar los 750.00 millones de euros, de tal manera que el conjunto de mecanismos de estabilización financiera quedaría como en la figura 3.6.

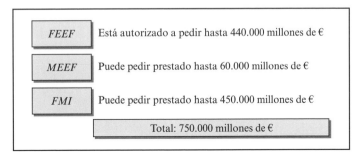

FEEF — Está autorizado a pedir hasta 440.000 millones de €

MEEF — Puede pedir prestado hasta 60.000 millones de €

FMI — Puede pedir prestado hasta 450.000 millones de €

Total: 750.000 millones de €

FUENTE: elaboración propia.

Figura 3.6. Organismos intervinientes.

A lo largo de 2011 se produce otra clara mutación en la crisis, encontrándonos ante una *crisis de la Eurozona* en sí misma (figura 3.7). En efecto, durante los años 2011 y 2012 se desarrollan más medidas para prevenir un posible colapso económico en algunos países de la Zona Euro: acuerdo por el que los bancos aceptaban una quita del 53,5% de la deuda griega debida a acreedores privados; el aumento del importe del FEEF hasta un importe superior al millardo de euros; creación de un Pacto Fiscal Europeo (firmado el 2 de marzo de 2012) comprometiéndose la mayoría de los estados miembros a incluir una denominada «regla de oro presupuestaria» en sus Cartas Magnas o Constituciones. Estas reglas se centran fundamentalmente en fijar límites y compromisos de no superar determinados límites o márgenes de actuación, por ejemplo, no superar un déficit estructural del 0,5% del PIB o mantener el déficit público por debajo del 3%, como exige el Pacto de Estabilidad y Crecimiento; de lo contrario, podrá dar lugar a sanciones semiautomáticas.

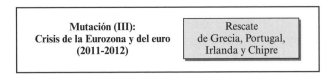

| Mutación (III): Crisis de la Eurozona y del euro (2011-2012) | Rescate de Grecia, Portugal, Irlanda y Chipre |

FUENTE: elaboración propia.

Figura 3.7. Mutación (III): crisis de la Eurozona y del euro (2011-2012).

Los problemas de la deuda soberana pusieron finalmente en cuestión el euro y se especuló sobre la propia viabilidad de la divisa, provocando una *crisis del euro* y unos intensos debates sobre las posibles salidas a la misma, ampliamente recogidos por la prensa económica (figura 3.8).

FUENTE: *The Economist.*

Figura 3.8. La crisis en imágenes de la prensa internacional.

3.5. LOS PROCESOS DE RESCATE EUROPEO

En el año 2010 la crisis provoca una serie de crisis en cadena del euro, produciéndose el rescate de cuatro países, Grecia, Irlanda, Portugal y Chipre (figura 3.9).

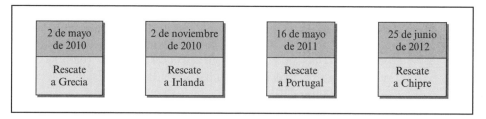

FUENTE: elaboración propia.

Figura 3.9. Los rescates europeos.

A continuación vamos a repasar brevemente cada uno de ellos, para ofrecer una visión global del proceso y evolución de los conocidos como «rescates europeos».

3.5.1. La situación de Grecia

A finales del 2009 la situación económica griega era catastrófica, con déficits presupuestarios y niveles de endeudamiento del 113,4%, muy por encima de todos los límites de los Pactos de Estabilidad y crecimientos fijados para los miembros de la

Unión Europea. Además, se hizo público que durante una década los datos de endeudamiento del país habían sido «falseados».

Tras diversos intentos de implementar medidas de austeridad para reducir el déficit público, el 23 de abril, el primer ministro griego, Papandreu, pidió un plan de rescate para antes de finales del mes de mayo. Sin embargo, la oposición alemana impidió un rescate en la forma prevista e impuso unas durísimas medidas de ajuste.

3.5.2. El primer plan de rescate a Grecia, 2 de mayo de 2010

El 2 de mayo del 2010, los ministros de Finanzas del Eurogrupo aprobaron una línea de crédito de 110.000 millones de euros para ayudar a Grecia durante tres años, 80.000 millones por la UE y 30.000 millones por el FMI.

El objetivo básico era intentar evitar que la crisis griega se extendiera a otros países de la Eurozona que tuvieran altos déficits y un débil crecimiento, especialmente, Portugal, Irlanda y España, y serviría como un «cortafuegos» que protegería al euro.

3.5.3. El segundo plan de rescate a Grecia, 22 de julio/octubre de 2011

La Troika ofrece un segundo plan de rescate por valor de 130.000 millones de euros en octubre de 2011, activándose en función del desarrollo de las medidas de austeridad que adopte el gobierno griego y condicionado a un acuerdo sobre la reestructuración de su deuda.

La puesta en marcha de este rescate requería la implantación de un fuerte paquete de medidas de ajuste que tuvo una contundente contestación social y provocó la dimisión de su primer ministro, G. Papandreu, y su sustitución por un tecnócrata, L. Papademos.

Desde una perspectiva histórica, el desarrollo del rescate es todavía breve para su análisis, si bien parece apuntar que los recortes excesivos del gasto público están dañando seriamente al país y provocando fuertes tensiones sociales de imprevisibles consecuencias.

3.5.4. Irlanda

La crisis de la deuda soberana irlandesa surge como consecuencia de la existencia de una garantía del gobierno irlandés sobre los pasivos de sus seis principales bancos para facilitarles la renovación de su financiación mayorista. Esta garantía, constituida en septiembre de 2008, fue renovada a finales del 2009, poco después de la creación de la National Asset Management Agency (NAMA), organismo diseñado para retirar los «créditos malos» de esos seis bancos.

En opinión de algunos analistas, la crisis bancaria irlandesa se gestó por la conjunción de un entorno macroeconómico que posibilitó la expansión crediticia, de una corto-placista gestión bancaria y de una pésima supervisión bancaria.

En septiembre de 2010 los bancos irlandeses ya no fueron capaces de obtener financiación y la garantía bancaria fue renovada por tercer año, creciendo la ayuda pública a los bancos hasta un 32% del Producto Interior Bruto, lo que obligó al gobierno irlandés a pedir ayuda a la Unión Europea.

El 21 de noviembre de 2010 se anunció un paquete de financiación de 85.000 millones de euros, a cambio de que el gobierno redujera su déficit.

3.5.5. Portugal

El 16 de mayo de 2011 es aprobado oficialmente por los líderes del Eurogrupo un paquete de rescate de 78.000 millones de euros para Portugal. Este préstamo se distribuyó entre el Mecanismo Europeo de Estabilidad, El Fondo Europeo de Estabilidad Financiera y el Fondo Monetario Internacional.

3.5.6. Chipre

El cuarto país del Área Euro rescatado fue Chipre. En efecto, el rescate tuvo lugar el 25 de junio de 2012, si bien es el 25 de marzo del 2013 cuando se alcanza el acuerdo con la Troika refrendado por el Eurogrupo sobre el rescate a Chipre. El país recibiría 10.000 millones a cambio de firmar un Memorando de Entendimiento con fuertes condiciones macroeconómicas y de comprometerse a reestructurar en profundidad su sistema financiero. Dicho plan implicaba cerrar el Laiki Bank, el segundo mayor banco del país, dividiendo sus activos en un «banco bueno» y en un «banco malo», e imponiendo severas condiciones, entre el 40% y el 100% de las quitas, sobre accionistas, acreedores y depositantes que mantuvieran más de 100.000 euros en sus cuentas bancarias.

Esto suponía por vez primera en un rescate bancario en el Área Euro que los depositantes de más de 100.000 euros tuvieran que asumir las pérdidas, al igual que los acreedores de deuda y los accionistas.

Asimismo, se imponía a otra entidad, el Banco de Chipre, que redujera su tamaño y se recapitalizara a través de la conversión en acciones de depósitos no asegurados y con plena participación de accionistas y deudores.

3.6. EL IMPACTO DE LA CRISIS DE 2007 EN ESPAÑA

3.6.1. Antecedentes

Si bien en un primer momento la crisis financiera se origina y concentra en Estados Unidos, como hemos visto, rápidamente se extiende a escala internacional y muta afectando a todas las economías mundiales, y, como no puede ser de otra manera, a España.

En todo caso conviene señalar que la crisis española tiene también un componente propio, gestado durante la fase de expansión que siguió a la crisis de 1992-1993, y que se extendió hasta el estallido de la actual, en el verano de 2008.

El deterioro se empieza a detectar ya en los *principales indicadores económicos españoles* a lo largo de 2008, especialmente en materia de *desempleo,* donde se aprecia un fuerte crecimiento del mismo; en materia de *inflación,* la interanual alcanzó un máximo histórico del 5,3% en julio del 2008, y a partir de la segunda mitad de 2007 los precios empezaron a aumentar de forma considerable, situando la variación anual del *IPC* en diciembre de ese año en el 4,2%; en materia de *Deuda Pública y prima de riesgo,* las cifras se dispararon y, así, del 36,1% que representaba la Deuda en el PIB se pasaba en 2010 a un 60,1%. Por su parte, la prima de riesgo alcanzaba en el verano de 2011 la cifra récord de 416 puntos y un máximo de 616 en el verano de 2012. En el sector de la construcción, uno de los más perjudicados por la crisis debido al fin del «boom inmobiliario», numerosas empresas constructoras e inmobiliarias presentaron concurso de acreedores (Martinsa-Fadesa, julio de 2008; Hábitat, etc.).

3.6.2. El desarrollo de la crisis

En definitiva, el fuerte endeudamiento de empresas y familias con los bancos (que, a su vez, debieron recurrir al exterior para obtener los fondos necesarios) situó a la economía española en una posición potencialmente vulnerable a los fenómenos de inestabilidad financiera mundial. En esa misma línea, la extraordinaria expansión del sector de construcción e inmobiliario desempeñó un papel decisivo en este proceso de endeudamiento, pues requirió un volumen muy cuantioso de financiación.

Sin duda alguna, probablemente se cometieron errores de supervisión, que coincidieron con los años de la burbuja inmobiliaria y financiera, provocando una especie de euforia colectiva no sólo en España, sino en todos los países de la Unión Europea y en Estados Unidos, que llevaba a no ver, o no querer ver, los riesgos que se estaban acumulando.

Además de dicha ceguera, presuntamente, se cometieron una serie de errores por parte del Banco de España que podemos centrar en tres aspectos: las *Fusiones Frías,* la *Provisión Anticíclica* y la *Recesión.*

En primer lugar, los sistemas institucionales de protección (SIP) o Fusiones Frías, que no eran otra cosa que una forma de integración que trataba de evitar las dificultades políticas planteadas desde las Comunidades Autónomas, y otras dificultades planteadas desde las propias entidades, a fusiones e integraciones de cajas de ahorros que se consideraban convenientes.

Si bien se aceptaron con la intención de favorecer ciertos procesos que podían permitir racionalizar el sector y mejorar la eficiencia de determinadas cajas, su efecto final no fue demasiado positivo y contribuyó, más bien, a retrasar decisiones y ajustes.

En cuanto a la provisión anticíclica, que pretendía obligar a los bancos españoles a hacer provisiones abultadas en momentos de bonanza económica, con lo que, en teoría, podrían estar mejor preparados para afrontar momentos difíciles, el Banco de España fue pionero en la introducción de esta medida, que hoy se clasifica como herramienta de política macroprudencial. Sin embargo, fue criticada desde diversos sectores, pues se entendía que dañaba o podía dañar la posición competitiva de las entidades de crédito, y también desde la comunidad financiera internacional, por su difícil compatibilidad con las normas contables. Desde algunos sectores se señaló que su defecto principal era su «timidez y su insuficiencia» para contener el crecimiento excesivo del crédito.

Finalmente, la falta de previsión de la recesión pudo afectar a la calidad de los *stress test* o pruebas de esfuerzo, que el Banco de España llevó a cabo en 2010 y 2011 en el marco de un ejercicio dirigido por la autoridad bancaria europea.

En resumen, la evolución de la coyuntura provoca que los impagos de numerosas empresas y particulares y la fuerte exposición de algunas cajas de ahorros al ladrillo, junto a una mala gestión de muchas de ellas, llevaran a la intervención de algunas entidades.

La primera intervención fue la de la Caja Castilla-la Mancha. Tiene lugar el 28 de marzo de 2009, cesando a todo su consejo de administración, nombrando nuevos administradores y garantizando todos los depósitos de la entidad con cargo al Fondo de Garantía de Depósitos.

La evolución de la crisis da lugar a la adopción de medidas y reformas para intentar atajar los devastadores efectos de la misma[12].

En España se adoptaron las primeras medidas en 2008, centradas en la creación de un fondo de adquisición de activos financieros y la aprobación de un mecanismo de avales públicos, para facilitar nuevas emisiones de títulos bancarios, cuya finalidad era hacer frente a las dificultades que iban apareciendo en el mercado interbancario que afectaban a la financiación mayorista de algunas entidades (figura 3.10).

Especialmente destacable es la elevación a 100.000 € de la cobertura de los depósitos garantizados para bancos, cajas y cooperativas de crédito, en línea con otros países de la Unión.

En junio de 2009 se crea el Fondo de Reestructuración Ordenada Bancaria (FROB), sobre el que nos ocuparemos con más detalle más adelante.

Por otra parte, a lo largo del año 2010, se abordaron cambios normativos importantes, especialmente en materia de cajas de ahorros (Real Decreto-Ley 11/2010, de 9 de julio, de Órganos de Gobierno y otros aspectos del Régimen Jurídico de las Cajas de Ahorros), que afrontaban sus dos principales limitaciones. En primer lugar, fortaleciendo la capitalización de las cajas de ahorros españolas, facilitando sus posibilidades de captación de recursos ante su incapacidad o imposibilidad para captar capital en los mercados, y en segundo lugar, realizando los ajustes necesarios para la profesionalización de los órganos de gobierno en línea con las demás entidades de

---

[12] Véase la figura 3.10 de este capítulo: «Las reformas españolas ante la crisis».

crédito. Finalmente, se permite el ejercicio de la actividad financiera de la caja mediante un banco controlado por ella, al tener al menos el 50 % de su capital, ofreciendo simultáneamente la posibilidad de transformar la caja en una fundación de carácter especial y conservando la obra social y el traspaso de todo su negocio financiero a un banco.

En 2010 también se desarrollaron medidas en cuanto al régimen contable de las provisiones, centradas en el endurecimiento del tratamiento de los activos adjudicados y de las garantías inmobiliarias, y acortando los calendarios de dotación de riesgos morosos. En ese año se inician los primeros *stress test* o «pruebas de resistencia», llevadas a cabo bajo la coordinación de las instituciones europeas.

En 2011 se adoptaron varias medidas distintas, centradas en el Real Decreto-Ley 2/2011, de 18 de febrero, para Reforzamiento del Sistema Financiero.

Este Real Decreto respondía a un doble objetivo: de un lado, reforzar el nivel de solvencia de todas las entidades de crédito, elevando los requerimientos de capital para nuestras entidades de crédito, y estableciéndose un nuevo coeficiente mínimo del 8 % para el llamado «capital principal» (que se elevaba al 10 % para entidades muy dependientes de los mercados mayoristas), y de otro lado, ofrecer el respaldo del FROB para aquellas entidades que no pudieran alcanzar los nuevos mínimos obligatorios por sus propios medios mediante un nuevo sistema de ayudas que abrió la puerta a la entrada del FROB como accionista en el capital de las entidades.

En este mismo año se unificaron los tres fondos de garantía de depósitos de bancos, cajas y cooperativas, previéndose la posibilidad de que este nuevo fondo participara en la financiación de las operaciones de reestructuración gestionadas por el FROB.

El año 2012 marca, sin duda, una política de inflexión en las reformas elaboradas, y, así, pese a las medidas señaladas, y tal vez la tardanza en la adopción de alguna de ellas, las dudas sobre la viabilidad de una parte de nuestro sistema bancario y de cajas de ahorros no se despejaron, y se fueron intensificando a lo largo de 2011 y principios de 2012, por diversas causas ya apuntadas: empeoramiento de la situación económica internacional; los problemas de la Zona Euro, en particular la situación de Grecia y las negociaciones sobre su rescate, y el deslizamiento de nuestra economía hacia una nueva recesión, que se centraba de forma primordial en la valoración contable y el tratamiento de la gran masa de activos relacionados con el riesgo inmobiliario, etc.

La plasmación concreta figura en los conocidos como «Decretos Guindos I y II», sobre los que nos ocuparemos más ampliamente posteriormente.

En definitiva, entre 2007 y 2012, el sector bancario español realizó saneamientos por importe superior a 200.000 millones de euros, a los cuales hay que sumar el incremento de los requerimientos de capital principal de 11.000 millones antes citado. Ello suponía, de manera agregada, un esfuerzo equivalente a más del 20 % del PIB español del año 2011.

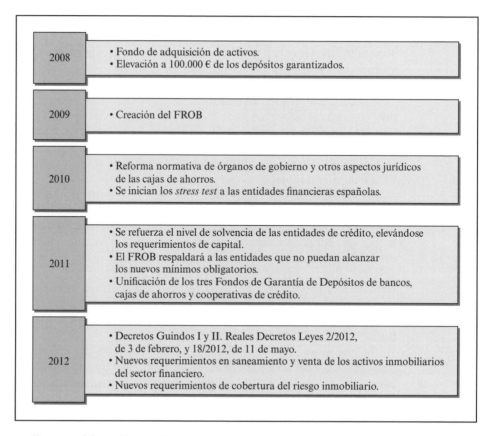

FUENTE: elaboración propia.

Figura 3.10. Las reformas españolas ante la crisis.

3.7. CREACIÓN DEL FONDO DE REESTRUCTURACIÓN ORDENADA BANCARIA (FROB)

Como el propio Real Decreto de constitución del FROB[13] señala, la crisis financiera había afectado a unas entidades de crédito españolas que, hasta ese momento, gozaban de una buena salud financiera y una prácticamente nula exposición a los llamados activos tóxicos.

Se señalaba también que, casi dos años después del inicio de la crisis, la capacidad de resistencia del sector bancario español, tradicionalmente sujeto a una regulación

---

[13] Real Decreto-Ley 9/2009, de 26 de junio, sobre Reestructuración Bancaria y Reforzamiento de los Recursos Propios de las Entidades de Crédito, BOE 27/03/2009.

y supervisión basadas en una aplicación prudente y rigurosa de estándares internacionales, había sido notable. Se señalaba también que, en circunstancias normales, los Fondos de Garantías de Depósitos de Bancos, Cajas de Ahorros y Cooperativas de Crédito eran herramientas suficientes para afrontar crisis individuales en un determinado número de entidades.

Se apuntaba que la situación actual no era normal y que aunque era previsible que las entidades susceptibles de entrar en dificultades no tuvieran carácter sistémico, la «consideración conjunta de sus problemas de viabilidad sí podría llegar a generar un potencial riesgo sistémico, que justifica tener previstos instrumentos adicionales y la utilización de recursos públicos en caso de que se diesen las circunstancias que hicieran necesaria su utilización».

En consecuencia, el Real Decreto establecía una serie de medidas para poder llevar a cabo la estrategia necesaria en materia de reestructuración bancaria mediante el establecimiento de un proceso predeterminado que se dirige a incrementar la fortaleza y solvencia del sistema bancario español.

El FROB, por tanto, se constituye con el objetivo de gestionar los procesos de reestructuración y resolución de las entidades de crédito (figura 3.11).

En definitiva, establecía que en caso de que se contemplase la necesidad de reestructurar una entidad de crédito, esta operación se llevaría a cabo con el apoyo del Fondo de Garantía de Depósitos, que podría, a su vez, recibir apoyo financiero del FROB. En caso de no aprobarse los planes de viabilidad o no ser posible su cumplimiento, la reestructuración de la entidad se ajustaría a un procedimiento nuevo, sustituyendo los administradores de la entidad y asumiendo la gestión el FROB, que elaboraría un plan de reestructuración con medidas organizativas, de apoyo financiero y con la solución a adoptar.

La Ley 9/2012, de noviembre[14], de Reestructuración y Resolución de Entidades de Crédito, reforzaba los poderes de intervención de este organismo, permitiéndole asumir en los procesos de reestructuración y resolución ordenada de entidades de crédito la responsabilidad de determinar los instrumentos idóneos para llevarlos a cabo de la mejor forma y con el menor coste posible para el contribuyente.

El FROB tuvo una dotación inicial de 9.000 millones de euros, de los cuales el 75 % (6.750 millones de euros) estaba financiado con cargo a los Presupuestos Generales del Estado y los remanentes del Fondo de Adquisición de Activos Financieros y el 25 % restante (2.250 millones de euros) por los distintos fondos de garantía de depósitos de bancos, cajas de ahorro y cooperativas de crédito.

Su administración se realizaba por una comisión rectora integrada por ocho miembros (cinco de ellos a propuesta del Banco de España y tres en representación de los fondos de garantía de depósitos) y presidida por el subgobernador del Banco de España.

Su primera actuación fue la que afectó a Caja Castilla-La Mancha, cuyo proceso de intervención, reestructuración y venta se alargó durante un plazo de varios meses.

---

[14] Ley 9/2012, de noviembre, de Reestructuración y Resolución de Entidades de Crédito, BOE, 15 de noviembre del 2012.

Lunes 4 febrero 2013 Expansión **13**

FINANZAS & MERCADOS

El Frob presta 953 millones al Fondo de Garantía ante su falta de liquidez

POR PRIMERA VEZ EN LA HISTORIA/ El FGD carece de los fondos suficientes para hacer frente a las pérdidas derivadas de la nacionalización de Unnim y se ha visto forzado a pedir un crédito al Frob.

Gemma Martínez. Madrid

Las subastas de bancos nacionalizados han extenuado al Fondo de Garantía de Depósitos (FGD). La sociedad, uno de los instrumentos utilizados para reparar el sistema financiero, ha suscrito un préstamo a nueve meses con el Fondo de Reestructuración Bancaria (Frob) por 953 millones de euros ante su falta de liquidez. El dinero ha servido al FGD para costear la inyección de capital de Unnim Banc, previa a su venta a BBVA.

El Frob era el dueño y el gestor de Unnim, después de haber nacionalizado la entidad en 2011 con una inyección de capital público de 953 millones. El Fondo de Reestructuración desinvirtió a través de una subasta por la que adjudicó Unnim a BBVA, en marzo del año pasado y por un euro. El Frob se comprometió a aportar los fondos necesarios para que el Frob recuperase el importe íntegro de su participación en Unnim en el proceso de venta. Se quería así que el reflotamiento de la entidad fuera sufragado por las propias entidades, a través del FGD, y no por los contribuyentes.

El Fondo de Garantía también concedió en ese momento un Esquema de Protección de Activos (seguro contra la morosidad futura) sobre una cartera crediticia de 7.360 millones. BBVA asumiría las primeras pérdidas de esos préstamos, hasta 1.330 millones. A partir de ahí, las pérdidas se compartirían entre el FGD (80%) y BBVA (20%).

Nueve meses

Ante la escasa liquidez del FGD, el Frob le otorgó un préstamo por los citados 953 millones. La operación, con un plazo de nueve meses, se formalizó en julio del año pasado, cuatro meses después de la adjudicación. El préstamo vence el 1 de marzo de 2013 y el FGD tiene la posibilidad de cancelarlo anticipadamente. El tipo de interés

El FGD se quedó sin patrimonio tras inyectar 5.249 millones en CAM antes de su venta

que paga el FGD es el equivalente a la rentabilidad de la deuda pública española a plazo similar.

La firma del crédito no se hizo pública ni por parte del Frob ni del FGD.

El Fondo de Garantía, que desde entonces ha realizado una derrama extraordinaria entre sus socios a diez años por 2.026 millones, ya ha devuelto la mitad de los 953 millones que pidió al Frob. La se-

gunda mitad se reembolsará al Frob en el momento del vencimiento, a finales de marzo, según fuentes próximas al Fondo de Reestructuración.

El objeto del crédito era que el FGD pudiera reintegrar al

Antonio Carrascosa y Fernando Restoy, director general y presidente del Frob, respectivamente.

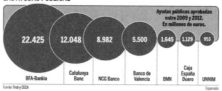

LAS AYUDAS PÚBLICAS

Ayudas públicas aprobadas entre 2009 y 2012. En millones de euros.

22.425	12.048	8.982	5.500	1.645	1.129	953
BFA-Bankia	Catalunya Banc	NCG Banco	Banco de Valencia	BMN	Caja España Duero	UNNIM

Fuente: Frob y CECA

Expansión

El Frob podía prestar dinero al FGD desde su creación, pero nunca había firmado ninguna operación

Frob, al propio prestamista, la inyección de capital que había realizado en Unnim.

El FGD había asumido el compromiso de soportar el coste de la operación pero no disponía en ese momento de suficiente liquidez. El Frob sí tenía ese dinero y se lo adelantó al Fondo de Garantía, según las mismas fuentes. En la práctica, es como si se retrasara durante nueve meses la recuperación del capital invertido en Unnim por parte del Frob.

Reconversión

El objetivo histórico del FGD era garantizar los depósitos de las entidades de crédito, con 100.000 euros por persona. Sin embargo, durante la reestructuración del sistema financiero sus competencias se ampliaron. El Gobierno de José Luis Rodríguez Zapatero decidió en octubre de 2011 que tenía que ser el sector bancario (a través del FGD), y no el Frob, quien asumiera el coste de reparar al sector. Así lo exigían las dificultades presupuestarias del país. El Frob es público.

La subasta de CAM dejó prácticamente sin patrimonio al FGD, que inyectó 5.249 millones en la caja alicantina antes de su venta en subasta a Banco Sabadell. El FGD también se comprometió a que el Frob recuperara la inversión realizada en Unnim con los 953 millones por los que luego tuvo que endeudarse.

Ahora, desde que España pidió ayuda a la Unión Europea para la recapitalización de la banca, el Fondo de Garantía vuelve a dedicarse únicamente a garantizar los depósitos.

Esta es la primera vez en la historia que el Frob presta dinero al FGD. La posibilidad de que el Fondo de Reestructuración financie al FGD existe desde la creación del Fondo, pero hasta ahora nunca se había utilizado, según explican las mismas fuentes.

Los bancos públicos venden pisos por 5.000 millones

Las cuatro entidades que han estado o están en manos del Estado (Banco CAM, NCG Banco, Bankia, y CatalunyaCaixa) vendieron el año pasado casi 40.000 activos inmobiliarios por más de 5.000 millones de euros, y con descuentos que llegaron al 60 %. La persistencia de la crisis y las nuevas necesidades de capital

contenidas en los decretos de saneamiento del sector aprobados por el Ejecutivo en 2012, han sido dos de las razones que han hecho que las entidades aceleren las ventas. También ha influido en la creación de Sareb, el banco malo que ya está en marcha y cuya función será gestionar los activos inmobiliarios que quedan, previsiblemente con

unos descuentos aún mayores, por lo que las entidades se han empleado a fondo en deshacerse de estos inmuebles. Bankia cerró con unas ventas de 14.600 activos inmobiliarios. CatalunyaCaixa logró desprenderse de más de 8.600 inmuebles por 1.500 millones de euros, informa Efe.

El director financiero de Barclays dimite por sorpresa

Expansión. Londres

El director financiero de Barclays, Chris Lucas, abandonará su cargo probablemente hoy, según informó ayer el canal de televisión Sky News. Según esta cadena, que cita fuentes de la entidad, Lucas es el único miembro de la cúpula directiva del banco británico que continúa desempeñando su cargo después de que Barclays fuera implicada en el escándalo de manipulación del Líbor (tipo de interés interbancario fijado en Londres) el pasado año. Lucas ha ocupado el cargo de director financiero en los últimos seis años y dejará el puesto de forma voluntaria, influido en parte por motivos de salud. El ejecutivo entró en el banco en 2007. La entidad ha encargado a una empresa de cazatalentos la búsqueda de su sustituto, informa Reuters.

Barclays fue sancionado en junio de 2012 con 290 millones de libras (471 millones de dólares o 356 millones de euros) por falsear el Líbor y su versión europea Euríbor para su propio beneficio entre 2005 y 2009, lo que provocó la dimisión del consejero delegado, Bob Diamond.

Líbor

El Líbor se fija diariamente en Londres con las aportaciones de una veintena de entidades que calculan a qué tipo de interés pueden tomar prestado dinero en el mercado interbancario. La manipulación de este tipo, que sirve de referencia para los intereses de tarjetas de crédito o de hipotecas, llevó al Gobierno británico a ordenar una reforma del procedimiento por el que se fija y a introducir penalizaciones para los infractores, informa Efe.

Lucas, que en 2011 cobró casi cuatro millones de libras, es uno de los cuatro empleados y exempleados del banco que está siendo investigado por las autoridades en relación a una inyección de capital realizada en Barclays por el Gobierno de Qatar en 2008. No obstante, las mismas fuentes afirman que su marcha no está vinculada con este caso.

Mark Harding, director jurídico de Barclays, también anunció ayer su dimisión. Como en el caso de Lucas, dejará su puesto cuando la entidad encuentre un sustituto.

Figura 3.11

3.8. EL *EUROPEAN STABILITY MECHANISM (ESM)*, MECANISMO EUROPEO DE ESTABILIDAD (MEDE)

La crisis financiera en la Zona Euro y la necesidad de ir haciendo frente a las ayudas financieras o rescates a países de la zona que atravesaban graves problemas financieros llevó al Consejo Europeo a crear, en marzo del 2011, un organismo intergubernamental que ejerciera una labor de salvaguardia de la estabilidad financiera de la Zona Euro. Este mecanismo entró en vigor el 1 de julio de 2012, sustituyendo al Fondo Europeo de Estabilidad Financiera y al Mecanismo Europeo de Estabilidad financiera[15].

Su objetivo fundamental consiste en facilitar ayuda financiera en forma de préstamos a los países de la Zona Euro que sufran graves problemas de financiación, todo ello bajo determinadas y estrictas condiciones. Es decir, es un mecanismo permanente de resolución de crisis que pretende salvaguardar la estabilidad financiera dentro del Área Euro.

La ayuda se activa automáticamente cuando un país de la Zona Euro realice una petición formal. La Comisión Europea, el FMI y el Banco Central Europeo, es decir, la conocida como «La Troika», evaluarán el riesgo para la estabilidad financiera de la Zona Euro en su conjunto y analizarán la sostenibilidad de la deuda pública del país que solicitó la ayuda. Si se concluyera que un programa de ajuste macroeconómico podría reconducir la deuda pública a una senda sostenible, se evaluarían las necesidades de financiación y se negociaría el programa de ayuda, que se formalizaría en un tratado o convenio.

En el caso español, y después de la petición del rescate bancario español en junio del 2012, del que nos ocupamos más adelante, el MEDE desempeñó un papel importante, exigiendo una evaluación en profundidad de las carteras y estados financieros de las entidades financieras, en lo que se ha llegado a calificar como una *Radiografía de la Banca Española.* Esta evaluación fue realizada por instituciones independientes (Oliver Wyman y Roland Berger), que estimaron las cifras reales de necesidades de capital de la banca española.

Tras estos análisis, los bancos tuvieron que presentar sus planes de recapitalización para su evaluación por el Banco de España y la Comisión Europea para determinar si podían captar fondos por sus propios medios o necesitaban ayuda mediante inyecciones públicas de capital[16].

3.9. LA CRISIS DE BANKIA Y SUS CONSECUENCIAS EN MAYO DE 2012

Bankia es la consecuencia del proceso de reestructuración del sistema de cajas de ahorros impulsado a través de un modelo conocido como SIP.

---

[15] Véase lo comentado en el apartado 3.6.2 «El desarrollo de la crisis».
[16] Véase el apartado «El rescate del sistema financiero español».

© Ediciones Pirámide

El Sistema Institucional de Protección (SIP) surge, como hemos visto anteriormente, como consecuencia de la crisis financiera y se configura como un mecanismo que se crea para consolidar entidades de crédito, cajas de ahorros, en situación de debilidad, permitiendo obviar el problema de la naturaleza jurídica de las cajas de ahorros vinculadas a sus Comunidades Autónomas.

En definitiva, se trata de un acuerdo contractual entre varias cajas de ahorros por el que se establece un compromiso mutuo de solvencia y liquidez a través de fondos inmediatamente disponibles de un importe igual o superior al 40% de los recursos propios de cada entidad. Siempre debe existir una «entidad central» que es la responsable del cumplimento de todos los extremos del acuerdo y que deberá adherirse al Fondo de Garantía de Depósitos.

En el año 2010 se crea el Banco Financiero y de Ahorros, compuesto por las antiguas Caja Madrid, Bancaja, Caja de Canarias, Caixa Layetana, Caja Rioja, Caja Ávila y Caja Segovia. Esta fusión, controlada por Caja Madrid, le permitía recibir del FROB ayudas por valor de 4.465 millones de euros. Pues bien, Bankia es el nombre que recibe la entidad financiera filial del Banco Financiero y de Ahorros.

El 2 de marzo del 2011 se presenta formalmente bajo el nombre de Bankia, marca con la que a partir de ese momento operarían todas las entidades anteriores.

Su salida a bolsa se produjo el 20 de julio del 2011 a un precio de 3,75 euros por acción, procediéndose a captar en la emisión 3.092 millones de euros.

Posteriormente, en mayo de 2012, Bankia es intervenida con dinero público, percibiendo ayudas por un importe de entre 7.000 a 10.000 millones de euros procedentes del FROB, a los que había que añadir 4.465 millones más que la matriz de Bankia, Banco Financiero y de Ahorros había recibido en la primera ronda de ayudas públicas del FROB en 2010.

El 9 de mayo, el gobierno nacionaliza el Banco Financiero y de Ahorros, matriz de Bankia, haciéndose con el control de la entidad. Ese mismo día, el Consejo de Administración de Bankia se reúne y solicita una inyección de 19.000 millones de euros de dinero público, el mayor rescate financiero de la historia de España, y uno de los mayores de Europa.

El lunes 27 de mayo las acciones de Bankia se sitúan en 1,36 euros por título, arrastrando en su caída al selectivo bursátil español IBEX-35, que cae más de un 2%.

El 9 de junio, el ministro de Economía español, Luis de Guindos, solicita y obtiene un rescate financiero de 100.000 millones de euros que el gobierno utilizará para sanear el sistema financiero, y especialmente la importante entidad financiera sistémica: Bankia.

3.10. EL RESCATE DEL SISTEMA FINANCIERO ESPAÑOL EN JUNIO DE 2012

En junio de 2012, el Gobierno Español solicitó asistencia financiera a Europa por un importe máximo de 100.000 millones de euros con el fin de ayudar a las entidades bancarias españolas que no aprobaran las pruebas de resistencia (test de estrés).

El 20 de julio, el Eurogrupo aprobó un acuerdo, que fue reflejado en el Memorandum de Entendimiento (MoU), que condicionaba la asistencia financiera al cumplimiento de ciertas medidas reforzadoras de la estabilidad financiera en España. En su instrumentación y toma de decisiones deberán coordinarse las autoridades españolas, la Comisión Europea, el BCE, la Autoridad Bancaria Europea y el FMI.

Se clasificaron los 18 grupos bancarios referidos en el MoU, que representaban el 90 % del sistema bancario español, en cuatro grupos (figura 3.12):

— **Grupo 0:** los bancos sin déficit de capital; es decir, aquellos que aprobaron las pruebas de resistencia realizadas por el experto independiente.
— **Grupo 1:** los bancos intervenidos por el Estado (propiedad del FROB).
— **Grupo 2:** los bancos que no superaron la prueba de resistencia y que no pueden obtener capital privado.
— **Grupo 3:** los bancos que pese a suspender el test de estrés podrán ampliar su capital mediante inversores privados.

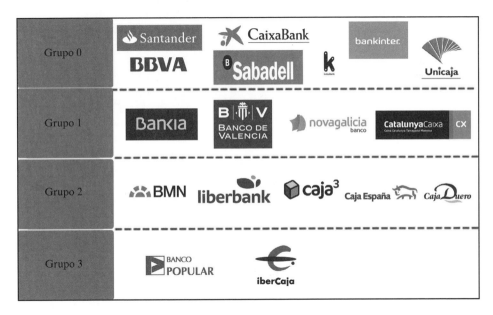

Figura 3.12. Grupos bancarios referidos en el MoU.

Este documento establece una hoja de ruta cuyas exigencias más importantes son:

1. **Condicionalidad específica de las entidades:**

— **Determinación de las necesidades de capital de cada banco** a través de la prueba de resistencia.
— **Recapitalización, reestructuración y/o resolución de las entidades** que necesiten ayudas presentando los planes de reestructuración, que serán objeto de aprobación por la Comisión Europea.

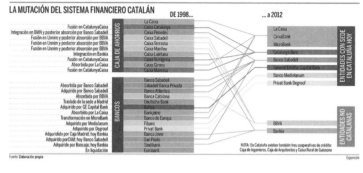

Figura 3.13

— Repartición de parte de **la pérdida no sólo entre los accionistas, sino también entre los titulares de participaciones preferentes y de deuda subordinada** de los bancos que reciban ayuda pública, con el fin de disminuir las cargas derivadas de estos procesos en los contribuyentes.

— **Traspaso de los activos** deteriorados y relacionados con la promoción y construcción de los bancos que reciban apoyo público al denominado «Banco Malo» o SAREB (Sociedad de Gestión de Activos Procedentes de la Reestructuración Bancaria), que no es otra cosa que una sociedad anónima creada para gestionar un volumen de activos sobre los 50.000 millones de euros procedentes de las entidades nacionalizadas y de las entidades que han requerido asistencia financiera. El período inicial para acometer sus objetivos de venta de los activos buscando la máxima rentabilidad posible para sus accionistas es de 15 años.

2. **Condicionalidad genérica para el sector bancario.** Refuerzo del marco regulador y de supervisión incidiendo principalmente en:

— El cumplimiento de un coeficiente de capital mínimo de un 9 % hasta, al menos, finales de 2014.

— La revisión del marco de provisiones basándose en la experiencia de la crisis financiera.

— La necesidad de un control continuo de la liquidez.

— Mayor transparencia de información.

3. **Condicionalidad macroeconómica.** Medidas centradas en:

a) Control del déficit excesivo.

b) Reforzamiento normativo.

c) Control del sistema financiero.

3.11. LOS DECRETOS DE REESTRUCTURACIÓN DEL SISTEMA FINANCIERO ESPAÑOL

La necesidad de reestructurar el sistema financiero español es objeto de un desarrollo legislativo plasmado en los Reales Decretos Leyes 2/2012, de 3 de febrero, y 18/2012, de 11 de mayo[17], sobre Saneamiento y Venta de los Activos Inmobiliarios del Sector Financiero Español, tratando de disipar las incertidumbres que dificultaban su normalización. Esta normativa establece nuevos requerimientos de cobertura del riesgo inmobiliario, estableciendo que si para cumplir los mismos se deteriorara su solvencia de modo tal que su capital principal o sus recursos propios resultasen defi-

---

[17] Los conocidos coloquialmente como «Decretos Guindos I y Guindos II», por haber sido elaborados por el Ministro de Economía y Competitividad que los diseñó y desarrolló.

citarios, habría que prever un plan de cumplimiento de medidas alternativas que garantizasen lo previsto en la normativa.

En dicho caso, y si el Banco de España así lo considera, las entidades estarían obligadas a solicitar el apoyo financiero público a través de la intervención del FROB, que podrá inyectar recursos en las entidades a través de la adquisición de capital ordinario o de otros instrumentos convertibles en capital.

Esta normativa tiene como objetivo que las entidades aceleren las provisiones sobre los inmuebles en balance y los créditos relacionados con el ladrillo, y obliga a la banca a incrementar las provisiones sobre los inmuebles en balance, especialmente del suelo y las promociones no terminadas, y los créditos problemáticos relacionados con el ladrillo.

El coste de esta **primera parte** de la reforma se calcula en unos 54.000 millones de euros, entre provisiones y capital. Las entidades también se han visto obligadas a provisionar al 7% los créditos inmobiliarios sanos. La **segunda parte** de la reforma obliga a la banca a incrementar hasta el 30% las provisiones sobre el crédito inmobiliario sano, lo que supone un esfuerzo adicional de unos 30.000 millones.

Estos decretos también establecen unos límites máximos a las remuneraciones de los consejeros y directivos de entidades que reciban apoyo financiero público para su saneamiento o reestructuración.

3.12. ¿HACIA UNA UNIÓN BANCARIA?

Como hemos visto, la crisis financiera ha ido evolucionando y mutando a lo largo de estos últimos años propiciando un clima en la Unión Europea de debate sobre el riesgo de ruptura del euro y la Eurozona y los mecanismos de solventar dicho riesgo.

En este contexto de ruptura surge como posible alternativa o solución un mayor proceso de concentración e incluso unión, si bien no es una propuesta pacífica ni unánimemente respaldada.

Desde la cumbre europea de diciembre del 2012 se ha establecido un calendario tentativo que debe concluir en el año 2014 y que debería finalizar con un proceso de Unión Bancaria.

En síntesis, este proceso supondría que los bancos centrales nacionales, que tienen el poder de supervisión, lo entregarían a una Autoridad Europea Bancaria, todo lo cual supondría la existencia de un supervisor europeo único para todos los bancos, una autoridad europea de reestructuración y resolución bancaria y un fondo europeo de garantía de depósitos.

En resumen, se trataría de contar al final del proceso de unión bancaria con un mercado financiero genuinamente integrado en el que se podría contar con una separación completa entre el riesgo soberano y bancario, dado que contaríamos con bancos de dimensión europea y, por tanto, supranacional.

Sin embargo, las dudas y las dificultades que se prevén en este camino hacia la integración son muchas y será necesario un diseño creativo en el que se concilien políticas globales sin desalentar ni exacerbar sentimientos locales que puedan llevar a una ruptura de la Eurozona o a la existencia de una Europa a dos velocidades.

34 EL MUNDO. JUEVES 16 DE MAYO DE 2013

ECONOMÍA

>EMERGENCIA ECONÓMICA El crecimiento de Europa

■ La Unión Europea se estanca

Variación intertrimestral 2012 y últimos datos del primer trimestre de 2013. En % del PIB.

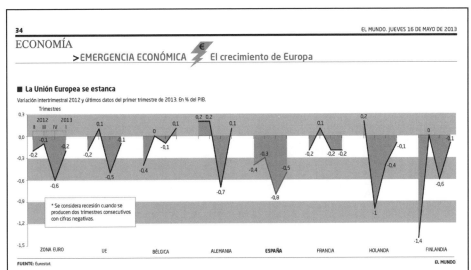

* Se considera recesión cuando se producen dos trimestres consecutivos con cifras negativas.

FUENTE: Eurostat. EL MUNDO

La recesión se propaga al norte

Las economías de los socios más ricos de la Eurozona frenan la salida de la crisis

ALBERTO FDEZ-DE QUER / Bruselas
Especial para EL MUNDO

La recesión ya no es sólo cosa del sur y, aunque se suaviza, en la Eurozona bate un nuevo récord al alargarse desde hace un año y medio. Según los datos publicados por la oficina estadística europea, Eurostat, el descenso del PIB fue de dos décimas en el primer trimestre de este año frente a las seis que cayó en el último periodo del año pasado.

La curva económica sigue apuntando hacia abajo, pero se endereza poco a poco. A este frenazo contribuyen los países del eje meridional, donde se constata una leve mejoría. Sin embargo, sus datos contrastan con los países del norte, que se han contagiado de la depresión mediterránea. Y no será por falta de prevención. O a lo mejor sí.

En 2012 se sucedieron cumbres europeas en las que la palabra crecimiento fue probablemente la más pronunciada por los jefes de Estado y de Gobierno. Sin embargo, a pesar de los pactos, de las medidas y de las continuas puestas en escena que hace Bruselas para demostrar que ha cambiado el *chip* de la austeridad, lo cierto es que los datos de Eurostat siguen teñidos de rojo con números que no engañan a nadie.

Portugal representa el caso de mayor recuperación de la zona euro

No sólo la Eurozona vive una época sombría. La recesión se ha propagado al conjunto de la Unión Europea, que encadena dos trimestres de crecimiento negativo. Sin embargo, en el caso de los 27, la caída también se ha reducido hasta el 0,1%, frente al recorte del 0,5% del último trimestre de 2012. Y este dato tampoco lo mejorará Croacia, que se convertirá en nuevo miembro del club comunitario el próximo julio tras encadenar varios trimestres con caídas superiores a la media de sus futuros socios.

En los polos opuestos se sitúan cuatro países que apenas tienen fuerza para inclinar la balanza. Los peores datos han sido para la recién rescatada Chipre (-1,3%) y Estonia (-1%). Sus dos vecinas del sur, Letonia y Lituania, son quienes más crecen, por encima del 1% y, casualmente, de las tres, la única que se maneja en euros es la primera.

Por su parte, España baja cinco décimas y mejora su trimestral en un 0,3%. Italia sufre una caída similar, pero también mejora cuatro décimas. La mayor recuperación es la de Portugal, que sigue en recesión, pero que pasa de dejarse un 1,8% de su PIB a caer sólo tres décimas. Alemania sigue con el freno de mano puesto al crecer sólo un 0,1%, lo mismo que Reino Unido. Quien entra en recesión es Francia, que se convierte en el séptimo país del euro que encadena al menos dos trimestres consecutivos de caída. Por su parte, los socios austeros de Alemania –Holanda y Finlandia– siguen en negativo y Austria se estanca.

La riqueza de Finlandia cede un 0,1% y acumula dos trimestres a la baja

Y las perspectivas, aunque más optimistas, siguen sin ser del todo favorables. Bruselas calcula que su economía caerá un 0,6% en el conjunto de este año. Según sus últimas estimaciones, la recuperación será progresiva a lo largo del ejercicio hasta crecer tres décimas en el último trimestre. La Comisión entiende que la mejora de la situación de los mercados financieros todavía no ha repercutido en un mayor crecimiento, pero confía en que éste vuelva y mantiene sus previsiones según las cuales en 2014 se producirá un repunte del 1,6% en la UE y del 1,4% en la Eurozona.

Agotados ya los calificativos para describir esta situación, el presidente de la Comisión, José Manuel Durao Barroso, lamentó ayer unos datos que «están por debajo de nuestras expectativas». Una decepción que se debe a la ausencia de crecimiento y empleo, pero que es sólo parcial para Barroso, que destacó los progresos hechos en términos de consolidación fiscal al tiempo que volvía a rechazar que el debate sea tan simple como contraponer la austeridad al crecimiento.

Finalmente, el presidente de la Comisión incidió en que se suavizarán los objetivos de déficit para varios países «visto el deterioro económico» plasmado en las estadísticas. En general, un trimestre más, no son datos buenos, pero sí mejores que los anteriores y reflejan que, poco a poco se invierte la tendencia negativa en algunos países.

FRANCIA

Ya está en la zona de peligro...

J. M. BELLVER / París
Corresponsal

La economía francesa entró ayer oficialmente en recesión, después de que el Instituto Nacional de Estadística (Insee) hiciera público que el PIB retrocedió un 0,2% durante el primer trimestre de 2013, debido al bajón de la demanda interna y, en mayor medida, del comercio exterior. Este dato, sumado a una caída similar en el cuarto trimestre del año pasado certifica la entrada en recesión de la segunda potencia europea. «La situación es grave, pero menos que la de 2008-2009», afirmó Hollande desde Bruselas. La economía gala no ofrece síntomas significativos de crecimiento y la mala noticia –cuando se cumple un año de la izquierda en el poder– viene acompañada de otra peor, que es un descenso récord del poder adquisitivo de la ciudadanía, que bajó un 0,9% durante 2012, la mayor caída desde 1984, primeros años de Mitterrand. A pesar de todo, el ministro de Economía Pierre Moscovici aseguró que Francia volverá a la senda del crecimiento a finales de este curso. Para ello, el ejecutivo deberá presentar a la Comisión Europea un paquete de medidas realistas y obtener dos años más para reducir el déficit público del 3%. Difícil misión cuando el país sufre un desempleo récord del 11% y Hollande arrastra una cuota de impopularidad inédita (un 25% de aprobación) al cabo de 12 meses de mandato.

ALEMANIA

... Se estanca y crece menos

ROSALÍA SÁNCHEZ / Berlín
Especial para EL MUNDO

La economía alemana creció sólo un 0,1% entre enero y marzo de este año, menos aún de lo esperado, que era un 0,3%, según anunció ayer la Oficina Federal de Estadística. El informe atribuye el bloqueo a un invierno especialmente duro, que disminuyó la actividad en sectores como la construcción, y al hecho de que hasta marzo hubo más festivos que en 2012, pero a nadie escapa la recesión que sufre el resto de Europa y ejerce el efecto de una fuerza de tipo gravitatorio sobre la economía alemana. «Las empresas están sintiendo la caída de los mercados extranjeros», reconoce el presidente de la Federación de la Industria, Hans Peter Keitel, aunque se consuela subrayando que en la segunda mitad de marzo se anotaron más pedidos exteriores que en febrero. Concretamente, las exportaciones alemanas subieron en marzo un 0,5% en comparación con la caída del 1,5% del mes anterior. En conjunto, la balanza comercial de Alemania arrojó en marzo un superávit de 18.000 millones, por encima de los 16.800 millones de febrero y de los 17.500 que esperaban los analistas. Éste es el motivo por el que la Asociación de Comercio Exterior asegura que «no hay razón para el pánico». Al borde de la recesión, pero ajeno a la crisis, el consumidor sigue gastando y alegra el PIB.

Figura 3.14

Unión Europea o Estado de Bienestar: el falso enfrentamiento

VISIÓN PERSONAL

Joaquín López Pascual

El proceso de transformación que desde hace varios años registra el Estado de Bienestar se está viendo afectado por la actual crisis económica y financiera, cuestionándose la gradualidad con la que debe acometerse el proceso de reestructuración.

Las razones son obvias: la extensión, la intensidad y la propia duración de la crisis. A todo ello se añade la presión de los mercados financieros sobre las economías y autoridades de los distintos países para que adopten políticas económicas disciplinadas. Los gobiernos han de competir en estabilidad si quieren evitar el castigo de los mercados surgiendo un aparente conflicto al creer que esa búsqueda de estabilidad constituye un ataque adicional al Estado de Bienestar.

Distintas estrategias

La cuestión que se plantea en estos momentos es la siguiente: ¿Unión Monetaria o Estado de Bienestar? Esta pregunta y sus posibles respuestas están siendo utilizadas como arma arrojadiza entre las distintas estrategias políticas; una parte atribuye al exceso del Estado de Bienestar de los últimas décadas el origen de todos los males de las economías occidentales, mientras que la otra parte imputa que el logro de la estabilidad monetaria y el equilibrio de las cuentas públicas representan un ataque directo al Estado de Bienestar.

El logro de un Estado de Bienestar sostenible y adecuado a las actuales circunstancias exige una redefinición de los grupos y actividades sociales objeto de las prestaciones sociales, así como mostrar un crecimiento económico notable como única forma de hacer viable ese nuevo Estado de Bienestar. No pudiéndose olvidar que ese crecimiento económico se logra,

fundamentalmente, con estabilidad macroeconómica. Sólo con crecimiento económico –y con el buen uso que de él se haga– se puede garantizar que la redistribución realizada de recursos del Estado de Bienestar sea efectiva, este buen uso será clave para evitar que aparezca un desequilibrio entre ingresos y gastos públicos, que conforme aumente, los mercados castigarán de forma inmisericorde.

Por tanto, no es el logro de la estabilidad monetaria y financiera lo que amenaza al Estado de Bienestar. Al revés, su presencia constituye la base para el crecimiento económico necesario.

Las amenazas al Estado de Bienestar habría que buscarlas en los intentos de mantener los antiguos esquemas del Estado de Bienestar en un mundo como el actual caracterizado por la competitividad, las reestructuraciones, y las reorganizaciones empresariales. En el mundo actual,

---

El verdadero dilema de los países europeos es adecuar el Estado de Bienestar a las actuales circunstancias

---

caracterizado por nuevos retos, oportunidades y rápido avance tecnológico difusor de información y ahorrador de trabajo, la posibilidad de mantener intactos los esquemas del Estado de Bienestar ideados desde y para las circunstancias del mundo de ayer, no parece la opción más razonable, pudiendo incluso llegar a dañar los criterios de eficiencia y flexibilidad necesarios para hacer frente a los actuales problemas planteados sin que tengan una clara defensa, en términos de solidaridad ni horizontal ni inter-generacional.

Dirección de los cambios

Esta urgencia de asumir el cambio de los actuales Estados de Bienestar debe basarse en una reducción de las rigideces y encorsetamientos que impidan inyectar un dinamismo que sacuda la capacidad del

país para competir. De hecho, la flexibilización de la economía se ha convertido en el eje básico de todos los planes de ajuste propuestos..

En el caso de los países europeos, esta flexibilización lucha con mantener el reconocimiento de una solidaridad con los grupos desprotegidos, reconocimiento que le aleja del individualismo americano o de cierta insensibilidad asiática a estos temas.

La opción europea no niega la necesidad de mayores grados de flexibilidad en las economías; lo que cuestiona es su profundización, existiendo márgenes para aumentar la flexibilidad de los mercados y de las economías europeas que tendrían efectos favorables sobre el empleo, sobre el dinamismo de esas economías y sobre la solidez misma del Estado de Bienestar que sostienen.

Este es el verdadero dilema de los países europeos: la adecuación del Estado de Bienestar a las actuales circunstancias. Querer enrocarse en una solidaridad mal entendida y a veces invocada de forma abusiva no darse cuenta de la sociedad en que se vive es lo que realmente supone un impedimento a la transformación del Estado de Bienestar.

Hay que revisar todas aquellas instituciones que sea necesario, con la finalidad de alcanzar un nuevo equilibrio entre eficiencia y equidad, que no niegue los límites y fallos del mercado desde el punto de vista distributivo, pero que tampoco mantenga aquellas creencias que no hacen sino ahogar los motores de creación de empleo y del crecimiento económico. En definitiva, lograr unas redes de seguridad satisfactorias frente al infortunio y la vejez en el contexto de las exigencias de las sociedades modernas. Acaso la credibilidad que supuestamente se alcanza con la contención del gasto no genere crecimiento, pero tampoco lo hace el empeorar, aún más, las cuentas públicas.

Profesor Titular de Finanzas Universidad Rey Juan Carlos

Figura 3.15

CONCEPTOS CLAVE

- Crisis financiera.
- *Credit Crunch Crisis.*
- Causas de la crisis.
- Mutaciones de la crisis.
- Deuda soberana.

- Crisis Eurozona.
- Los procesos de rescate europeos.
- Las reformas españolas ante la crisis.
- La crisis de Bankia.
- Reestructuración del sistema financiero español.

BIBLIOGRAFÍA

Colegio de Economistas (2012). *España 2011. Un balance n.º 131. La crisis y los bancos españoles.* Villasante, P.P.

De la Dehesa, G. (2012). *Entorno internacional: supervisor único bancario y futura únion bancaria,* Colegio de Economistas, n.º 135.

O'Neill, J. (2001). *Building Better Global Economic BRICs,* Goldman Sachs. Global Economics Paper n.º 66.

Real Decreto-Ley 9/2009, de 26 de junio, sobre Reestructuración Bancaría y Reforzamiento de los Recursos Propios de las Entidades de Crédito.

Real Decreto-Ley 11/2010, de 9 de julio, de Órganos de Gobierno y otros Aspectos del Régimen Jurídico de las Cajas de Ahorros.

Real Decreto-Ley 2/2011, de 18 de febrero, para Reforzamiento del Sistema Financiero.

Real Decreto-Ley 2/2012, de 3 de febrero, sobre Saneamiento del Sector Financiero.

Real Decreto-Ley 18/2012, de 11 de mayo, sobre Saneamiento y Venta de los Activos Inmobiliarios del Sector Financiero Español.

Soros, G. (2008). *El nuevo paradigma de los mercados financieros*, Taurus.

The Dodd-Frank Wall Street Reform and Consumer Protection Act. (2010).

The Gramm-Leach-Bliley Act (The Financial Services Modernization Act., 1999).

PÁGINAS WEB

www.economist.com
www.ft.com
www.ifm.org
www.ecb.int
www.ec.europa.eu
www.esm.europa.eu
www.nama.ie
www.frob.es
www.sareb.es
www.bde.es
www.aebanca.es
www.mineco.gob.es

4

El negocio bancario: ¿hacia un nuevo modelo?

Un banquero es un hombre que presta a otro hombre el dinero de un tercero.

EDWARD GUY DE ROTHSCHILD (1904-2007).

4.1. LAS DISTINTAS FASES DE LA ACTIVIDAD BANCARIA

A lo largo de los años, el sector bancario ha pasado por distintas fases (figura 4.1). La última, después de la crisis financiera de 2008, ha tenido importantes consecuencias e instó un cambio de modelo de negocio.

En la Edad Media, la banca estaba estrechamente vinculada al comercio. Sin embargo, en la última parte del siglo XVIII y primera mitad del XIX, la creciente demanda de capitales, destinada a financiar transacciones comerciales y el déficit público, exigió una especialización de la actividad bancaria en lo que significa su esencia: la financiación vinculada al desarrollo de grandes negocios. En esa época nacen los primeros bancos franceses especializados en préstamos a largo plazo, promocionados por banqueros como Laffite y los hermanos Péréire. Al mismo tiempo, aunque con inevitables adaptaciones, aparecieron también las sociedades de crédito en Bélgica, Italia, Holanda, Austria, Suecia y España.

A partir de mitad del siglo XX (años cincuenta-sesenta), el desarrollo de la era del consumo de masas fomentó la gran expansión bancaria. A su vez, el creciente flujo de transacciones comerciales y financieras de la época desencadenó los primeros movimientos liberalizadores, que se hicieron sentir a partir de la década de los años setenta.

Como era de esperar, el resultado ha sido una mayor y más dura competencia en los servicios y productos financieros ofrecidos a la clientela, una indefinición de las fronteras entre los campos de actuación de los bancos y otras instituciones bancarias (*building societies, savings banks,* fondos de dinero, sociedades de inversión, etc.) y, por último, una presencia activa de la banca en las economías domésticas y en la financiación de la economía[1].

Los últimos años del siglo pasado han estado marcados por la globalización bancaria, caracterizada por la existencia de un mercado universal que equilibra y dirige las transacciones que tienen lugar en distintos puntos geográficos y que corresponden a distintos sectores[2]. En esta etapa hay una verdadera «revolución» en el modo de hacer banca: asistimos a un proceso de desregulación, surgen nuevos productos financieros, aumenta el grado de competencia, la tecnología asume protagonismo, los mercados se desarrollan, el cliente se vuelve más sofisticado y los cambios ocurren a una mayor velocidad.

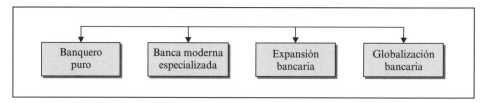

FUENTE: elaboración propia.

Figura 4.1. Las cuatro épocas o fases de la actividad bancaria hasta la crisis financiera de 2008.

Este nuevo marco de funcionamiento coloca a los bancos ante más riesgos y nuevas oportunidades. Después del gran protagonismo de que disfrutó la banca durante muchos años, surgen desde hace tiempo algunas voces de académicos y profesionales que denuncian el constante y gradual declive de la industria bancaria. Como dijo un conocido teórico en estas materias: «¡La banca ha muerto..., larga vida a las instituciones financieras de servicios!» (1984). En la misma línea, la revista *Fortune*[3] publicó, en 1995 un artículo en el que argumentaba que los bancos parecían seguir el destino que tuvieron en su día los dinosaurios.

Ante los nuevos desafíos, las entidades de crédito supieron reaccionar, y mientras unas se adaptaron a los cambios del entorno, otras se vieron obligadas a seguir estrategias más agresivas ante la invasión de sus mercados por nuevos agentes con mayor especialización y volumen. El *quid* de la cuestión radicaba en diferenciarse para lograr ventajas competitivas vía: **diversificación** (por producto, segmento de cliente y/o geográfica), implementación de **diseños organizativos** más eficaces (liderazgo en costes), aumento de **tamaño** mediante crecimiento interno o externo (fusiones, adquisiciones y alianzas) y/o una mayor **orientación hacia el cliente.**

---

[1] Sánchez Asiaín, J. A. y Fuentes Quintana, E. (1992). *Reflexiones sobre la banca,* Espasa Calpe. Madrid.

[2] Krugman y Obstfeld señalan a la globalización como una de las características del cambio obligado de la actividad bancaria. (Krugman, P. y Obstfeld, M. (2000). *International Economics: Theory and Policy,* Addison-Wesley, Mass.).

[3] «Clueless Bankers», *Fortune,* noviembre, 27, 1995, vol. 132, n.° 11.

En el caso de los países de la Unión Económica había un factor adicional a tener en consideración: la introducción del euro como moneda única. Según un estudio realizado por la consultora Cap Gemini (1998)[4], el reto de la Unión Económica y Monetaria (UEM) para el sector bancario pasaba por la consecución de tres objetivos: *i*) incremento de los márgenes a través de la racionalización de los costes, *ii*) internacionalización de la actividad bancaria y *iii*) fusiones o alianzas con otras entidades para acceder a nuevos segmentos de mercado más específicos. Estas conclusiones tenían un carácter general y no contemplaban la especificidad de cada sistema bancario, que por sus propias características era más sensible a unos efectos que a otros.

En 2007, la crisis de las hipotecas *subprime* marcaba el inicio de lo que hoy conocemos como la más importante crisis financiera internacional de la historia. Su coste, todavía desconocido en su totalidad, ha supuesto 50 millones de parados en el área de la OCDE y movilizado recursos que superan el 25 % del PIB de los países desarrollados. Además, los contribuyentes han tenido que aportar recursos alrededor de 9.600 millones de dólares para salvar los bancos, aunque una parte de ellos no ha sido utilizada.

En Europa, la banca reconoció unas pérdidas de 1 billón de euros entre 2007-2010 y la Comisión Europea (CE) aprobó una ayuda estatal de 4,5 billones de euros (octubre 2008-octubre 2011) que incluye las recapitalizaciones financiadas por los contribuyentes, así como las garantías estatales prestadas a la deuda bancaria. En junio de 2012, la Comisión acordó redactar una propuesta legislativa que contemplase un conjunto de medidas a adoptar para minimizar los costes al contribuyente, en caso de futuras quiebras bancarias[5]. En la reunión del Ecofin, de 27 de junio del 2013, se decidió iniciar una negociación a tres bandas —Consejo Europeo, Comisión y Parlamento Europeo— para presentar un borrador de Directiva de Recuperación y Resolución de entidades financieras.

Tan importante como las consecuencias de esta crisis, son las enseñanzas que de ella se pueden extraer. Sin pretender ser exhaustivos, identificamos tres importantes lecciones: *a*) la liquidez no es ilimitada; *b*) los riesgos se propagan rápidamente debido al denominado riesgo sistémico[6]; y *c*) la presencia de posibles fallos en la regulación, pero, sobre todo, en la supervisión.

---

[4] European Banking: a view to 2005, Gemini Consulting.

[5] Los dos modelos básicos de rescates utilizados actualmente por el sistema financiero son el *bail-in* y el *bail-out*. En el caso del *bail-out* el Estado, es decir, los contribuyentes, asume el coste de la recapitalización. Contrariamente, en el *bail-in,* como ha sido el caso de Chipre, las pérdidas las asumen los acreedores, accionistas, bonistas y depositantes.

[6] Los problemas financieros actuales no eran, ni son sólo de origen interno y regional, sino que se transmiten entre países, hasta geográficamente distantes, dadas la interconexión de los mercados y la velocidad de las comunicaciones, así como la insuficiencia de la información que poseen los inversores sobre el comportamiento real de las economías. Esto hace a los mercados financieros sensibles y proclives a sufrir un «comportamiento de rebaño» por parte de los inversores, con rápidos movimientos de salida y entrada de capitales, sobre todo de flujos financieros de corto plazo.

A la actual situación financiera compleja, marcada por el repunte de la morosidad, el deterioro de los activos, el aumento de los costes de financiación, la restricción de la liquidez, las mayores exigencias de capital, la mala imagen y los bajos tipos de interés, se añade la desaceleración económica, tanto a escala global como doméstica. Es indudable que estamos en un cambio de ciclo que pone a las entidades ante nuevos retos: ¿hay que reinventar la banca?, ¿es necesario un nuevo modelo de negocio?

4.2. ¿QUÉ HACE UN BANCO?

Las funciones de un banco son vitales para la economía de un país y para su crecimiento económico. A lo largo del proceso histórico, se han ido cimentando las tres funciones principales de la banca:

1. La intermediación financiera entre ahorradores y prestatarios.
2. La oferta de un conjunto de servicios, entre los que destacan los servicios de cobros y pagos, incluyéndose también la asesoría de la banca a sus clientes, sean empresas o particulares.
3. La banca aparece como transmisora de la política monetaria del país, ya que el banco emisor, a través de distintos instrumentos, involucra a la banca privada y a otras instituciones financieras en el control de las variables monetarias: cantidad de dinero y tipos de interés.

En el ejercicio de su actividad de intermediación, el sector bancario aumenta la eficiencia del sistema económico, al lograr que el dinero de los que tienen un excedente de recursos no permanezca ocioso y se canalice hacia los que tienen un déficit de recursos pero proyectos de consumo y/o de inversión. Los productos y servicios que ofrecen a sus clientes pueden agruparse en tres grandes epígrafes:

a) **Operaciones de pasivo:** reflejan la captación de recursos financieros por parte del intermediario, que, a cambio, se compromete a proporcionar una rentabilidad a los clientes. Entre estas operaciones se incluyen la captación de recursos a través de depósitos a la vista y a plazo y la emisión de títulos propios de deuda (obligaciones, pagarés, bonos...).

b) **Operaciones de activo:** consisten básicamente en prestar recursos a sus clientes a cambio de una rentabilidad acordada.

c) **Operaciones fuera de balance:** como el propio nombre sugiere, son aquellas que no se reflejan en el balance de las entidades bancarias, ya que éstas se limitan a actuar como mediadoras, destinando el dinero de los clientes a fondos de inversión, planes de pensiones, seguros... La realización de este tipo de actividades, que se salen de las operaciones típicas de las entidades bancarias, es lo que se conoce como proceso de desintermediación financiera.

La operativa tradicional de la banca se encuadra en un modelo de gestión conocido como *hold-to maturity,* en el que se otorgan préstamos que permanecen en el balance hasta el vencimiento (con repago o cancelación) y que exponen la entidad a una posible situación de impago. En este caso, sus inversores (accionistas, depositantes y otros acreedores) asumen el riesgo derivado del conjunto de la actividad del banco (figura 4.2).

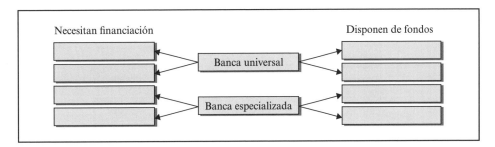

FUENTE: elaboración propia.

Figura 4.2. Modelo generar y retener *(originate-to-hold, OTH)*.

Con la innovación financiera, fue posible originar, empaquetar y distribuir los riesgos entre inversores y mercados, así como traspasar fronteras. Este «nuevo» modelo se dio a conocer como *originate-to-distribute* y permite transferir no sólo la financiación para fuera del balance como, en algunos casos, también el riesgo. Los productos utilizados son las titulizaciones y los derivados de crédito, con estructuras más o menos complejas, que permiten a los bancos transferir a terceros el riesgo de crédito de los préstamos que originan. De esta forma, el riesgo se desplaza desde sus originadores hasta fondos de pensiones, compañías de seguros, *hedge funds,* fondos de inversión y otros bancos. Con este modelo, las entidades que originan la operación no son las mismas que las que aportan la financiación y que asumen el riesgo (figura 4.3).

La principal ventaja del nuevo modelo está en facilitar el crecimiento del crédito mediante el apalancamiento en los mercados de financiación mayorista. Sin embargo, ésta es también su principal debilidad, porque permite una mayor asunción de riesgos, sobre todo de crédito y liquidez.

Ambos modelos pueden convivir en un mismo sistema bancario, pero hay países que se identifican más con uno de ellos. Por ejemplo, en España e Italia, tiene una mayor presencia el modelo OTH, mientras que en Estados Unidos, Reino Unido y Holanda prevalece el modelo de OTD. Esta diferenciación puede explicar por qué la banca española ha desarrollado el negocio minorista, mientras los países anglosajones se decantaron por la banca corporativa o de inversión, los mercados de capitales y la gestión de activos (tabla 4.1).

Según Dealogic, en los nueve primeros meses de 2013 los mayores bancos de inversión por ingresos son estadounidenses, ocupando seis de los diez primeros lugares en el ranking de los bancos de inversión por volumen de ingresos (tabla 4.2).

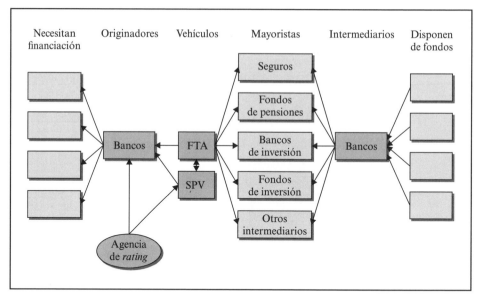

FUENTE: elaboración propia.

Figura 4.3. Modelo de generar para distribuir *(originate-to-distribute, OTD)*.

TABLA 4.1

Características del modelo originar y retener versus modelo de originar para distribuir

Originar y retener	Originar para distribuir
España, Italia	Estados Unidos, Reino Unido, Holanda
El crecimiento del negocio de las entidades está limitado por su capacidad de asumir riesgos.	Facilita el crecimiento del crédito apoyado en fuentes de financiación mayorista.
Se mantiene el riesgo originado en el balance de la entidad que lo originó, por lo que se refuerzan los procesos de concesión y seguimiento del mismo.	Los riesgos se distribuyen a inversores diferentes del originador.
Se establecen relaciones a medio y largo plazo con los clientes, tanto los que aportan el ahorro como los que reciben financiación.	Mayor dependencia de los mercados de capitales organizados.

FUENTE: Moro, A., «El sistema bancario español ante el nuevo entorno financiero», *Papeles de la Fundación* n.º 28, Fundación de Estudios Financieros, Madrid.

TABLA 4.2

*Ranking de la banca de inversión por volumen de ingresos
(1/1/2013 a 30/9/2013)*

Posición	Banco de inversión	Ingresos globales (en millones de $)	Cuota de mercado
1	JP Morgan	4.655	8,8 %
2	Bank of America Merrill Lynch	3.945	7,4 %
3	Goldman Sachs	3.432	6,5 %
4	Morgan Stanley	3.112	5,9 %
5	Citi	2.936	5,5 %
6	Deutsche Bank	2.797	5,3 %
7	Credit Suisse	2.633	5,0 %
8	Barclays	2.578	4,9 %
9	Wells Fargo Securities	1.598	3,0 %
10	UBS	1.544	2,9 %

FUENTE: Dealogic, Financial News, 30 de septiembre de 2013.

4.3. LOS DISTINTOS MODELOS DE BANCA

A lo largo de los años, los bancos de las economías desarrolladas siguieron procesos evolutivos diversos y divergentes. Por razones estratégicas y de necesidad de adaptación al entorno o de regulación, algunas entidades han elegido un modelo de «banca universal», mientras que otras optaron por la «especialización».

La etapa de la globalización de la actividad bancaria y el consecuente proceso de concentración del sector facilitaron el desarrollo de los bancos universales. Las entidades que optaron por este modelo, realizan todo tipo de operaciones bancarias y prestan servicios a todo el mercado y no a un segmento o sector del mismo en particular. Desde un punto de vista organizacional, las distintas actividades aparecen agrupadas en unidades de negocio tan variadas como las siguientes: banca minorista, banca corporativa, banca de inversión, tesorería, banca privada, gestión de activos y otras (figura 4.4).

Sin embargo, no todos los bancos eligieron como estrategia hacer un poco de todo. Algunos prefirieron «especializarse» en un determinado tipo de actividad y/o tipo de cliente. Además, en algunos países, como, por ejemplo, Estados Unidos, la

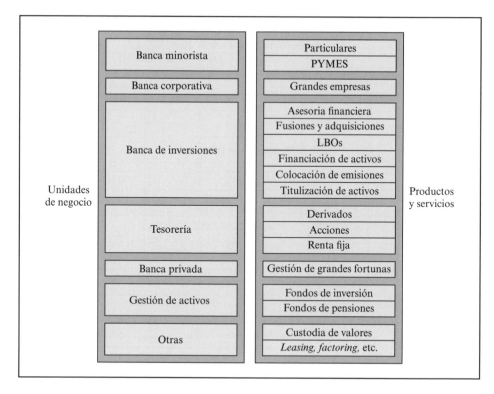

FUENTE: elaboración propia.

Figura 4.4. Las distintas unidades de negocio del modelo de «banca universal».

legislación prohibía la realización conjunta de actividades de captación de depósitos, inversión en los mercados y seguros[7].

Así, por vocación estratégica o por regulación, existen en el mundo dos tipos de instituciones financieras claramente diferenciadas: *a*) las tradicionalmente denominadas bancos comerciales, que en la Europa continental se transformaron en «bancos universales», y *b*) las «especializadas», sobre todo *merchant* o *investment banks* y *private banks*. Los primeros tuvieron su mayor exponente en el mundo anglosajón, mientras que los segundos destacaron en Suiza, apoyándose en el sigilo bancario[8].

---

[7] Es el caso del Glass Steagall Act de 1933, que separaba la actividad de la banca comercial de la de banca de inversiones y seguros. En noviembre de 1999, esta legislación fue derogada y con su abolición se inició una nueva era para el sistema financiero estadounidense en la medida en que dejó de haber cualquier impedimento para reunir bajo el mismo «techo» a un banco comercial, un banco de inversiones y una compañía de seguros.

[8] El sigilo bancario está amparado por el derecho a la privacidad personal previsto en la Constitución (artículo 13) y en el derecho suizo desde 1934 (Federal Act on Banks and Savings Banks).

La anterior distinción tiene su raíz en la diferenciación histórica que se hacía entre quienes se dedicaban a atender las necesidades financieras del día a día, en los pujantes núcleos urbanos de finales del siglo XVIII (descuento de letras, *clearing,* préstamos a corto y demás actividades necesarias para la actividad comercial de las ciudades), frente a los que optaban por financiar las grandes aventuras industriales y comerciales (financiación del comercio internacional de materias primas).

A partir de finales de los años ochenta, el proceso de liberalización financiera que alcanzó Europa[9], y muy especialmente Estados Unidos, dio lugar a una ola de fusiones, tanto entre entidades con la misma actividad financiera como con actividades financieras afines. El resultado fue la creación de grandes conglomerados con capacidad para operar en todo tipo de mercados y productos. Todo parecía apuntar que la vieja distinción entre banca universal y banca de inversión tenía sus días contados para dar paso a grandes bancos generalistas o universales con ambos tipos de actividades más o menos separadas y/o especializadas.

La crisis financiera puso a prueba este modelo, suscitando la polémica entre los que defienden el refuerzo del modelo de banca universal (por ejemplo, el Banco Santander) y los que preconizan su final[10] reclamando la necesidad de reformular el modelo de banca especializada[11]. Este debate no es nuevo, ya que, en los años ochenta y noventa, autores como Teece (1980), Calomiris (1998), Williamson (1985), Gertner et al. (1994) o Jensen (1986) justificaban la diversificación basándose en la existencia de economías de gama, imperfecciones en los mercados financieros o problemas de agencia. A su vez, los defensores de la especialización argumentaban que la mejor forma de que una empresa creara riqueza estaba en concentrar toda su actividad en aquellos negocios en los que posee mayores habilidades y competencias —los denominados *core businesses*— como Prahalad y Gamel (1990). En opinión de estos autores, en general, la empresa que se dedica a actividades en las que no tiene ni experiencia ni saber hacer suele iniciar un camino hacia el crecimiento que, en vez de crear, destruye valor.

Independientemente de la discusión teórica, la elección de uno u otro modelo es una decisión estratégica que toman quienes controlan la empresa en función de los objetivos que se hayan fijado y bajo las restricciones impuestas por la regulación financiera. La importancia de esta elección para el éxito de cualquier entidad exige contestar a tres preguntas básicas[12] (figura 4.5):

---

[9] Buena parte de las instituciones emblemáticas y tradicionales de la City londinense han sido adquiridas por bancos alemanes y holandeses. Por ejemplo, el Dresdner Bank (banco alemán) adquirió el Kleinwort Benson (*merchant bank* inglés), mientras el Deutsche Bank (banco alemán) compró Morgan Grenfell & Co.

[10] El desmembramiento de colosos financieros como el Citi puso en entredicho el modelo de banca universal.

[11] La quiebra de Lehman Brothers o la necesaria absorción de Merrill Lynch por el Bank of America cuestionó la «bondad» del modelo de la banca de inversión.

[12] Según Svejenova, Planellas y Vives (2008), los modelos de negocio constituyen el conjunto de actividades, organización y recursos estratégicos que transforman la orientación establecida por la empresa en una proposición de valor distintiva, permitiendo a la misma crear y capturar valor.

1. ¿A quién vas a servir?, o sea, ¿quién es el cliente?
2. ¿Qué vas ofrecer?, la oferta debe ser valorada por el cliente y adecuada a sus necesidades.
3. ¿Cómo lo vas organizar?, se refiere a la organización de todos los elementos que intervienen tanto en la producción como en la venta del producto y/o en la prestación de servicios.

Además, hay otras dos cuestiones fundamentales que se refieren a la rentabilidad y sostenibilidad del modelo: ¿cómo vas a ganar dinero? y ¿cómo vas a ser sostenible?

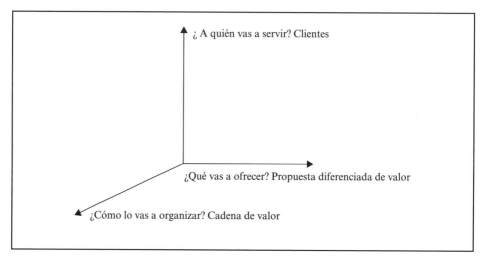

FUENTE: Svejenova y Vives, «Innovando en el modelo de negocio: la creación de la Banca Cívica». *Universia Business Review,* tercer trimestre 2009, p. 72.

Figura 4.5. Preguntas clave del modelo de negocio.

En algunos países, las actividades financiera e industrial confluyen dando origen a que los bancos tengan empresas o a que las empresas sean propietarias de bancos. Sin embargo, en otros, la legislación exige una separación nítida entre ambas actividades (tabla 4.3).

Desde el punto de vista teórico, ambas posiciones han tenido defensores y detractores. Los que defienden la participación de la banca en la actividad industrial argumentan que el hecho de que un banco sea propietario de empresas constituye una forma de apoyo directo a la actividad real de la que se beneficia la economía del país.

Según sus detractores, esta aparente ventaja puede convertirse en un riesgo si una crisis industrial es capaz de llevar el banco a la quiebra dado que en este modelo las empresas tienden a confiar, de forma excesiva, en los préstamos bancarios para obtener financiación.

Según la evidencia empírica, la integración entre ambos sectores es siempre limitada. Si bien existen países, como, por ejemplo, Alemania, en el que los bancos poseen o ejercen una fuerte influencia sobre las empresas, no se conocen casos a la inversa, esto es, de empresas poseedoras de bancos (aunque existen grandes conglomerados en los que se integran bancos y otras empresas, sus actividades están nítidamente separadas).

TABLA 4.3

Relaciones entre bancos y empresas no financieras en algunos países

Tipos de sistemas bancarios	Empresas comerciales poseedoras de bancos	Bancos dueños de empresas comerciales	Pertenecen al mismo grupo de empresas	Integración limitada
Sistemas mixtos				
Gran Bretaña				•
Estados Unidos				•
Japón				•
Canadá				•
Suecia				•
Bélgica				•
Sistemas universales				
Francia			•	
Alemania		•		
Italia				•
Holanda				•
Suiza				•

FUENTE: Iayn G. Clark y Kostas Evangelidis (1994). *Cómo dirigir a sus bancos,* p. 13. Ediciones Folio, Barcelona.

En Japón, los nexos entre bancos y empresas comerciales son únicos, ya que pueden ser miembros de un grupo de empresas doblemente afiliadas por medio de consejeros comunes, relaciones financieras y participaciones cruzadas.

En España se optó normativamente por un modelo de banca mixta, aunque sin excluir la presencia de bancos industriales especializados en promover la financiación industrial. A pesar del fuerte impulso inicial dado a este tipo de banca especializada en nuestro país, la mayoría de los grandes bancos optó por hacer un poco de todo:

créditos, compra de activos y participaciones industriales. El acierto de esta decisión tuvo su mayor predicamento durante la crisis industrial de mediados de los años setenta y ochenta, que produjo serios problemas a diversos bancos industriales, tales como: Banco Ibérico (desaparecido), Banco Urquijo, Bankunión, Banco de Madrid, Bancos de Rumasa y Banca Catalana.

La mala experiencia vivida entonces ha sido probablemente la principal responsable del alejamiento de los bancos de la financiación industrial, por lo menos de una forma directa. Sin embargo, en los años noventa, nuestras entidades bancarias han recuperado el interés por las participaciones industriales de que ahora se están deshaciendo.

4.3.1. Banca universal

En Europa, la tendencia hacia el modelo de banca universal se desarrolló sobre todo a partir de los años ochenta, cuando bancos y sociedades de valores y de seguros comenzaron a competir por el mismo mercado y las políticas de los gobiernos facilitaron los nexos entre los distintos tipos de entidades. En el Reino Unido, los corredores de acciones independientes se integraron en grandes grupos financieros con el «Big Bang» de 1986, y otros países adoptaron la misma táctica.

Este tipo de banca abarca todos los aspectos del negocio bancario y la estrategia seguida puede ser de tipo global, buscando diversificar en productos y conquistar nuevos mercados. Este modelo es el más extendido. En España, todos los grandes bancos españoles se caracterizan por operar como bancos universales. La principal crítica de que es objeto esta opción estratégica es que la universalidad tiene un precio, y éste puede ser muy alto para un banco.

Como modelo típico de banca universal, se suele presentar a la banca alemana, aunque algunas entidades se han especializado. Éste es el caso de los bancos hipotecarios, bancos con funciones especiales y cajas de crédito a la construcción.

En el Reino Unido, aunque el modelo de banca universal no esté explícitamente reconocido en la legislación, las autoridades han estimulado la diversificación de actividades y la libre competencia entre intermediarios financieros, de ahí que se hayan desarrollado básicamente dos tipos de entidades de crédito: los bancos y las *building societies*. Dentro de los bancos están los *retail banks,* que constituyen el núcleo del sistema crediticio británico con una amplia red de oficinas, y los *merchant banks,* que se dedican en especial a banca corporativa y asesoramiento en materia de reorganización empresarial, por ejemplo, fusiones y adquisiciones. Además, ocupan un papel relevante en los mercados de deuda y de acciones, así como en la gestión de patrimonios.

A su vez, las *building societies* reguladas por una ley de 1986 tienen como principal función la captación de recursos, sobre todo depósitos de sus miembros, y la concesión de préstamos hipotecarios. Estas sociedades pueden ofrecer adicionalmente toda una gama de servicios financieros para la compra de viviendas.

El sistema bancario francés merece una especial atención por la dimensión de sus instituciones y por el peso que tiene dentro del conjunto de la economía francesa. Sus tres grandes bancos (BNP Paribas, Crédit Agricole y Société Générale) se distinguen por su extensa red de oficinas, su diversificada actividad e importante implantación a escala internacional. La crisis financiera puso en evidencia su elevada dependencia de la financiación mayorista, que está siendo sustituida por depósitos. A su vez, el deterioro económico penalizó la calidad de su cartera de préstamos y un 5% de sus activos están expuestos a Italia y España, dos economías periféricas que no están atravesando su mejor momento.

En Italia, las entidades de crédito se diferencian por su estructura jurídica (sociedades anónimas, bancos cooperativos y mutualidades) además de por el plazo de su financiación (corto plazo y largo plazo). Desde un punto de vista legislativo, no hay restricciones en cuanto a la gama de actividades que pueden desarrollar. Los mayores bancos son UniCredit Spa, Intesa Sanpaolo y Banca Monte dei Paschi di Siena.

La desfavorable coyuntura económica e inestabilidad política colocan a la banca italiana un conjunto de desafíos: refuerzo de las provisiones, mejora de la rentabilidad (en el año 2012, el sector presentó pérdidas) y de la eficiencia, estabilidad de las fuentes de financiación y estrecho control del riesgo de crédito (desde 2007, el ratio de morosidad se triplicó).

4.3.2. Banca especializada

Esta opción, cada vez más extendida, sobre todo en sistemas bancarios con un gran número de entidades, puede traducirse en una especialización según segmentos de clientela, zonas geográficas, productos y servicios. En este caso debe tenerse muy en cuenta que la ventaja competitiva de un producto financiero desaparece con mayor rapidez que en otras industrias, fundamentalmente porque no es patentable y puede ser fácilmente copiado.

La banca de negocios es el ejemplo más extendido de banca especializada. Este tipo de instituciones se dedican especialmente a operaciones de adquisición, venta, toma de participaciones y actividades de banco agente y de ingeniería financiera. Esta banca ha recibido numerosas denominaciones, tales como: *merchant bank* (Reino Unido) e *investment bank* (Estados Unidos).

Como consecuencia de la crisis financiera, la banca de inversión no está pasando por su mejor momento (figura 4.6). En el tercer trimestre del 2013, los ingresos han registrado un descenso de 18,8% con respecto al trimestre anterior. A 30 de septiembre de 2013, entre los veinte mayores bancos de inversión del mundo, los americanos seguían controlando el mercado con una cuota del 37%, seguidos de los suizos con un 7,9%, del Deutsche Bank con un 5,3% y del Barclays con un 4,9%[13].

Por área de negocio, el mercado de capitales, sobre todo el de renta fija, ha sido el que más ha contribuido a los ingresos del sector en los nueve primeros meses de 2013.

---

[13] Según Dealogic, Financial News, www.fn.dealogic.com/fn/IBRank.htm

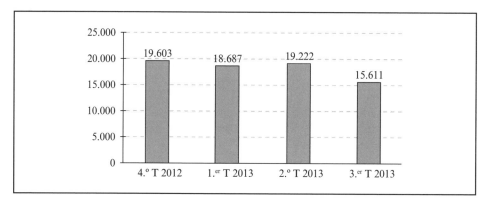

Fuente: Wall Street Journal, Investment Banking Scorecard.

Figura 4.6. Los ingresos globales de la banca de inversión (en miles de millones de dólares).

4.3.3. Banca comercial y banca al por mayor

Otra clasificación distingue entre la banca al por mayor y la tradicional banca comercial o al por menor. Mientras la primera se dirige a las grandes empresas y al sector público, realiza pocas operaciones pero de gran volumen y cobra unas comisiones por un servicio muy específico y profesionalizado, la segunda se caracteriza fundamentalmente por dedicarse a particulares, familias, comercios y pymes. Su operativa es enorme pero de pequeña cuantía, sus clientes son numerosos y dispersos, «el pequeño ahorrador», y su negocio debe estar apoyado por una extensa y amplia red de sucursales. La tabla 4.4 presenta una lista de los principales productos y servicios ofrecidos por estos dos tipos de banca.

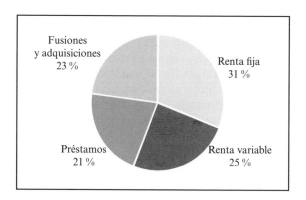

Fuente: Dealogic, Financial News.

Figura 4.7. Distribución de los ingresos de los veinte mayores bancos de inversión por área de negocio (1/1/2013 a 30/9/2013).

TABLA 4.4

Principales productos y operaciones bancarias

Banca minorista		Banca al por mayor		
Operaciones generadoras de rendimiento	Operaciones generadoras de costes	Operaciones de tesorería y mercado de capitales	Operaciones con divisas	Operaciones con derivados
• Créditos, préstamos y descubiertos en c/corriente • Descuento comercial • Préstamos hipotecarios • Financiación comercio exterior • Líneas de crédito • *Leasing* • *Factoring* y *confirming* • Operaciones fuera de balance	• Depósitos a la vista • Depósitos de ahorro • Depósitos a plazo • Cesiones temporales	• Operaciones interbancarias • Emisión de títulos • Créditos sindicados • Operaciones con deuda	• Seguro de cambio • *Swaps* de tipos de cambio	• *FRAs, caps* y *floors* • *Swaps* de tipos de interés • Futuros • Opciones

FUENTE: elaboración propia.

4.4. LOS DESAFÍOS Y OPORTUNIDADES DEL SECTOR

Hasta 2008, las previsiones para el negocio bancario eran alentadoras. Las entidades ganaban dinero y crecían, los accionistas disfrutaban de rentabilidades (ROE) de dos dígitos, el sector creaba empleo y los altos ejecutivos recibían abultadas retribuciones que les permitía a algunos integrar el *ranking* de los más ricos de la revista *Forbes*.

La crisis financiera ha echado por tierra estas «alegrías». Los beneficios dieron paso a las pérdidas, algunas entidades necesitaron de inyecciones de dinero público, fueron nacionalizadas o absorbidas, las rentabilidades recortadas entre un 10% y un 13%, las plantillas reducidas, algunos ejecutivos acusados de mala gestión y de haber cobrado cuantías exorbitadas y el negocio bancario quedó en entredicho.

El diagnóstico de lo que ha pasado ya fue objeto de artículos, conferencias y hasta de libros. Sin ser exhaustivos, podemos decir que hubo un crecimiento demasiado rápido de los balances bancarios, facilitando el excesivo endeudamiento del sector privado y del sector público. Mientras en los años sesenta los activos de la banca representaban de media cerca del 50% del PIB mundial, en los años recientes llegaron hasta el 200%, y algunos países superaron con creces dicho valor.

Con el afán de crecer y ganar escala, la banca recurrió en mayor medida a la financiación mayorista, lo que le ocasionó problemas de liquidez en etapas posteriores. Al mismo tiempo, relajó sus estándares de riesgo basándose en unas perspectivas de crecimiento económico que no se han cumplido y olvidándose de que la concentración del crédito en un sector viola el principio básico de la diversificación: «no poner todos los huevos en la misma cesta».

En el nuevo mapa bancario, Europa perdió posiciones con respecto a Estados Unidos, China y Japón. Si en 2007 y 2008 veinte de los mayores bancos del mundo por activos eran europeos, catorce y doce, respectivamente, hoy sólo nueve forman parte de la lista (tabla 4.5).

TABLA 4.5

Ranking de la banca por el total del activo
(valores a 31 de marzo de 2013)

Posición	Entidades	País	Total del activo (miles de millones de $)
1	Industrial & Commercial Bank of China (ICBC)	China	2.953,85
2	HSBC Holdings	Reino Unido	2.681,36
3	Deutsche Bank	Alemania	2.597,36
4	Crédit Agricole Group	Francia	2.582,42
5	BNO Paribas	Francia	2.507,96
6	Mitsubishi UFJ Financial Group	Japón	2.486,31
7	Barclays PLC	Reino Unido	2.414,78
8	JP Morgan Chase & Co	Estados Unidos	2.389,35
9	China Construction Bank Corporation	China	2.361,60
10	Japan Post Bank	Japón	2.118,84
11	Agricultural Bank of China	China	2.295,80
12	Bank of America	Estados Unidos	2.174,61
13	Bank of China	China	2.130,82
14	Royal Bank of Scotland Group	Reino Unido	1.979,14
15	Citigroup Inc.	Estados Unidos	1.881,73
16	Mizuho Financial Group	Japón	1.881,03
17	Banco Santander	España	1.637,74
18	Société Generale	Francia	1.592,51
19	Sumitomo Mitsui Financial Group	Japón	1.576,58
20	ING Group	Holanda	1.508,71

FUENTE: www.relbanks.com/worlds-top-banks/assets

En el *ranking* por capitalización, el resultado es bastante peor, pues sólo cuatro entidades europeas están entre las veinte mayores (tabla 4.6). El Banco Santander es el único banco español con presencia en ambos *rankings*.

TABLA 4.6

Ranking de la banca por capitalización bursátil
(valores a 15 de agosto de 2013)

Posición	Entidades	País	Total del activo
1	Wells Fargo & Co.	Estados Unidos	228.748
2	Industrial & Commercial Bank of China	China	225.818
3	HSBC Holdings	Reino Unido	206.768
4	JP Morgan Chase & Co.	Estados Unidos	200.648
5	China Construction Bank Corporation	China	178.368
6	Citigroup Inc.	Estados Unidos	154.678
7	Bank of America	Estados Unidos	153.848
8	Agricultural Bank of China	China	132.878
9	Bank of China	China	123.368
10	Commonwealth Bank of Australia	Australia	107.708
11	Royal Bank of Canada	Canadá	101.238
12	Toronto-Dominion Bank	Canadá	89.158
13	Westpac Banking Corporation	Australia	88.948
14	Mitsubishi UFJ Financial Group (MUFG)	Japón	86.648
15	BNP Paribas	Francia	83.138
16	Banco Santander	España	80.928
17	Bank of Nova Scotia (Scotiabank)	Canadá	77.508
18	UBS AG	Suiza	77.318
19	Australia and New Zealand Banking (ANZ)	Australia	74.088
20	Goldman Sachs	Estados Unidos	72.238

FUENTE: www.relbanks.com/worls-top-banks/market-cap

La comparación de los bancos, por activo y valor de mercado, sugiere que el tamaño no siempre se traduce en valor y que la banca europea ha perdido posiciones, sobre todo en términos de capitalización. De hecho, tres bancos canadienses, tres australianos, dos americanos y un suizo están entre los más valorados por el mercado, aunque no están entre los veinte más grandes por activo. Finalmente, los bancos chinos destacan en ambos *rankings*.

El gran desafío para el sector bancario en Europa está en recuperar la confianza del cliente, el interés del accionista, la motivación de la plantilla, la prudencia en la gestión y, en definitiva, la reputación que muchos perdieron.

¿Cómo hacerlo? Algunos, como el Banco Santander, primer banco de la Zona Euro por capitalización bursátil, defienden que su éxito se asienta en el modelo de banca universal centrado en: la banca minorista, los principios de diversificación (por segmento de clientes y área geográfica) y la gestión prudente del riesgo.

Sin embargo, hay otras entidades que reivindican las «bondades» del modelo de banca especializada. Por ejemplo, el gigante suizo UBS abandonó el negocio de renta fija para centrarse con éxito en la gestión de patrimonios (especialización en negocio y segmento de cliente), sin perder presencia geográfica. El resultado no podía ser mejor para la acción, que en los últimos seis meses se revalorizó un 28,9 % y en el último año un 63,8 %. Según la revista *Euromoney,* en 2013 UBS ha sido reconocido como el mejor banco privado global.

Los defensores de cada modelo señalan ventajas que no siempre se verifican. En el caso de la banca universal, la diversificación puede no reducir el riesgo, pues dedicarse a actividades que no se conocen y donde no se tiene experiencia puede convertirse en una vía de crecimiento que, en vez de crear, destruye valor. A su vez, la especialización no es garantía de eficiencia, agilidad y rentabilidad porque al depender de menos fuentes de ingresos, la entidad se vuelve más vulnerable a posibles riesgos que limiten su capacidad de generar de forma recurrente los márgenes deseados.

Lo cierto es que lo bueno para una entidad en un determinado momento puede no serlo para otra o en otras circunstancias. En el actual entorno de bajos tipos de interés, exiguo crecimiento económico de las economías desarrolladas, repunte de la morosidad, aumento de los costes de financiación, restricción de la liquidez y una regulación que exige más capital, los bancos están obligados a reformular sus estrategias, aunque eso no suponga un cambio de modelo.

Según Mckinsey, la banca europea abandonará entre 425 y 700 líneas de negocio, repartidas entre diferentes segmentos y áreas geográficas. De las primeras, las más afectadas serán la banca minorista y las actividades no estratégicas (inmobiliario, seguros, etc.), y de las segundas, Europa del Este y Reino Unido. Este proceso no supone necesariamente un cambio hacia la especialización, sino una reasignación de recursos para aquellas actividades que consuman menos capital, sean más rentables y supongan alguna ventaja competitiva.

Por ejemplo, el nuevo CEO de Barclays, Antony Jenkins, pretende seguir desarrollando el modelo de banco universal, pero sin presencia en actividades que consumen mucho capital, son ineficientes o tienen baja rentabilidad. A su vez, BNP Paribas anuncia que en el trienio 2014-2016 seguirá siendo un banco global, con un modelo operacional más simple y eficiente y con una mayor presencia en la región de Asia-Pacífico.

La clave para que los bancos europeos recuperen posiciones no pasa por cambiar radicalmente el modelo de negocio, sino por hacer lo que saben hacer de forma eficiente, controlando el riesgo, motivando a los empleados y preocupándose por ofrecer al cliente el producto que necesita y a los accionistas el valor que esperan.

La banca, hoy más que nunca, debe focalizar su estrategia en un portfolio coherente de *core businesses,* sustentado en seis pilares básicos:

1. Recuperación de la confianza de los clientes.
2. Oferta diversificada de productos.
3. Calidad de servicio para un producto que se parece cada vez más a una *commodity*.
4. Excelencia multicanal, integrando la oficina con los demás canales.
5. Mayor énfasis en la financiación tradicional.
6. Gestión integrada del riesgo.

En el sector bancario español, la banca minorista sigue siendo clave para las entidades financieras, y se dirige básicamente a: personas físicas con capacidad patrimonial limitada o media y pymes. Además, suelen tener unidades especializadas en banca privada y grandes empresas, respectivamente.

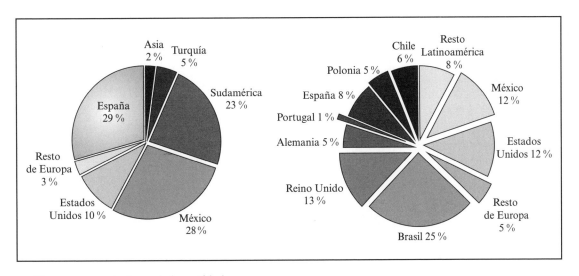

FUENTE: presentaciones de las entidades.

Figura 4.8. Distribución del margen (BBVA) y del resultado (Santander) por áreas geográficas (primer semestre de 2013).

Banca: del crecimiento rentable a la reestructuración necesaria

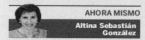

AHORA MISMO

Altina Sebastián González

Atrás quedan los años en que los bancos apostaban por el crecimiento y sus balances crecían año tras año, acompañando la buena marcha de la economía. Hoy, la situación es bien distinta y el sector se encuentra inmerso en un proceso de reestructuración que persigue el saneamiento y la recapitalización en un entorno marcado por el deterioro macroeconómico y la debilidad de los mercados financieros.

En los años 80, las entidades españolas carecían del tamaño adecuado para competir en un mundo globalizado. El crecimiento era necesario y la diferenciación o reducción de costes se imponía como el medio para lograr la deseada cuota de mercado. Dada la naturaleza de los productos financieros, para diferenciarse había que conceder el crédito a precios más bajos y/o ofrecer los depósitos a tasas más altas con el consecuente estrechamiento de los márgenes y la reducción del beneficio. Banco Santander fue un exponente de dicha estrategia con el lanzamiento, en 1989, de la *Supercuenta*, un producto de pasivo que ofrecía un 11% de rentabilidad. El resultado no pudo ser mejor, el banco logró aumentar su base de clientela y también el beneficio, demostrando que se podía crecer y ser rentable. Por su lado, Banco Popular, fiel a su vocación de crecer orgánicamente, optó por el liderazgo en costes y por la eficiencia llegando a ser uno de los bancos más eficientes y rentables del mundo.

Fusión o adquisición

Al mismo tiempo, otras entidades prefirieron crecer vía una operación de fusión o adquisición, lo que les permitía aumentar rápidamente de tamaño y aprovechar posibles sinergias y duplicidades. Ése fue el caso del Banco de Bilbao y del Banco de Vizcaya (1988), así como el de la Caja de Pensiones para la Vejez y de Ahorros de Cataluña y Baleares y la Caja de Ahorros y Monte de Piedad de Barcelona. Los siguientes episodios que cambiaron el mapa bancario español fueron la fusión del Banco Central con el Banco Hispano (1991), la creación del hólding Corporación Bancaria de España (Argentaria), que reunió a siete entidades públicas, y la intervención de Banesto, el 28 de diciembre de 1993, con su posterior adjudicación al Banco Santander. El proceso de transformación del mapa bancario era irrefutable, de siete grandes bancos pasaron, en una década, a existir sólo cuatro.

Uno de los sucesos con más importancia en los años 90 fue la expansión de las cajas de ahorro a todo el territorio nacional, una vez suprimida la Ley que restringía su actividad al área tradicional de influencia. Esta liberalización fue acompañada por la apertura de un gran número de oficinas, mientras que la banca iniciaba un proceso de racionalización de su red, producto de los procesos de fusión y adquisición protagonizados a principios de la década. De hecho, entre 1990 y 2010, el número de oficinas pasó de 33.439 a 43.020, convirtiéndose España en el país de la zona euro con mayor presencia física por cada 100.000 habitantes.

Una vez logrado el crecimiento en el mercado doméstico, era el momento de iniciar la diversificación geográfica, empezando por los países que mantenían afinidades culturales y lingüísticas con el nuestro. Tanto Banco Santander como Banco Bilbao Vizcaya han emprendido con éxito su expansión en Portugal e Iberoamérica. A finales de la década, y ante la entrada de España en la Unión Económica y Monetaria, los dos grandes bancos españoles protagonizaron nuevas fusiones movidos por el temor a una oferta pública de adquisición (opa) por parte de una gran entidad europea. En enero de 1999, se fusionaron Banco Santander y Banco Central Hispano, y en octubre del mismo año Banco Bilbao Vizcaya Argentaria.

De este modo, nuestro sector bancario entró en el siglo XXI con dos entidades que estaban entre las mayores de la zona euro. Además, por los indicadores de rentabilidad (ROA, ROE), solvencia y morosidad, la banca española se encontraba a la cabeza de los rankings internacionales. Era evidente que había sabido adaptarse a los cambios regulatorios, al aumento de la competencia, a las exigencias de un cliente más sofisticado, a la innovación tecnológica y a los ciclos económicos.

Desde una posición sólida, nuestras entidades han afrontado la introducción del euro, el estallido de la burbuja tecnológica y la crisis de las hipotecas *subprime*, manteniendo tasas de crecimiento del crédito de dos dígitos. La existencia de liquidez en los mercados mayoristas y el buen comportamiento de la economía animaron la demanda interna de crédito, que encontraba fácil acogida en los bancos y cajas ávidos de ver crecer sus balances. Se respiraba una especie de euforia contagiosa que, por un lado, animaba a los particulares y a las empresas a invertir y, por otro lado, a las entidades a prestar. Hasta 2008, el crecimiento volvía a ser un objetivo estratégico, apalancado en la financiación a los sectores de la construcción e inmobiliario, dos importantes motores de la economía.

Hoy, la situación es radicalmente distinta: los indicadores de solvencia no son lo que eran, obligando a las entidades a recurrir al mercado y a dinero público; la tasa de morosidad sigue creciendo y ya supera el 6%, los balances de los bancos están llenos de activos inmobiliarios obtenidos por adjudicaciones o cesiones por dación en pago; el ratio de transformación supera con creces el 100%, la financiación mayorista escasea y la deuda soberana de los países periféricos pierde valor. Además, el nuevo marco regulatorio exige más recursos propios y el cumplimiento de ratios de liquidez.

En este entorno complejo en que vivimos, el optimismo dio lugar al pesimismo y la estrategia de crecimiento a la de reestructuración. ¿Serán nuestras entidades capaces de saldar esta situación con éxito, reconduciendo el sector hacia puestos destacados en el escenario bancario internacional? Estamos convencidos de que sí, aunque por delante hay un importante trabajo de saneamiento de balances, redimensionamiento del sector, recorte de plantillas, cierre de oficinas, refuerzo de los recursos de balance y aumento de los capitales propios. Por último, pero no menos importante, es necesario que nuestros bancos sean un ejemplo de buen gobierno corporativo, lo que supone, entre otras cosas, garantizar a cada acción un voto, asegurar la transparencia de la información y eliminar cualquier tipo de remuneración abusiva por parte de los directivos cuando abandonan sus cargos.

Es un tiempo de grandes desafíos y la 'salud' del sector pasa por resolver sus problemas: sin prisa, pero sin pausa.

Doctora en Negocios y Dirección de Empresas. Socia de Diagnóstico & Soluciones.

FUENTE: *Expansión,* 10 de octubre de 2011.

Figura 4.9

Sin embargo, el gran acierto de nuestra gran banca fue la diversificación geográfica. Tanto el BBVA como el Santander generan, respectivamente, más del 70% del margen bruto y el 92% del beneficio atribuido ordinario fuera de España (figura 4.8). Si para el BBVA las áreas de mayor aportación al margen bruto son México y Sudamérica, para el beneficio atribuido del Santander contribuyen fundamentalmente, Brasil, Reino Unido, Estados Unidos y México.

4.5. COMENTARIO

Se repasa la estrategia de los bancos españoles desde los años ochenta hasta la actualidad. En estos más de 30 años asistimos al desarrollo de un sector que ha sabido adaptarse a los cambios del entorno. Sin embargo, la última crisis financiera sigue impactando y exigiendo nuevos retos.

Como desafío, los autores proponen una reflexión sobre el impacto de la «nueva» regulación en el modelo de negocio de la banca europea.

CONCEPTOS CLAVE

- Banca de inversión.
- Banca especializada.
- Banca universal.
- Globalización.

- Modelo OTD.
- Modelo OTH.
- Operaciones de activo/pasivo.
- Operaciones fuera de balance.

BIBLIOGRAFÍA

Delgado, J., Pérez, D. y Salas, V. (2003). «Especialización crediticia y resultados en la banca europea», Banco de España, Estabilidad Financiera, n.º 5.

Freixas, X. y Rochet, C. (1999). *Economía bancaria,* Antoni Bosch.

Howells, P. y Bain, K. (2007). *Financial Markets and Institutions*, 5th edition, Londres: Financial Times, Prentice-Hall.

Iayn G. Clark y Kostas Evangelidis (1994). *Cómo dirigir a sus bancos,* p. 13, Ediciones Folio. Barcelona.

Krugman, P. y Obstfeld, M. (2000). *International Economics: Theory and Policy,* Addison-Wesley: Massachusetts.

Moro, A., «El sistema bancario español ante el nuevo entorno financiero», *Papeles de la Fundación,* n.º 28, Fundación de Estudios Financieros, Madrid.

O'Neill, J. (2001). «Building Better Global Economic BRICs», Goldman Sachs: *Global Economics Paper,* n.º 66.

Sanchez-Asíain, J. A. y Fuentes Quintana, E. (1992). *Reflexiones sobre la banca,* Espasa Calpe. Madrid.

Svejenova, Planellas y Vives (2009). «Innovando en el modelo de negocio: la creación de la Banca Cívica». *Universia Business Review,* 3.ᵉʳ trimestre, p. 72.

The Economist, «Twilight of the gods», Special Report: International Banking, mayo 2013.

PÁGINAS WEB

www.ine.es
www.ifm.org
www.ecb.int
www.ebf-fbe.eu
www.epp.ec.europa.eu/portal/page/portal/eurostat
www.bde.es
www.mineco.gob.es

5

Las operaciones de activo

5.1. INTRODUCCIÓN*

En el negocio tradicional bancario existen dos claras actividades básicas: por un lado, la recepción de dinero del público en forma de depósitos con el compromiso de su restitución en el tiempo y la forma pactados y, por otra parte, el préstamo de dinero al público. Estas operaciones tan elementales son, respectivamente, el origen de las operaciones de pasivo (instrumentos que los bancos diseñan para satisfacer las necesidades de unas unidades económicas que quieren prestar su dinero y, por ello, exigen el pago de un interés) y de las operaciones de activo (instrumentos financieros pensados para satisfacer la falta de dinero o recursos de unidades deficitarias de fondos; en definitiva, necesitadas de financiación).

Evidentemente, en un escenario ideal, un banco querría retribuir lo mínimo posible a las unidades que le prestan dinero (es decir, pagar el mínimo interés en sus operaciones de pasivo) y, por el contrario, desearía obtener el mayor rédito en el dinero que presta (es decir, cargar el mayor interés por sus operaciones de activo).

Sin embargo, este escenario tan favorable en la práctica se ve condicionado por un conjunto de factores que inciden negativamente en la ampliación de este diferencial. Por una parte, la mayor competencia en la captación de pasivo provoca un aumento significativo en los tipos de interés a pagar por sus operaciones de pasivo, y por otra, esa misma competencia hace surgir una dura pugna por la obtención de la clientela con la concesión de créditos, lo cual provoca un abaratamiento en los tipos de interés que se cobran por las operaciones de activo. La combinación de ambos factores da origen a lo que se conoce como **reducción del margen financiero del banco,** es decir, el estrechamiento entre lo que la entidad financiera cobra por los fondos prestados y lo que dichos fondos le cuestan.

* Queremos agradecer a los profesores Salvador Cruz Rambaud y María del Carmen Valls la ayuda en la elaboración del presente capítulo.

Analizadas en el capítulo anterior las operaciones de pasivo, nos vamos a ocupar a continuación del estudio de las principales operaciones activas.

Con las operaciones de activo se hace referencia a todas las que son generadoras de rendimientos realizadas por *entidades de crédito* y todas las que supongan una colocación de fondos o una asunción de riesgos por parte de la entidad. En efecto, *la inversión —generadora de rentabilidad— y el riesgo* son los aspectos básicos de estas operaciones.

Según estos dos elementos clave, podemos distinguir entre:

a) *Operaciones con riesgo y con inversión.* Es la categoría más común. En ellas, la entidad financiera coloca unos fondos y está sujeta a la posibilidad de incurrir en pérdidas. Ello hace que su coste sea superior, pues deberá compensar el riesgo en el que se incurre (por ejemplo, los créditos).

b) *Operaciones con riesgo y sin inversión.* Son aquellas en las que la entidad financiera garantiza el pago de las obligaciones de un cliente suyo. Si el cliente cumple con sus compromisos, el banco o caja no desembolsará ni un euro (por ejemplo, los avales).

c) *Operaciones sin riesgo y con inversión.* Son aquellas en las cuales los desembolsos del banco están suficiente o totalmente cubiertos por fondos que garantizan que la inversión que realiza no se va a perder (por ejemplo, los anticipos garantizados por una imposición a plazo fijo o con cualquier garantía de efectivo).

Se podría hablar de un cuarto grupo de operaciones, caracterizadas por la ausencia tanto de riesgo como de la inversión, que se correspondería con todas aquellas actividades realizadas por cuenta de la clientela. Nos referimos a los servicios que al no suponer colocación de fondos ni asunción de riesgos no se tratan en este capítulo.

5.2. PRÉSTAMOS Y CRÉDITOS EN CUENTA CORRIENTE

Existe una idea generalizada que tiende a confundir dichos conceptos, pues ambos se identifican con la prestación de fondos a un tercero durante un cierto tiempo. Sin embargo, existen diferencias entre ellos:

— El contrato de préstamo supone que la entidad financiera entrega al cliente una cantidad de dinero, obligándose este último a devolver dicha cuantía más los intereses pactados de acuerdo con un calendario fijado de pagos.

— En el contrato de crédito, la entidad financiera se obliga a poner a disposición del cliente una determinada cantidad de fondos bajo unas ciertas condiciones y durante un plazo. Los intereses se cargarán sobre las cantidades realmente dispuestas y al vencimiento el cliente devolverá el saldo vivo.

Ambos tipos de operaciones pueden formalizarse tanto en escritura pública como en contrato privado, siendo este último procedimiento más simple y cómodo. Sin embargo, se exige la escritura en los casos de préstamos hipotecarios y operaciones de cierta complejidad o de elevados importes.

En el caso de los créditos, las entidades financieras se obligan a poner a disposición del cliente unos fondos durante un período de tiempo. Esto implica que tales importes no pueden ser prestados por el banco a otro cliente durante ese tiempo, pudiendo llegar a ocurrir que el firmante del crédito no dispusiese de ellos. En tal caso, el banco tendría unos fondos que no le están reportando ningún rendimiento. Para evitar esta merma de rentabilidad se suele recurrir a las siguientes medidas:

— Establecimiento de una comisión de disponibilidad sobre el saldo no dispuesto. Esta comisión suele ser periódica. Por ejemplo, un banco concede un crédito de 12.000 euros por un año y se establece que por disponibilidad el cliente deberá pagar un 0,1% trimestralmente. Si al finalizar los tres primeros meses la cantidad media realmente dispuesta ha sido de 4.500 euros, el cliente deberá pagar:

$$C = \frac{7.500 \cdot 0,10}{100} = 7,50 \; €.$$

— Concesión de créditos cuyo límite se ve reducido según unos vencimientos escalonados previamente establecidos.

Siguiendo con nuestro ejemplo, si el contrato establece una reducción trimestral de 3.000 euros en el límite máximo de fondos disponibles, tendremos:

	Reducción del límite (€)	**Límite pendiente (€)**
1.er trimestre	3.000	9.000
2.º trimestre	3.000	6.000
3.er trimestre	3.000	3.000
4.º trimestre	3.000	0

— Introducción en el contrato de cláusulas que obliguen a la utilización del crédito en un período de tiempo prefijado o bien estableciendo la obligación de una utilización mínima de dicho límite, llevando su incumplimiento a la resolución y cancelación del contrato.

5.2.1. El tipo de interés

El principal coste de cualquier operación financiera es el tipo de interés. La forma en que queda establecido en el contrato de préstamo no es única, pudiéndose distinguir entre las siguientes posibilidades:

— Definido desde un primer momento como un porcentaje constante y aplicable durante toda la vida de la operación. Hablaremos entonces de una operación a tipo fijo.

— Definido no como una constante, sino como la suma o la resta de un cierto margen a un índice de referencia del cual se toma su valor en determinadas fechas recogidas en el contrato. En este caso, el tipo cambia a lo largo del tiempo. Hablaremos entonces de una operación a tipo variable, es decir, referenciado a algún indicador o índice.

El Banco de España obliga a que los tipos de interés se expresen en tasas porcentuales anuales pagaderas a término vencido equivalente, bajo la denominación de TAE (tipo o Tasa Anual Equivalente), sin perjuicio de que las entidades puedan indicar los tipos de interés nominales de las operaciones.

La TAE se define como «la tasa de interés expresada en forma porcentual anual pagadera a término vencido, que iguala en cualquier fecha el valor actual de los efectivos recibidos y entregados a lo largo de la operación, por todos los conceptos, incluido el saldo remanente a su término». Tal equivalencia se establece sobre la base de la capitalización compuesta.

La principal ventaja de manejar el concepto de TAE es que el cliente obtiene el coste o rendimiento de cualquier operación, y puede comparar los de una entidad con otra de manera homogénea independientemente de cuál sea la periodicidad de los pagos. Su cálculo está especificado para cada operación, por ello no se va a contemplar en este manual. El coste efectivo de la financiación no siempre va a coincidir con la TAE, ya que el propio Banco de España establece una serie de excepciones en cada operación financiera en cuanto a qué gastos deben ser o no incluidos en el cálculo de la TAE y las entidades sólo recogen como gastos pagados por el cliente los devengados por la entidad financiera. Como muestra de gastos adicionales que pueden surgir en cualquier operación financiera tenemos los siguientes:

— Gastos de formalización notarial o de fedatario público.
— Gastos devengados por avales concedidos por entidades diferentes al prestamista (por ejemplo, sociedades de garantía recíproca).
— Primas de seguro concertadas a favor de la entidad con un tercero.

En algunos tipos de préstamos, como, por ejemplo, los hipotecarios, el tipo de interés a cobrar puede estar referenciado a un índice. En este caso, es conveniente conocer la evolución y el concepto de los posibles índices de revisión, y no dejarse influenciar por el que en ese momento esté más bajo. En nuestro país, en el Boletín Oficial del Estado se publican mensualmente los siguientes índices de referencia oficiales para los préstamos hipotecarios a tipo variable destinados a la adquisición de una vivienda:

a) *EURIBOR (Euro Interbank Offered Rate)* a un año. Es el tipo de interés de oferta en el mercado interbancario de depósitos en euros al plazo de un año, es decir, el precio al que bancos y cajas se prestan dinero mutuamente a un año. Su cotización es diaria y responde a las condiciones del mercado y movimientos de los tipos de interés oficiales.

b) *Rendimiento de la Deuda Pública.* Se utiliza el tipo de rendimiento interno en el Mercado Secundario de la Deuda Pública con una vida residual entre dos y seis años.

c) *Índice de activo de la CECA.* Es el tipo medio de los tipos aplicados a préstamos personales entre uno y tres años y de los préstamos hipotecarios a más de tres años de las cajas de ahorros. Se acomoda a la evolución de tipos de forma lenta. Es el más estable, aunque también el más alto.

d) *IRPH* (Índice de Referencia de Préstamos Hipotecarios). Es el promedio de tipos ponderados por el importe de los créditos hipotecarios a más de tres años contratados por bancos, cajas de ahorros o por el conjunto de entidades de crédito.

Las cuantías que periódicamente ha de pagar el prestatario se denominan *términos amortizativos* (a_i). Si el préstamo es a tipo de interés fijo, desde el inicio de la operación estarán perfectamente definidas. Por el contrario, si el tipo de interés es variable en función de un índice de referencia, habrá que esperar a conocer el tipo de interés aplicable a cada período para calcular los términos amortizativos correspondientes al mismo.

En general, los términos amortizativos tienen dos componentes:

— *Cuota de interés* (I_i): representa el pago de intereses sobre el capital vivo (pendiente de amortizar), el cual se calculará aplicando la fórmula del «carrete». Por ejemplo, si el pago es trimestral, la parte correspondiente a intereses será:

$$I_i = \frac{P_i \cdot r_i \cdot 90}{B}$$

siendo P_i y r_i el principal y el tipo de interés al comienzo del período *i*-ésimo, 90 los días del trimestre y B la base de cálculo (360 o 365 días).

— *Cuota de amortización* (A_i): es la cantidad destinada a amortizar capital y se corresponde con la diferencia entre el término amortizativo y la cuota de interés:

$$A_i = a_i - I_i$$

En función del sistema de amortización pactado, el término amortizativo podrá ser constante (es el denominado «método francés», cuyo uso es el más extendido), variable en progresión aritmética o variable en progresión geométrica. El desarrollo de tales sistemas no son objeto de estudio en este manual, pudiendo consultarse al respecto textos de matemáticas financieras[1].

---

[1] Véase Valls Martínez, M. C. y Cruz Rambaud, S. (2012). *Operaciones Financieras avanzadas,* Pirámide, Madrid.

Un sencillo sistema de amortización es aquel en el que las cuotas de amortización son constantes, en cuyo caso:

$$A_i = \frac{P}{N}$$

siendo P el principal del préstamo y N el número total de términos amortizativos.

Para comprenderlo mejor, vamos a ilustrarlo con el siguiente ejemplo de un préstamo de 6.000 euros, a tres años con pagos trimestrales. Supondremos, por simplicidad, trimestres de 90 días y años de 360 días. La tabla de amortización resultante es la siguiente (tabla 5.1).

TABLA 5.1

Trimestre de pago	Capital amortizado	Capital vivo	Tipo de interés (%)	Intereses pagados	Cuota total
0	—	6.000,00	5,00	—	—
1	500,00	5.500,00	4,80	75,00	575,00
2	500,00	5.000,00	4,50	66,00	566,00
3	500,00	4.500,00	4,30	56,25	556,25
4	500,00	4.000,00	4,10	48,38	548,38
5	500,00	3.500,00	4,00	41,00	541,00
6	500,00	3.000,00	4,50	35,00	535,00
7	500,00	2.500,00	4,75	33,75	533,75
8	500,00	2.000,00	4,80	29,69	529,69
9	500,00	1.500,00	4,80	24,00	524,00
10	500,00	1.000,00	4,90	18,00	518,00
11	500,00	500,00	5,00	12,25	512,25
12	500,00	0,00	—	6,25	206,25

Datos en euros.

5.2.2. Clasificación de los préstamos y créditos

A continuación se procederá a describir las características más destacables de los principales tipos de préstamos y créditos que pueden solicitar un particular o una empresa:

a) **Préstamos hipotecarios**

Los préstamos hipotecarios son aquellos que se encuentran garantizados por una fianza de carácter real, como la hipoteca de un inmueble. Las características básicas de este tipo de préstamos son las siguientes:

— **Bienes que se financian.** Su uso se especializa a la financiación de la construcción o compra de bienes inmuebles destinados a su explotación económica. El titular puede ser una persona física o jurídica:

- **Tipos de interés.** El tipo de interés puede ser fijo o variable, es decir, con referencia a un índice establecido en el contrato, cuyo valor es tomado periódicamente. Existe también la fórmula intermedia de comenzar la operación con un tipo fijo para después de un tiempo pasar a variable. Ésta es la forma más utilizada actualmente.

- **Plazos.** En el caso de viviendas, apartamentos o aparcamientos, el plazo máximo puede llegar a ser de 30 años e incluso más.

- **Autorizaciones.** Una vez formulado el préstamo mediante escritura pública ante notario, y realizada la inscripción en el registro de la propiedad, se procede a dar de alta la cuenta.

Ejemplo de préstamo hipotecario a tipo fijo

En España, la mayor parte de los préstamos se conceden por el *sistema de amortización francés,* caracterizado porque las cuantías de todos los términos amortizativos tienen idéntico valor. Para entenderlo mejor, vamos a verlo en el siguiente ejemplo. En él vamos a tomar un principal de 60.101,21 euros a un plazo de 10 años y liquidaciones mensuales. Las cifras que aparecerán en las tablas recogen exclusivamente cantidades acumuladas anuales.

Si el préstamo fuera concedido a tipo fijo, pongamos del 8,5 % anual, entonces la tabla quedaría como sigue (tabla 5.2).

TABLA 5.2

Año	Principal vivo	Principal amortizado	Intereses pagados	Total cuotas
1	56.114,86	3.986,35	4.955,68	8.942,03
2	51.776,15	4.338,71	4.603,32	8.942,03
3	47.053,94	4.722,21	4.219,82	8.942,03
4	41.914,33	5.139,62	3.802,42	8.942,03
5	36.320,42	5.593,91	3.348,12	8.942,03
6	30.232,06	6.088,36	2.853,67	8.942,03

TABLA 5.2 *(continuación)*

Año	Principal vivo	Principal amortizado	Intereses pagados	Total cuotas
7	23.605,55	6.626,51	2.315,51	8.942,03
8	16.393,31	7.212,24	1.729,79	8.942,03
9	8.543,58	7.849,73	1.092,30	8.942,03
10	0,00	8.543,58	398,45	8.942,03
Totales		**60.101,21**	**29.319,07**	**89.420,30**

Datos en euros.

Como se puede apreciar, las cantidades amortizadas son mayores conforme avanza el tiempo, lo contrario que ocurre con los intereses.

Ejemplo de préstamo hipotecario a tipo variable

Como se ha indicado anteriormente, también es posible conceder préstamos a tipo variable. Si el índice de referencia fuese, por ejemplo, el EURIBOR a un año, se toma la cotización publicada en el BOE en el mes correspondiente a la formalización del préstamo y se aplica dicho tipo durante todo ese año hasta la revisión del siguiente año.

Continuando con el ejemplo anterior del préstamo a 10 años de 60.101,21 euros, la tabla de amortización sería la siguiente (tabla 5.3).

TABLA 5.3

Año	Interés aplicado	Principal vivo	Principal amortizado	Intereses pagados	Total cuotas
1	7,00	55.798,06	4.303,15	4.070,77	8.373,91
2	7,50	51.285,41	4.512,65	4.031,83	8.544,48
3	9,25	46.743,85	4.541,56	4.554,56	9.096,12
4	8,75	41.680,29	5.063,57	3.890,21	8.953,78
5	8,25	36.079,61	5.600,67	3.229,99	8.830,67
6	8,80	30.070,62	6.008,99	2.936,48	8.945,47
7	9,75	23.610,10	6.460,52	2.648,24	9.108,76
8	9,00	16.434,26	7.175,84	1.833,70	9.009,54
9	8,30	8.556,77	7.877,49	1.068,85	8.946,33
10	7,50	0,00	8.556,77	351,59	8.908,36
Totales			**60.101,21**	**28.616,21**	**88.717,42**

Datos en euros.

Comparando ambos cuadros, se aprecia que el segundo está formado por una serie de sucesivos cuadros de amortización a tipo fijo, pero calculados para un tipo de interés distinto en cada año, a un plazo y principales iguales a los residuales al final del período anterior. Desde un punto de vista comercial, la entidad de crédito vende mejor un préstamo a tipo variable. En este caso, las cuotas de los primeros años son más bajas que en los préstamos de tipo fijo.

En ese esquema de cuotas, el público tiende a valorar más los pagos más cercanos en el tiempo, por lo que preferirá el préstamo a tipo variable. Para verlo más claramente, basta con un ejemplo: si tomásemos el préstamo arriba expuesto —principal de 60.101,21 euros a diez años— y calculásemos las cuotas por ambos sistemas aplicando el 7,00% durante toda la vida de la operación, obtendríamos que con el sistema de cuotas de amortización constantes, la primera mensualidad (término amortizativo) sería de 851,44 euros, y a partir de aquí iría decreciendo (la disminución del principal vivo daría lugar a una cuota de intereses cada vez menor), mientras que por el sistema francés sería de 697,83 euros, cantidad que se mantendría constante a lo largo de los 10 años. En cualquier caso, el coste total del préstamo a tipo variable dependerá de cómo evolucione el tipo de interés. Tomando como referencia el coste total de un préstamo a tipo fijo, el prestatario debe evaluar en qué escenario de tipos de interés en el futuro le interesa o no un préstamo a tipo variable.

b) Préstamos en póliza

Los préstamos en póliza son aquellos que se formalizan generalmente mediante un documento mercantil denominado póliza, que ha de ser intervenido por fedatario público. Sus características básicas son:

— **Bienes que se financian.** No existe limitación a la cantidad. En cuanto al destino, los posibles son: inversión en activos inmateriales, adquisición o adaptación de terrenos para uso industrial, agrario o comercial, adquisición, construcción, reforma de naves o locales de uso industrial, comercial o agrario, inversiones en equipos e instalaciones técnicas, adquisición o reparación de maquinaria, utillaje o herramientas, inversión en equipos para procesos de información, adquisiciones o reparación de vehículos o elementos de transporte, inversión en activos financieros como valores mobiliarios, fianzas, inversión en existencias y aprovisionamientos diversos, campañas agrícolas, campañas de lanzamiento de productos, publicidad, desfases de liquidez, pagos a la Hacienda Pública, Seguridad Social u otras entidades oficiales, reconversiones empresariales y préstamos puente, entendiendo como tal, el préstamo personal que se concede a corto plazo para paliar una situación transitoria ante el retraso en la instrumentalización de otro ya concedido y sin desembolsar.

— **Tipos de interés.** Los tipos de interés pueden ser generales o preferenciales. Los intereses se abonan por períodos vencidos, generalmente trimestres. Se puede estipular el pago de una cuota fija o variable.

- **Plazos.** Variables, en función de la finalidad del préstamo, características del cliente y posibilidades reales de amortización de éste.
- **Riesgos.** Es la operación más sencilla y rápida. Sólo se piden garantías personales.
- **Tramo.** Hasta el 70% de la inversión.
- **Autorizaciones.** Una vez formalizada la póliza de préstamo, existe una sola entrega inicial de dinero por parte del banco y por el total de la operación. Por tanto, se trata de una cuenta sin movimiento, dispuesta por el total en el momento de la formalización, cuyo importe se traspasa íntegramente a una cuenta acreedora del cliente.

c) **Préstamo y crédito participativo**

Este tipo se caracteriza porque la entidad prestamista participa en los beneficios líquidos, además de existir un interés fijo. Se consideran parte de los fondos propios y no pueden amortizarse anticipadamente.

d) **Créditos sindicados**

También llamados créditos consorciados, son una modalidad especial de operación crediticia caracterizada por la participación conjunta de un grupo de entidades de crédito que concurren en la concesión de un crédito que, por su elevada cuantía u otras características peculiares, precisa de la colaboración de una pluralidad de instituciones financieras.

e) **Créditos con garantía real**

En este caso, un crédito en cuenta corriente se establece con garantía real (valores, hipotecas, etc.), que constará en la póliza. Las garantías pueden ser pignoraticias o hipotecarias.

f) **Créditos sin intereses**

Son créditos sin coste financiero donde los fondos se destinan a obras o ayudas humanitarias.

g) **Créditos privilegiados**

También llamados preferenciales, son créditos concedidos a un tipo de interés bajo o preferente.

h) **Créditos subordinados**

Son créditos con un tipo de interés menor en función de los beneficios de la empresa.

i) **Créditos subsidiados**

Son créditos con el tipo de interés subvencionado en parte por alguna entidad de crédito oficial, por ejemplo, los préstamos que concede el Instituto de Crédito Oficial para financiar inversiones de empresas establecidas en España o empresas españolas en el exterior.

5.3. CRÉDITO COMERCIAL Y DESCUENTO DE EFECTOS

Para el Banco de España, el crédito comercial es:

— El descuento por parte de las entidades de crédito de efectos comerciales, letras, pagarés u otros efectos aptos para la función de giro creados para movilizar el precio de las operaciones de compraventa de bienes o prestación de servicios.
— Un anticipo sobre efectos comerciales, certificaciones y otras clases de efectos.

El descuento es un procedimiento utilizado por las empresas para movilizar, mediante la intervención de un intermediario financiero —banco o caja—, los créditos que posee sobre sus clientes, que están representados por letras de cambio u otros documentos comerciales. Generalmente, esta forma de financiación se establece mediante un contrato entre la entidad de crédito y el cedente, en el que se fija un límite hasta el cual la entidad tomadora mantiene el compromiso de descontar efectos, si bien se reserva el derecho a rechazar aquellos que no cumplen determinados requisitos o a suspender el descuento de forma cautelar o definitiva.

Los instrumentos más comúnmente usados en esta forma de crédito son:

— La letra de cambio.
— Los recibos con función de giro normalizados.
— Los pagarés con función de giro.
— Efectos documentarios.
— Las certificaciones de obra.
— Anticipos respaldados por efectos al cobro.

El objetivo final de esta clase de operaciones es el de cobrar el dinero que deben los clientes antes de la fecha pactada entre ellos y la empresa. Esta posibilidad de adelantar el cobro tiene un coste para las empresas, lo cual hace que no cobren toda la deuda sino una parte, que será igual al total de la misma menos lo que les cargue el banco por dicho anticipo. En esta operación, el cedente paga un coste en forma de intereses por el tiempo que transcurre desde el momento de la cesión hasta el vencimiento del efecto, aumentado por una prima de riesgo. Adicionalmente, soporta un coste en forma de comisión, el cual es un porcentaje del valor nominal del efecto. El porcentaje dependerá de que el efecto esté o no domiciliado y de que sea aceptado o no. Obviamente, la comisión resultará más alta si la letra no está domiciliada y no es aceptada. Para calcular el coste total del descuento hay que añadir, además, una serie de gastos fijos por efecto, como son los gastos de correo.

La expresión analítica que utilizan los bancos y cajas para calcular los intereses que cargan por descuento es la siguiente:

$$d = \frac{N \cdot r \cdot t}{360}$$

siendo:

    d: importe del descuento.
    N: nominal del efecto.
    r: tipo de interés aplicado, expresado en tanto por uno y en tasa anual.
    t: número de días.

A esta expresión se la conoce como *descuento comercial*.

A la hora de determinar el coste final del descuento hay que tener presente que las comisiones desempeñan un papel crucial, ocurriendo que, a igual tipo de interés y de comisión aplicados, el coste total resultante expresado como porcentaje sobre el nominal es mayor cuanto menor es el plazo sobre el que se aplica. La expresión analítica que recoge el coste derivado de ambos conceptos —tipo de interés y tanto por ciento de la comisión— es la siguiente:

$$COSTE = d + N \cdot c = \frac{N \cdot r \cdot t}{360} + N \cdot c = N \cdot \left(\frac{r \cdot t}{360} + c \right) \text{€}$$

siendo *c* la comisión, expresada en tanto por uno.

En consecuencia, el coste expresado en forma de tasa anual es:

$$r + c \cdot \frac{360}{t}$$

siendo:

    COSTE: coste total.
        d: intereses derivados de la aplicación del descuento, expresado en euros.
        t: número de días sobre los que se aplica el descuento.
        c: tanto por uno de la comisión.
        N: principal sobre el que se realiza el cálculo.
        r: tipo de interés aplicado al descuento, expresado en tanto por uno y tasa anual.
    360: base utilizada para medir el tamaño del año.

Para entenderlo mejor, vamos a ver los siguientes dos ejemplos:

	Efecto n.º 1	Efecto n.º 2
Nominal (euros)	6.000,00	6.000,00
Tipo de interés	7,00%	7,00%
Comisión	0,60%	0,60%
Fecha de vencimiento	30/04/2012	31/07/2012
Fecha de abono	01/02/2012	01/02/2012
Días	89	181
Intereses (euros)	103,83	211,17
Comisión (euros)	36,00	36,00
Coste total (euros)	139,83	247,17
Coste en términos anuales (%)	**9,43%**	**8,19%**

5.4. NUEVAS FORMAS DE CAPTACIÓN DE ACTIVO

En los últimos años han ido apareciendo nuevas formas de captación de activo utilizadas ya habitualmente por las entidades de crédito. Entre ellas nos vamos a centrar en dos de las que estimamos más importantes: las operaciones de arrendamiento financiero, o *leasing,* y las operaciones de *factoring.*

5.4.1. El *leasing*

El *leasing* tal y como lo conocemos actualmente, tiene su origen en 1952 en Estados Unidos. En ese año, el señor Boothe Jr. consiguió un mandato para el suministro de un pedido de alimentos preparados por la Marina de su país. Dado que no poseía la totalidad de los equipos para preparar dicho pedido, alquiló una parte de ellos y al final del período de alquiler los adquirió por un aceptable valor final de compra. A continuación, decidió alquilar los equipos que él había utilizado a una empresa de la competencia que había conseguido un pedido similar al suyo y, pensando en repetir la operación, creó la *United States Leasing Corporation,* al objeto de realizar estas operaciones de arrendamiento con opción de compra. Para la financiación recurrió al Bank of America, que debió pensar que se estaba iniciando un tipo de actividad con futuro, puesto que le concedió un préstamo que equivalía a 25 veces el capital social de la empresa de *leasing.*

Más adelante el señor Boothe formó otra compañía de *leasing,* la *Boothe Leasing Corporation,* y, a partir de ese momento, este tipo de compañías comenzó a proliferar rápidamente, en Estados Unidos primero y en Europa más tarde.

El *leasing* es una operación cuyo objeto es la cesión del uso de bienes muebles o inmuebles, adquiridos para dicha finalidad, a cambio del pago periódico de una cuota. Debe incluir una opción de compra a su término en favor del usuario.

Este tipo de operaciones han de tener una duración mínima de más de 2 años para bienes muebles y más de 10 para bienes inmuebles. Los *contratos* de *leasing* financiero son irrevocables para el período inicial de arrendamiento. Los costes de estas operaciones son:

— Comisión de un determinado porcentaje sobre el valor financiado.

— Comisión de estudio.

— Tipo de interés.

Estos contratos suelen ser a tipo fijo y con cuotas prepagables. A las cuotas hay que sumarles el IVA que grava el arrendamiento.

Existen diversas clasificaciones del *leasing,* pero, en esencia, pueden agruparse como sigue:

a) **Leasing financiero.** Es un arrendamiento con opción de compra. La empresa que necesita un determinado bien, trata con el proveedor y, una vez que ha decidido su adquisición, acude a una sociedad de *leasing.* Ésta compra el bien al proveedor y se lo arrienda a la empresa pactando una opción de compra. El arrendatario está obligado irrevocablemente a continuar arrendando el equipo hasta el fin del período convenido. Suele ser una operación a medio o largo plazo, entre 3 y 5 años para bienes muebles y a más largo plazo para los bienes inmuebles.

b) **El *Lease-back*.** Es una fórmula de financiación que tiene parte de *leasing* financiero. El contrato tiene dos fases:

— La empresa que precisa financiación vende a la sociedad de *leasing* un determinado bien (normalmente un inmueble).

— La empresa vendedora se compromete a pagar las cuotas de arrendamiento financiero, correspondiente al mismo bien, a la sociedad de *leasing.*

Al finalizar el contrato, la empresa vendedora tendrá la opción de compra sobre el bien que anteriormente vendió.

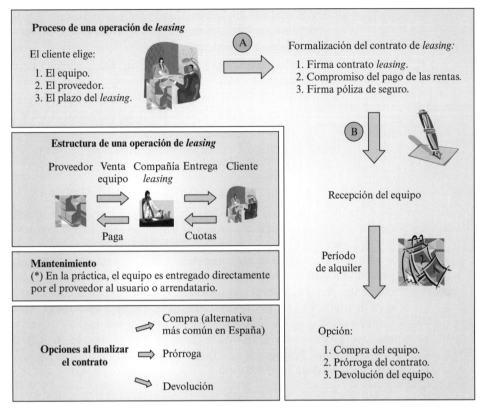

Proceso de una operación de *leasing*

El cliente elige:

1. El equipo.
2. El proveedor.
3. El plazo del *leasing*.

Ⓐ

Formalización del contrato de *leasing*:

1. Firma contrato *leasing*.
2. Compromiso del pago de las rentas.
3. Firma póliza de seguro.

Ⓑ

Estructura de una operación de *leasing*

Proveedor — Venta equipo — Compañía *leasing* — Entrega — Cliente

Paga — Cuotas

Recepción del equipo

Mantenimiento
(*) En la práctica, el equipo es entregado directamente por el proveedor al usuario o arrendatario.

Período de alquiler

Opciones al finalizar el contrato
→ Compra (alternativa más común en España)
→ Prórroga
→ Devolución

Opción:

1. Compra del equipo.
2. Prórroga del contrato.
3. Devolución del equipo.

Fuente: elaboración propia.

Figura 5.1. Proceso de una operación *leasing*.

c) **Leasing operativo.** En este tipo de arrendamiento, el encargado de alquilar los bienes es el propio fabricante o distribuidor de los mismos. La propiedad se mantiene en manos del arrendador, pero el arrendatario puede dar por terminado el contrato de alquiler en cualquier momento, sin cláusula penal ninguna. En contrapartida, las cuotas periódicas suelen ser más elevadas que las del *leasing* financiero.

d) **Leasing y *renting*, o arriendo-venta.** A veces se suele confundir este tipo de operaciones con otras similares, como son el *renting* o arriendo-venta. Veamos las diferencias:

— El grado de especialización de la empresa de *renting* es más alto que el de la de *leasing*.

— El contrato de *leasing* es de medio y largo plazo, mientras que el de *renting* es de corto.

— En el *renting,* los bienes alquilados normalmente son usados, es decir, generalmente han tenido otros usuarios. Por contra, en los contratos de *leasing* son generalmente nuevos.

— El contrato de *renting* puede ser rescindido unilateralmente antes de la finalización del plazo, hecho que no ocurre en el *leasing.*

— En el *renting,* el grado de utilización del bien suele determinar el importe de la cuota, mientras que en el *leasing* es absolutamente irrelevante.

— Al finalizar el contrato la sociedad de *renting* recupera el bien, mientras que en el *leasing* puede ocurrir que lo compre, que lo devuelva o que lo renueve.

Por lo que se refiere a la diferencia entre el *leasing* y el arriendo-venta, radica en que este último siempre se convierte en una operación de compraventa con el pago del último alquiler, mientras que en el *leasing* lo será sólo si el usuario decide optar por la compra del bien.

Ya se ha indicado anteriormente que las cuotas se determinan como si de un préstamo a tipo fijo prepagable se tratase, aumentada por el IVA que grava el arrendamiento. Así, por ejemplo, si tuviéramos que financiar mediante *leasing* la adquisición de un bien por importe de 30.050,61 euros, durante 3 años, pagaderos mensualmente a un tipo de interés del 9 % y con un valor residual o de compra equivalente a una cuota, el valor de la misma sería, aplicando el sistema francés, de 921,54 euros. A esta cantidad habría que añadirle el 21 % de IVA —193,52 euros—, con lo que la cifra final sería de 1.115,06 euros.

5.4.2. El *factoring*

Se entiende por *factoring* la prestación de un conjunto de servicios administrativos y financieros que se realiza mediante la cesión de créditos comerciales, normalmente a corto plazo, con origen en la prestación de servicios o entrega de bienes, con independencia de la forma en que se encuentren documentados (recibos, facturas, etcétera).

Así, el fabricante o distribuidor (cedente) cede los créditos que ostenta ante terceros (deudores) de forma irrevocable a la compañía de *factoring* (factor) para que, como nuevo legítimo propietario, los gestione y cobre.

Sobre estos créditos así cedidos el factor podrá prestar diversos servicios al cedente, entre los que se encuentran el anticipo de fondos y el aseguramiento de créditos en ciertas condiciones, percibiendo por ello un interés y una comisión.

Los orígenes del *factoring* actual, generalmente admitidos por diversos autores, se encuentran en el comercio textil entre Inglaterra y sus colonias norteamericanas, donde el factor actuaba como representante apoderado del suministrador y como gestor del cobro. Es a partir de 1935 cuando el *factoring* moderno empieza a adquirir importancia en Estados Unidos, y en los años cuarenta se instalan las primeras compañías estadounidenses en Europa.

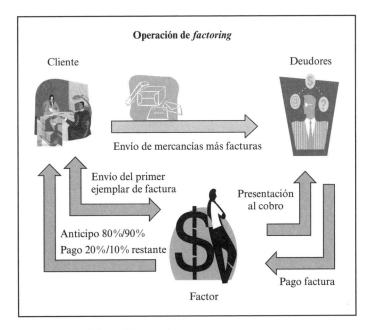

FUENTE: elaboración propia.

Figura 5.2. Operación de *factoring*.

El *factoring* puede revestir dos modalidades: *con recurso* y *sin recurso:*

— *Factoring sin recurso:* adquisición del crédito por el factor, liberando al cedente de la responsabilidad por el impago del crédito por parte del deudor, con lo cual asume el riesgo de insolvencia.
— *Factoring con recurso:* es una cesión *pro solvendo,* es decir, si el deudor no paga, el factor recupera su crédito del acreedor cedente.

La remuneración al factor se compone esencialmente de dos elementos:

— La comisión de factoraje.
— El tipo de interés.

Dicha comisión suele fijarse en un porcentaje sobre el importe total de cada factura (IVA incluido) y se paga en el momento de cada cesión. Para su estimación se tienen en cuenta parámetros tales como la cifra de negocio, el plazo medio de cobro, el número de facturas/año, el importe medio, el número y la calidad de los deudores, su distribución geográfica, etc. El tipo de interés o carga financiera se fija en función del coste bancario, según el plazo de financiación, y se determina por el EURIBOR a ese plazo más un diferencial pactado, que se cobrará por el anticipo de los fondos.

Los créditos que pueden ser objeto de *factoring* son aquellos que, con carácter general, tienen su origen en ventas de mercancías, suministros o servicios, ciertos y no vencidos. Dichas ventas deben ser de frecuente repetición, estando las condiciones de pago enmarcadas dentro del corto plazo (hasta 180 días). Hay que destacar que el *factoring* opera generalmente sobre facturas conformes.

5.5. CONSIDERACIÓN ESPECIAL: EL AVAL

El aval es otra operación generadora de rendimientos que recoge la prestación de toda clase de fianzas para asegurar el buen fin de obligaciones o compromisos contraídos por el cliente ante un tercero. Esta clase de operaciones forma parte de lo que se conoce como *riesgo de firma.*

El aval es una operación, y como tal comporta el mismo riesgo que cualquier otra operación de crédito, siendo la diferencia sustancial con respecto al resto de créditos el hecho de que, en principio, no existe desembolso por parte de la entidad avalista, sino mero compromiso formal ante el posible incumplimiento del avalado.

Por la prestación del aval la entidad avalista percibe una comisión periódica del avalado, calculada por anticipado al inicio de cada trimestre natural.

El aval, normalmente, se presta por un período indefinido, por lo que la cancelación de la operación tendrá lugar en el momento en que el avalado demuestre a la entidad avalista que ha hecho frente al compromiso contraído frente a terceros. No obstante, en ciertos casos, la entidad avalista podrá fijar una fecha tope de compromiso, superada la cual se considera el aval como cancelado.

Si durante el período de vigencia del aval el avalado no hace frente al compromiso adquirido ante terceros, éstos tendrán el derecho de reclamar a la entidad avalista el pago de dicho compromiso. En este momento el capital desembolsado por la entidad tendrá para el avalado la misma consideración de préstamo vencido, por lo que se puede reclamar inmediatamente su amortización, bien por vía judicial o extrajudicial.

Existen diversas clasificaciones de los avales, siendo la más habitual:

— **Preaval.** Es aquella operación que no constituyendo un compromiso en firme por parte de la entidad avalista expresa su favorable disposición a otorgar el aval definitivo en su día ante la entidad que lo solicita, cuando ésta lo requiera.

— **Aval técnico.** Es aquel aval que no supone obligación directa de pago para la entidad avalista, pero responde del incumplimiento de los compromisos que el avalado tiene contraídos, generalmente ante algún organismo público, por concursos de obras, subastas, etc.

— **Aval económico.** Puede ser de dos tipos:

• **Comercial.** Es aquel aval referido a operaciones de naturaleza comercial en el que la entidad avalista responde del pago aplazado en compraventas de todo tipo de bienes, fraccionamiento de pago, sumas entregadas anticipadamente, etc.

• **Financiero.** Es el aval referido a operaciones de naturaleza financiera en las que la entidad avalista responde a créditos o préstamos obtenidos por el cliente avalado de otra entidad, ante la que queda obligado directamente a su reembolso; suele consistir en aval en letra de cambio o en pólizas de crédito o préstamo.

Además de los tipos ya expuestos, existe una categoría especial, *la línea de aval,* que es aquella que contempla un límite máximo en cuanto a disposición de avales con cargo a dicha línea. Un ejemplo práctico de utilización de línea de aval sería la utilización por parte de una empresa que concursa sucesivamente a varias ofertas públicas de contratación; el uso de la línea de aval evita tener que formalizar un aval por cada operación solicitada, siendo casi instantánea la retirada de la carta de aval.

CONCEPTOS CLAVE

• Operación de activo.
• Operaciones con riesgo y con inversión.
• Operaciones con riesgo y sin inversión.
• Préstamos y créditos en cuenta corriente.
• Crédito tasa de actividad.
• Euribor.
• Índice de activo de la CECA.

• IRPH.
• Préstamos hipotecarios.
• Crédito sindicado.
• Crédito comercial y descuento de efectivo.
• El *leasing.*
• El *factoring.*
• El aval.

BIBLIOGRAFÍA

Bodie, Z., Kane, A. y Marcus, A. (2011). *Investments* (9.ª ed.), McGraw-Hill Irwin.

Rose, P. S. y Hudgins, S. C. (2013). *Bank Management and Financial Services* (9.ª ed.), McGraw-Hill Irwin.

Valls Martínez, M. C. y Cruz Rambaud, S. (2012). *Operaciones financieras avanzadas,* Pirámide. Madrid.

Saunders, A. y Cornett's, M. M. (2011). *Financial Institutions Management: A Risk Management Approach* (7.ª ed.), McGraw-Hill Publishing Co.

PÁGINAS WEB

www. euribor.com
www.irph.es
www.aebanca.es
www.ceca.es
www.ael.es
www.factoringasociacion.com

6

Las operaciones de pasivo

6.1. INTRODUCCIÓN*

Las entidades de crédito, en su propósito de captar recursos financieros, realizan las denominadas operaciones de pasivo (tabla 6.1). Estos recursos pueden ser propios o ajenos. En el primer caso, al igual que cualquier otra sociedad o empresa, están formados por aportaciones de los socios y beneficios no distribuidos, si bien hay otras fuentes de fondos específicos según el tipo de entidad que permiten una financiación permanente (acciones sin voto, participaciones preferentes, cuotas participativas, etc.). Todos estos recursos están sometidos a una regulación específica y al cumplimiento de una serie de coeficientes e indicadores requeridos a las entidades de crédito.

Centrándonos en los recursos ajenos, las entidades de crédito, en lo que se refiere a recursos financieros de sus clientes y público en general, ofrecen una serie de productos para que particulares y empresas puedan canalizar sus inversiones y rentabilizarlas. Por tanto, estas operaciones de pasivo van a estar encaminadas a la obtención de fondos ajenos.

Tradicionalmente, las operaciones de pasivo se dividen en tres grandes grupos dependiendo del instrumento utilizado:

— *Captación de depósitos (a la vista y a plazo):* es la más barata y, de forma general, la más abundante y tradicional. Aun cuando existen casos especiales, lo habitual es que sea un procedimiento encaminado hacia los pequeños y medianos ahorradores.

— *Captación de operaciones referenciadas al mercado interbancario:* recoge tanto los fondos que unos bancos prestan a otros a corto plazo en el citado mercado como las operaciones a mayor plazo de interés revisable, por ejemplo, indiciados al EURIBOR. Son operaciones que van desde el plazo de un día

* Queremos agradecer a los profesores Salvador Cruz Rambaud y María del Carmen Valls la ayuda en la elaboración del presente capítulo.

hasta un año, en el primer caso señalado, hasta varios años en el segundo. Es una financiación mayorista.

— *Captación por medio de valores mobiliarios:* se puede distinguir entre los fondos que una entidad toma tras la emisión de títulos, pagarés, bonos y obligaciones, y aquellos otros que capta por la cesión temporal de títulos que ya tiene en su activo. Estas últimas suelen ser operaciones de muy alto volumen, por lo que son propias del negocio mayorista.

En este capítulo nos vamos a centrar en la captación de fondos mediante depósitos y títulos, distinguiendo entre la emisión y la cesión temporal en este último caso.

6.2. CUENTAS CORRIENTES A LA VISTA

Podríamos definir la cuenta corriente como un contrato de depósito irregular de dinero que incluye un pacto de disponibilidad por cheque o pagaré en cuenta corriente y un servicio de gestión que permite al depositante retirar o ingresar fondos en la cuenta directamente o mediante un tercero convenientemente autorizado, sin preaviso ni aplazamiento de ninguna clase.

La característica básica de este producto es que los fondos allí depositados están disponibles de forma inmediata o tras un plazo muy breve de tiempo. Además, presentan la posibilidad de canalizar hacia o desde las cuentas cualquier flujo de dinero utilizando los diferentes títulos de crédito y las operaciones típicas de transferencia y giro contra dichas cuentas mediante las órdenes dadas por sus titulares.

Las cuentas corrientes a la vista pueden ser clasificadas según diversos criterios:

a) Por la unicidad o colectividad de los titulares:

— Cuentas individuales.
— Mancomunadas o conjuntas.
— Solidarias o indistintas.

b) Por la situación operativa:

— Activas.
— Inactivas.
— Abandonadas.

c) Por la situación de disponibilidad:

— Cuentas de libre disposición.
— Bloqueadas.
— Embargadas.

d) Por el sector de los titulares:

— Público.

TABLA 6.1

Clasificación de las operaciones de pasivo por vía de depósitos

Clases de operación	Características básicas
Cuentas corrientes a la vista.	Disponibilidad inmediata por cheque o pagaré a cuenta, permitiendo canalizar hacia o desde ella flujos de dinero.
Cuentas de ahorro a la vista.	Depósito de fondos asociados a una libreta, no pudiendo disponer por cheques (en la práctica, esta restricción va desapareciendo).
Depósitos a plazo.	Depósitos de duración limitada, de los que no se puede disponer antes de su vencimiento, salvo penalización.

FUENTE: elaboración propia.

    — Privado residente.
    — Privado no residente.

e) Por la moneda:

    — En euros.
    — En moneda extranjera.

f) Por el comportamiento:

    — Consumidores.
    — No consumidores.

g) Por las operaciones que admiten:

    — Cuentas de pagos.
    — Cuentas no de pagos.

Los contratos de cuenta corriente suelen variar de una entidad a otra. Sin embargo, existe una serie de ***rasgos que son comunes*** a todos ellos:

— Identificación de los titulares.
— Aspectos de la titularidad de la cuenta, es decir, la forma de disposición.
— Tipos de interés aplicados.
— Periodicidad de su devengo.
— Comisiones y gastos aplicables.
— Posibilidad de modificación de las condiciones por las partes.

— Utilización de talonarios de cheques y tarjetas (lo frecuente es que las tarjetas tengan otro soporte documental, aunque sean de débito y se suscriban en el mismo acto).
— Autorización de cargos y domiciliaciones de recibos.
— Régimen de descubiertos en cuenta y compensación de saldos.
— Exigencia o no de mantenimiento de un cierto saldo mínimo.

Dentro de las cuentas corrientes a la vista se encuentran las denominadas *super-cuentas* o *cuentas de alta remuneración,* que se caracterizan por ofrecer un tipo de interés elevado a partir de un importe mínimo depositado.

6.2.1. Cheques

Muy unidos a las cuentas corrientes están los cheques. Un cheque es un documento que permite cobrar (o con el que se puede pagar) una determinada cantidad de dinero depositado en la cuenta impresa en el mismo.

Todo lo referido a su regulación legal está recogido en la Ley 19/1985, de 16 de julio, conocida como Ley Cambiaria y del Cheque, la cual recoge aspectos tales como datos que deben incorporar estos documentos, obligaciones del librador y del librado, tratamiento legal de los cheques sin fondos, cheques falsificados y plazos de presentación y de pago, así como los distintos tipos de cheques.

Podemos clasificar estos documentos:

a) Por la persona que puede cobrarlos:

— *Al portador,* si llevan la indicación del tenedor en blanco o la expresión *al portador,* o bien si, extendido a un determinado nombre, se le añade la expresión *o al portador*. Se transmite por simple entrega y no puede ser endosado.
— *Nominativo,* cuando es extendido a una persona determinada. Puede ser endosado, salvo que figure la expresión *no a la orden*. En estos casos, el tenedor deberá mostrar su identidad a la hora de cobrarlo, exigiéndose la firma al dorso como recibí.

b) Por la forma de cobro:

— *Si no se indica nada,* puede cobrarse en efectivo o ingresarse en cuenta.
— *Para abonar en cuenta,* en cuyo caso no podrá ser pagado en efectivo.

c) Por las características de tratamiento:

— *Conformado,* aquel en el que el titular de la cuenta solicita al banco que autentifique el documento y la existencia de fondos suficientes. En estos casos, el banco retendrá los fondos necesarios para hacer frente al pago del cheque cuando éste sea presentado. La congelación de fondos durará hasta la fecha que en el cheque se indique o, si no se dice nada, hasta los 15 días siguientes, tal y como establece la ley.

— *Cruzado,* llamado así porque el librador cruza el anverso del cheque con dos barras paralelas. Puede ser de dos tipos:

   a) *Cruzado general,* en el que aparecen dos barras paralelas en las que no aparece nada entre ellas o bien la expresión *Banco, Compañía* o término equivalente. Significa que el banco librado sólo podrá pagar el cheque a otro banco o a un cliente de éste.

   b) *Cruzado especial,* cuando entre las dos barras aparece el nombre de una entidad de crédito específica. Significa que el banco librado sólo podrá pagar a la entidad indicada y, si es ella misma, a un cliente suyo.

— *De ventanilla,* extendido en talonario de la entidad de crédito librada, en la misma oficina donde el titular tiene abierta la cuenta y por ésta, para hacerlo efectivo. Si se desea entregar a un tercero, entonces la entidad deberá registrarlo y cruzarlo.

6.2.2. Cuentas financieras

Son aquellas en las que los fondos en ellas depositados se colocan por cuenta del depositante en activos financieros públicos o privados con elevada liquidez, bien por negociarse en mercados secundarios organizados, bien por gozar de cobertura por parte de las entidades de crédito que aseguran esa liquidez. Este tipo de cuentas tiene una serie de ventajas competitivas frente a las tradicionales cuentas; a saber:

— Su rentabilidad es superior.
— No sufren retención sobre los rendimientos que obtienen en el caso de las cuentas cuyos depósitos se colocan en Letras del Tesoro.
— Gozan de una liquidez inmediata.

Dentro de esta clase de cuentas merecen especial atención las que tienen sus fondos invertidos en Deuda del Estado Anotada. Las cuentas financieras son un vehículo utilizado por las instituciones financieras para canalizar los títulos de Deuda Pública hacia los inversores particulares. En sus orígenes, estas cuentas eran utilizadas por las entidades como producto ofrecido a su público, cuyo principal atractivo era la no-retención de sus rendimientos, puesto que los fondos allí depositados eran invertidos en Letras del Tesoro. Este extremo intentó ser evitado por la Administración Tributaria, tal y como recogen el Real Decreto Ley 5/1989, de 7 de julio, la Orden Ministerial

12 Expansión Sábado 12 enero 2013

FINANZAS & MERCADOS

ESTRATEGIAS DE INVERSIÓN ANTE EL FIN DE LOS SUPERDEPÓSITOS

Cómo rentabilizar los ahorros

TRAS EL FIN DE LA GUERRA DEL PASIVO/ El Banco de España obliga a las entidades a pegar un drástico tijeretazo al tipo de interés de Los ahorradores que busquen rentabilidades similares a las que ofrecían los mejores depósitos tendrán que invertir en deuda

A. Antón. Madrid

El Banco de España ha dado un golpe de efecto al "recomendar" a las entidades limitar el tipo de interés con el que remuneran el ahorro de sus clientes. La medida supone que la banca no podrá ofrecer depósitos, pagarés o cualquier tipo de producto que pueda dañar su balance con rentabilidades superiores al 1,75% para el plazo de un año, y del 2,75% para más de 24 meses.

El regulador da carpetazo a la batalla del pasivo, muy nociva para el margen de la banca y para sus resultados. Se trata de una noticia muy celebrada por el sector financiero y por sus accionistas (en la última semana, los bancos del Ibex han subido de media un 8,8%, apoyados, en parte, por esta medida), pero que restringe el abanico de opciones de los ahorradores para rentabilizar su dinero sin asumir cierto riesgo.

Este año, lograr rendimientos de en torno al 4% (los últimos rendimientos de los superdepósitos), con productos que aseguren un tipo de interés fijo, va a ser una tarea harto complicada. Aunque todavía quedan ofertas puntuales. La entidad española (adscrita al Fondo de Garantía de Depósitos), especializada en gestión de patrimonios, **Banca Finantia Sofinloc**, ofrece un depósito al 4,50%, desde 50.000 euros, para nuevos clientes o quienes incrementen sus posiciones.

Depósitos foráneos

Además, algunas entidades extranjeras que operan en España como la holandesa **ING** o la portuguesa **Espírito Santo** no han recibido, hasta la fecha, ningún toque por parte del Banco de España, por lo que mantienen su estrategia comercial. BES abona un interés del 4,60% TAE en sus depósitos a un año; ING, menos agresivo, ofrece un 3,30% a cuatro meses. El ecuatoriano banco **Pichincha** también comercializa imposiciones a plazo fijo a tipos de hasta el 4%, desde 50.000 euros.

Puesto que la normativa del Banco de España no se ha difundido de forma oficial, la información que manejan las entidades sobre cómo se apli-

TIJERETAZO AL RENDIMIENTO DE LOS DEPÓSITOS

■ GOLPE AL AHORRADOR

Depósitos más rentables, a 1 año

Entidad	TAE (en %) (Tasa Anual Equivalente)	Condiciones
Banco Espírito Santo	4,60	Desde 50.000 euros.
Banco Finantia Sofinloc	4,50	Desde 50.000. Dinero nuevo.
Banco Gallego	3,75	Dinero nuevo.
Bankia	2,25	A 13 y 24 meses.
Grupo BMN	2,4	Desde 1.000 euros.
		Hasta 2,65 con vinculación.
Santander	2	Desde 10.000 euros.
Banesto	1,50-2,20	En función del importe
Banco Popular	1,75	Desde 300 euros.
BBVA	1,75	Dinero nuevo y renovaciones.
Sabadell	1,75	Dinero nuevo y renovaciones.
Activobank (Sabadell)	1,75	Desde 3.000 euros.
Bankinter	1,75	Desde 15.000 euros.
CatalunyaCaixa	1,75	Dinero nuevo y renovaciones.
La Caixa	1,75	Dinero nuevo y renovaciones.

Nota: Condiciones vigentes para nueva oferta. Algunos tipos exigen vinculación y dependen de la oficina y del importe.
Fuente: Elaboración propia con información de las entidades.

Banco Espírito Santo está ofreciendo por ahora la mejor oferta de depósitos a un plazo de un año, con una rentabilidad del 4,6%.

NUEVAS ALTERNATIVAS PARA EL INVERSOR

■ PRODUCTOS RECOMENDADOS

Evolución en 2012 de varios fondos de perfil conservador recomendados por los analistas

Fondo	Rentabilidad (%)	Fondo	Rentabilidad (%)	Fondo	Rentabilidad (%)
Invesco Euro Corporate Bond	20,34	Torrenova de Inversiones	6,59	Alpha Plus Absolute Return Plus	2,74
JPM Global Income	15,00	DWS Invest Top Dividend	6,49	Threadneedle Credit Opportunities	2,58
LM Western Asset Global Multi Strategy	10,73	Ignis Absolute Return	6,35	DIP Client Risk Euribor	1,72
Pioneer Funds Strategic Income	10,33	GLG European Equity Alternative	6,07	Julius Baer Absolute Return Europe Equity	1,07
DWS Invest Euro Bond Short	6,90	Carmignac Sécurité	5,24	Maral Macro	0,83
		Capital atWork Cash+	2,78		

■ CATEGORÍAS COMPARABLES

Evolución en 2012 de las categorías de fondos de riesgo similar

Fondo	Rentabilidad (%)	Fondo	Rentabilidad (%)	Fondo	Rentabilidad (%)
Mixto EUR Equilibrado - Global	8,00%	Mixto EUR Conservador - Global	5,91%	Garantizado	3,71%
Renta Fija Euro Medio Plazo	6,28%	Mixto EUR Equilibrado - Eurozona	5,20%	Renta Fija Euro Corto Plazo	3,40%
Mixto EUR Equilibrado - Europa	6,81%	Mixto EUR Conservador - Eurozona	4,05%	Retorno Absoluto EUR Riesgo Bajo	2,99%
Mixto EUR Conservador - Europa	6,29%	Retorno Absoluto EUR Riesgo Medio	3,77%		

Fuente: Bloomberg y Lipper.

cará y a quién afectará es un tanto ambigua. Sin embargo, parece que no afectará a los grupos aseguradores, que están regulados por la Dirección General de Seguros y Fondos de Pensiones. Por tanto, podrán seguir ofreciendo productos con el tipo de interés que consideren.

Mutua Madrileña, por ejemplo, comercializa un **Plan de Ahorro Fácil**, que ofrece un 4,25% anual (3,25%, descontando comisiones), y permite al particular decidir cuándo y cuánto quiere aportar en cada momento, y disponer de su dinero libremente sin penalización. Además incluye un seguro de vida, por el que los beneficiarios recibirán, además del ahorro existente en ese momento, 1.200 euros adicionales. **Mapfre Vida** acaba de lanzar **Millón Vida**, un nuevo seguro de ahorro a cuatro años que ofrece el 3,85% anual. Puede contratarse desde 3.000 euros. **Aviva** es otra de las firmas que, de modo recurrente, incluye este tipo de productos en su catálogo. Su plan de previsión asegurado (PPA) **Cuenta Aviva** abona un 2,25 TAE.

Por su parte, la aseguradora americana **Liberty** lanzó hace unas semanas un Plan Individual de Ahorro Sistemático (PIAS) y un PPA que abona al cliente un tipo de interés mínimo del 4% los seis primeros meses y un 3% anual durante el siguiente semestre, así como un 2% durante los años restantes.

Además de los productos de seguros, los ahorradores pueden invertir directamente en deuda -corporativa o gubernamental- o, asumiendo más riesgo, en renta variable (ver información adjunta).

Víctor Alvargonzález, director de inversiones de Tressis, recuerda que, aunque los títulos de renta fija privada han dado elevados rendimientos a lo largo del 2012 (alrededor del 7% y 8%), este año será la deuda pública la que más alegrías proporcione a los inversores. El experto recomienda deuda pública de países europeos que se han visto sometidos a la presión del mercado, pero que son "serios" y están haciendo los deberes. Entre éstos, incluye a España, Italia, Portugal y Francia, en el punto de mira durante los últimos meses.

Alvargonzález señala que la mejor forma de acceder a estos títulos, salvo que se cuente con un patrimonio elevado, es a través de fondos, que diversifican el riesgo y ofrecen un tratamiento fiscal más benévolo, al permitir traspasar el patrimonio de un producto a otro, en función de las condiciones del mercado, sin pasar por el fisco.

Los fondos sacan pecho

Este vehículo de inversión es, según los expertos, el que se verá más favorecido por la medida impuesta por el supervisor. Y, concretamente, las acciones de los fondos de inversión que reparten rentas periódicas podrían generar fuerte demanda.

En este sentido, Juan Luis Luengo, responsable de fondos de Citi, considera que los fondos de renta fija global y diversificada (invierte en varios tipos de activo) pueden generar un cupón atractivo con un nivel de riesgo moderado. Entre sus productos favoritos destaca **Pioneer Funds Strategic Income**, un fondo de renta fija flexible con sesgo a EEUU. Otras opciones son **LM Western Asset Global Multi Strategy**, de Legg Mason, e **Invesco Euro Corporate Bond**, que repartieron cupones del 3,12% y 2,75%, respectivamente.

Figura 6.1a

Sábado 12 enero 2013 Expansión **13**

FINANZAS & MERCADOS

por encima del 4%

los productos de ahorro e inversión dirigidos a particulares.
o bolsa. Los fondos de inversión se perfilan como la mejor opción.

Luengo señala que los fondos mixtos asumen algo más de riesgo, pero pueden merecer la pena. En esta categoría recomiendan **JPM Global Income**, que logró una rentabilidad superior al 15% en 2012. Este fondo, que se centra en generar la mayor renta posible para sus inversores, invierte tanto en activos de renta fija como de renta variable, buscando instrumentos a nivel global que permitan generar rentas recurrentes de una manera diversificada.

Diego Fernández, selector de fondos de AIG, considera que a los inversores conservadores no se les plantea un escenario sencillo porque "es posible que este año, aunque las políticas monetarias de los bancos centrales continúen siendo tremendamente expansivas, los tipos de interés repunten al menos ligeramente y eso desencadena pérdidas en el activo tradicionalmente conservador: la renta fija gubernamental". Por ello recomienda invertir en fondos flexibles. Entre los fondos de renta fija a corto plazo, confía en **Carmignac Securité**, opción que también señala como favorita Juan Hernando, responsable de análisis de fondos de Inversis Banco. **Threadneedle Credit Opportunities** y **Capital AtWork Cash+** son los otros fondos que Hernando aconseja para los inversores prudentes.

Los expertos consideran interesantes de cara a 2013

El Tesoro puede ganar adeptos

Los límites impuestos al ahorro pueden provocar que los pequeños ahorradores se interesen más por la deuda pública. El Tesoro pagó un 2,5% en la última subasta de letras a 12 meses, celebrada en diciembre, aunque dada la mejora del mercado con la que ha arrancado el año, esa rentabilidad debería reducirse en la próxima emisión. El organismo va a incorporar la deuda entre minoristas en la plataforma Send, de BME, lo que facilitará su compra-venta.

los productos multiactivos conservadores, que puedan incluir renta variable en su cartera, para compensar posibles las pérdidas derivadas de una cartera de renta fija, en un entorno de subidas de tipos y viceversa. "En esta categoría, un buen ejemplo sería el fondo de fondos **DIP Client Risk Euribor**, que tiene una restricción que consiste en no perder más del euríbor en ningún periodo de 12 meses", indica Diego Fernández.

Otra de las categorías mejor vistas por los expertos son los fondos de retorno absoluto, cuyo objetivo es la obtención de rentabilidades positivas con independencia de la

evolución de los mercados. A&G destaca **Maral Macro** o **Alpha Plus Absolute Return Plus**, que invierte en diferentes tipos de activos, **GLG European Equity Alternative** o **Julius Baer Absolute Return Europe Equity**, que utilizan posiciones largas y cortas, o **Ignis Absolute Return**, que invierten exclusivamente en renta fija gubernamental.

Rentabilidad
Aunque las rentabilidades pasadas no garantizan rentabilidades futuras, el comportamiento de los fondos de inversión de perfil prudente o moderado fue relativamente positivo a lo largo del año que acaba de terminar.

La rentabilidad media anual para el total de fondos españoles fue en diciembre del 5,15%, según Inverco. Es el mejor dato de rentabilidad anual a cierre de año desde 1999.

Tomando como referencia productos nacionales y extranjeros, la categoría de renta fija de la eurozona a corto plazo ganó un 3,99% y a medio plazo, un 5,13%, según datos de Lipper. Los fondos de retorno absoluto de riesgo bajo se revalorizaron un 2,99% y los de perfil moderado, un 3,77%. Los mixtos conservadores ganaron más enteros: los que apuestan por Europa rindieron un 6,29% y los que invierten en la eurozona y, globalmente, un 4,05% y 5,91%, respectivamente.

Sede del Banco de España en Madrid.

Incertidumbres ante una medida improvisada

A. Antón. Madrid
Las nuevas directrices del Banco de España para terminar con la batalla por la captación de recursos no están escritas en ninguna parte. Se les ha comunicado a las entidades en diferentes reuniones y mediante llamadas telefónicas. Y, como las palabras se las lleva el aire, cómo aplicar las restricciones está generando cuantiosas incertidumbres.

Para empezar, se supone que la medida afectará exclusivamente a clientes minoristas, pero algunas fuentes señalan que sólo tendrá consideración de institucional el inversor que invierta, como mínimo, 10 millones de euros en un producto.

Por otro lado, no está claro qué productos se verán afectados por esta norma. El sector coincide en que los depósitos tradicionales, los bonos y los pagarés deberán ceñirse a la rentabilidad máxima del

> No está claro a qué entidades, a qué productos y a qué clientes afectará la restricción

1,75% a 12 meses y del 2,75% para plazos superiores a 24 meses. Los depósitos o notas estructuradas también estarán bajo la lupa del regulador, pero algunas entidades ya están buscando fórmulas para ofrecer tipos más jugosos, sin contravenir las exigencias de la institución.

Los productos de ahorro que ofrecen las aseguradoras parecen estar, de momento, al margen de la medida, ya que un producto se invierta, como mínimo, 10 millones de euros en un producto seguros quien regula a estas firmas. Sin embargo, varias entidades han señalado que desconocen si las redes bancarias que distribuyen sus productos seguirán comercializándolos con normalidad.

Los fondos de inversión garantizados también han sonado en los productos cuyo rendimiento se podría ver acotado, tal y como publicó n+1 en una nota para sus clientes. Sin embargo, fuentes del sector de la inversión colectiva defienden que no es razonable que estos vehículos sufran restricciones en su rentabilidad. Por un lado, porque el rendimiento depende del subyacente y no del balance de la entidad. Por otro, subrayan que los fondos de inversión generan margen para la banca, por lo que debería ser un producto a potenciar y no a limitar. En 2013 vencen más de 12.000 millones en garantizados, una cifra récord, y sería un fuerte revés para la banca dejar salir ese volumen de patrimonio.

Está en el aire si el límite afectará a entidades extranjeras que operan en España, como ING o Espírito Santo.

Los dividendos de la bolsa española ofrecen rentabilidades de hasta el 9% este año

C. Rosique. Madrid
Los inversores que están dispuestos a asumir algo más de riesgo con apuestas en renta variable cuentan con empresas que ofrecen una rentabilidad por dividendo de hasta el 9% a los precios actuales y según las estimaciones de pago para 2013.

La bolsa española es una de las que tiene un rendimiento mayor entre las principales del mundo por la remuneración a sus accionistas, más del 6% para 2013.

En esto tiene que ver el control que ejercen en el capital de la mayoría de las cotizadas muchos grandes accionistas, como familias fundadoras, a los que le interesa cobrar el dividendo.

Para ganar un 9% gracias al dividendo hay que apos-

> **Santander y BME lideran el ránking de remuneración al accionista, según la previsión para 2013**

tar por Santander. Eso sí, a los precios actuales y siempre que abonen el pago previsto por los analistas este año.

También se puede ganar más del 7% con BME e Iberdrola. Más del 6% ofrece Telefónica, aunque pagase sólo 0,69 euros por acción, y otras empresas con ingresos regulados y generación de caja recurrente, como: Enagás, Red Eléctrica y Gas Natural. Los expertos aconsejan fijarse en compa-

ñías con buenos resultados, balances saneados y generación de caja, para evitar la reducción del pago.

Pero cada vez son más las empresas que ofrecen scrip dividend. Dan la posibilidad de cobrar en acciones o en efectivo, pero para esto último hay que pedirlo con antelación. Ayer anunció el próximo pago Santander (ver página 16).

Página 4 y 5 Inversor / Rentabilidad de los valores de la cartera

LOS MÁS RENTABLES
Según la rentabilidad por dividendo prevista por el consenso de analistas para 2013.

	Rentabilidad por dividendo estimada para 2013, en %	Dividendo por acción estimado para 2013, en euros.
Santander	9,10	0,60
Duro Felguera	7,62	0,40
BME	7,39	1,62
Iberdrola	7,17	0,29
ACS	6,79	1,33
FCC	6,67	0,77
Enagás	6,66	1,16
Gas Natural	6,59	0,91
Telefónica	6,34	0,69
Red Eléctrica	6,15	2,51
CaixaBank	5,79	0,17

Fuente: Factset y Bloomberg — Expansión

Figura 6.1b

de 7/7/1989 y la posterior modificación de ésta, la Orden Ministerial de 11/12/1989, normas todas ellas que regulan el tratamiento fiscal de este producto financiero.

Según la normativa actual, las cuentas financieras en Deuda son aquéllas cuyos fondos se invierten en Deuda Anotada del Estado mediante contrato con una entidad financiera, según el cual ésta recibe fondos del público para su inversión, por cuenta de aquél, en activos financieros, comprometiéndose frente a cada titular a efectuar con carácter regular, en las fechas o circunstancias estipuladas en el contrato, la compra o inmediata reventa de toda la inversión (o parte), siempre que se den las siguientes condiciones:

— Que el plazo de las sucesivas recompras sea inferior a 15 días.
— Que la inversión de la totalidad o parte de los fondos se haga en régimen de copropiedad.

Es decir, lo determinante para establecer la fiscalidad de este producto va a ser tanto el régimen de copropiedad como el límite temporal de los 15 días. Por tanto, la adquisición de Letras del Tesoro con pacto de recompra no estará sujeta a retención si el plazo es superior a 14 días y no se efectúa en régimen de copropiedad.

Sin embargo, si las cuentas están basadas en títulos públicos distintos a las Letras, la retención debe hacerse a quien figure como titular de los mismos en el Registro de Anotaciones. Es decir, si están a nombre de una entidad financiera, ésta podrá deducirse las retenciones en su Impuesto de Sociedades, aunque deberá practicar una segunda retención sobre el cliente; si, por el contrario, el titular directo es el cliente, la retención se le aplicará a éste directamente.

La normativa establece, además, otra serie de requisitos a estas cuentas, como son:

— La exclusividad en la inversión en Deuda Anotada del Estado, es decir, los fondos de estas cuentas no pueden estar colocados en ningún otro activo.
— Han de formalizarse por escrito, dejando bien claro la normativa vigente sobre información a la clientela, la clase de Deuda en que se invierte, los criterios de asignación de la Deuda a cada cliente, el sistema de información al cliente, la frecuencia de abono de los rendimientos, el saldo mínimo a mantener, las condiciones de la recompra por parte de la entidad y el régimen de disposición de los fondos invertidos por parte del cliente.
— Los modelos de contratos para este tipo de cuentas deberán estar aprobados por la Secretaría General del Tesoro y Política Financiera, previo envío al Banco de España.

A efectos de control y comunicación a la Central de Anotaciones, la Entidad Gestora está obligada a anotar en el Registro Oficial, por cuenta de terceros y por cada código de valor, la totalidad del nominal afecto a las cuentas financieras, desglosando diariamente los datos de los titulares y los importes nominales adjudicados a cada uno de ellos.

6.3. CUENTAS DE AHORRO A LA VISTA

Es otro de los métodos tradicionales de captación de fondos por parte de una entidad de crédito. Es un depósito de dinero caracterizado por la entrega al titular del mismo de una libreta en la que se recogerán todas las operaciones que se realicen.

Los fondos depositados en esta clase de cuenta lo son a la vista, es decir, son de disponibilidad inmediata. En este sentido, estas cuentas son idénticas a las corrientes a la vista. También tienen la posibilidad de tener descubiertos debido a que en ellas se pueden domiciliar recibos o disponer de fondos mediante tarjetas. Sin embargo, presentan un conjunto de diferencias:

— Para poder disponer de los fondos en efectivo es necesaria la presentación de la libreta.
— No se pueden movilizar mediante cheque.
— Se puede exigir por parte de la entidad un preaviso, el cual nunca podrá ser superior a los 30 días.

6.3.1. Un caso particular: las cuentas vivienda*

Son un caso especial de las cuentas de ahorro. En ellas, el titular va realizando depósitos a lo largo del tiempo con el fin de acumular fondos para adquirir una vivienda. Esta clase de cuentas presenta como ventajas:

— Su tipo de interés suele ser superior al de las cuentas convencionales.
— Suelen ofrecer otros incentivos, como la concesión automática del crédito con ciertas ventajas en el momento de la compra de la vivienda.

Aunque este tipo de cuentas suele formar parte de la oferta habitual de productos de cualquier entidad financiera, puede ocurrir que no fuese así. Si ése es el caso y quisiéramos abrir una cuenta con estas características para obtener la desgravación, sería suficiente abrir una cuenta y hacer constar ante la entidad, por ejemplo, mediante carta, la intención del impositor de destinar los fondos depositados a la compra de una vivienda.

6.4. DEPÓSITOS A PLAZO

Son una tercera forma básica de captación de fondos mediante depósitos. A través de ellos, el titular de la cuenta mantiene unos fondos depositados en una entidad durante un intervalo de tiempo determinado al comienzo de la operación. Mientras no finalice el período de depósito, los fondos no pueden ser dispuestos.

---

* Las cuentas vivienda tuvieron un fuerte desarrollo en la época del *boom* inmobiliario.

Ofrecen un tipo de interés superior al de los depósitos de ahorro tradicionales. Ello es así para compensar la inmovilidad de los fondos. Los intereses que generan esta clase de cuentas no se suelen abonar en ellas, sino en una cuenta corriente destinada a tal efecto y designada por el titular. La periodicidad en el pago de intereses suele ser muy variada pudiendo ser liquidaciones anuales, semestrales, trimestrales, mensuales e incluso de periodicidad inferior.

Generalmente, la disposición de fondos antes del final de la operación lleva implícita una penalización, que suele ser equivalente a una parte de los intereses devengados en ese período.

La innovación financiera de los últimos años ha llevado a desarrollar los depósitos a plazo de interés creciente, en los cuales la remuneración aumenta si el plazo de permanencia se alarga en el tiempo. Además, con el objetivo de incentivar el ahorro, existe un tratamiento fiscal favorable para los rendimientos de capital mobiliario superior a dos años, que se reducen en un 40 %. Si los intereses se perciben de forma fraccionada, sólo se aplica esta reducción cuando la división entre el número de años de generación y el número de períodos impositivos de fraccionamiento sea superior a dos, con abono íntegro de intereses al final de la operación.

6.5. CÁLCULO DE LOS INTERESES GENERADOS POR UN DEPÓSITO

A continuación vamos a ilustrar con ejemplos el modo en el que los bancos y cajas liquidan intereses a sus depositantes. Existen dos métodos:

— El método del divisor fijo, utilizado para calcular intereses sobre capitales.
— El método hamburgués, utilizado para calcular los intereses de una cuenta con movimientos tanto de entradas como de salidas, es decir, se calculan intereses sobre los saldos.

6.5.1. El método del divisor fijo

Partiendo de la expresión del interés simple:

$$I = \frac{C \cdot r \cdot t}{36.000}$$

se realiza una simple manipulación, quedando de la siguiente forma:

$$I = \frac{C \cdot t}{36.000/r}$$

En esta última expresión el numerador recibe el nombre de *números comerciales* o simplemente *números,* y el denominador se nombra como *divisor fijo*. Esta fórmula es muy útil para calcular los intereses de varios capitales impuestos al mismo tanto por ciento.

En este caso se calculan los números para más tarde dividirlos entre el divisor fijo. El cociente nos da los intereses totales. Así, si quisiéramos saber qué intereses producen los siguientes capitales durante los días que aparecen en la tabla, todos ellos a un 6%, obtendríamos la tabla 6.2.

TABLA 6.2

Capitales	Días	Números	Divisor fijo	Intereses
3.500,00	12	42.000,00	6.000	7,00
4.000,00	30	120.000,00	6.000	20,00
5.000,00	56	280.000,00	6.000	46,67
6.000,00	24	144.000,00	6.000	24,00
Total		**586.000,00**	**6.000**	**97,67**

Datos en euros.

6.5.2. El método hamburgués

Cuando tenemos una cuenta corriente, lo habitual es que hagamos tanto ingresos como retiradas de fondos. Entonces, en este caso, el capital no es relevante sino los saldos efectivos a cada fecha.

Veámoslo con un ejemplo. Supongamos una cuenta retribuida al 4% cuya liquidación de intereses se produce el 1 de mayo (para justificar los tres días del último saldo) con los siguientes movimientos:

— Saldo el 1 de abril de 3.005,06 euros.
— Retirada de 120,20 euros con fecha valor 5 de abril.
— Ingreso de 210,35 euros con fecha valor 11 de abril.
— Retirada de 751,27 euros el día 19 de abril.
— Ingreso de 330,56 euros con fecha valor 28 de abril.

Si recogemos todos los movimientos en la tabla 6.3, tenemos lo siguiente.

TABLA 6.3

Concepto	Fecha valor	Saldo	Días	Números deudores	Números acreedores
Saldo	1/4	3.005,06 H	4	—	12.020,24
Retirada	5/4	2.884,86 H	6	—	17.309,16
Ingreso	11/4	3.095,21 H	8	—	24.761,68
Retirada	19/4	2.343,95 H	9	—	21.095,55
Ingreso	28/4	2.674,50 H	3	—	8.023,50
Totales		**14.003,58 H**	**30**		**83.210,13**

El divisor fijo, en este caso, es:

$$\frac{36.000}{4} = 9.000$$

por tanto, los intereses serán:

$$I = \frac{83.210,13}{9.000} = 9,24 \text{ €}$$

En caso de que se produjesen descubiertos, deberíamos computar los intereses de los saldos deudores, para lo cual calcularíamos tanto los números como el divisor fijo de la parte acreedora como de la deudora, cada una por sus correspondientes movimientos y tipos de interés. A continuación, calcularíamos los intereses de cada uno y finalizaríamos restando los intereses deudores de los acreedores.

El saldo medio acreedor del período se obtendría dividiendo los números acreedores entre los días:

$$I = \frac{83.210,13}{30} = 2.773,67 \text{ €}$$

Las operaciones de pasivo

MERCADOS | del **inversor** | 07

Expansión
Viernes 29/3/2013

LA UE PREPARA UNA NUEVA DIRECTIVA

Hoja de ruta para el ahorrador: ¿qué pasa con mis depósitos?

Los depósitos inferiores a 100.000 euros siguen protegidos. Por encima de este importe sólo estaban en riesgo si la entidad quebraba, y ahora también si hay rescate bancario.

La estrategia
de la semana
en derivados

**Francisco
López**
Especialista en
productos derivados

Una variante de 'ganar al movimiento'

C.R.
La desconfianza vuelve a campar entre los inversores, que temen por la seguridad de sus ahorros. La culpa la ha tenido el cruce de mensajes y propuestas que ha traído consigo el rescate de Chipre y que llegó a plantear una quita en los depósitos que están por debajo de los 100.000. La Comisión Europea prepara una nueva directiva en la que los grandes ahorradores, bonistas y accionistas tendrían que asumir parte del coste de futuros rescates bancarios. Ha generado mucho revuelo, pero en muchos casos la situación no cambia demasiado respecto a lo que ya se hacía.

¿Qué depósitos están asegurados?
Lo que plantea la UE es que los depositantes con más de 100.000 euros financien, en parte, los futuros rescates. En Chipre podría aplicarse una quita del 40%, pero no hay nada concreto aún. Por debajo de esta cantidad, los depósitos están garantizados. En España, los depósitos inferiores a 100.000 euros por titular y entidad están asegurados por el Fondo de Garantía de Depósitos (FGD) y, de forma subsidiaria, por el Estado español.

¿Qué pasa con los depósitos de entidades europeas?
Las entidades de países de la Unión Europea, como la holandesa ING Direct o la portuguesa Espírito Santo, no están cubiertas por el Fondo de Garantía de Depósitos español, pero sí por el de sus respectivos países. También protegen los primeros 100.000 euros.

¿Qué otros ahorros están garantizados?
Además de los depósitos por debajo de 100.000 euros por ahorrador, también está protegida la deuda a corto plazo, es decir, que venza en menos de un mes, y otros pasivos como las cédulas.

¿Qué cambia a partir de ahora?
Hasta ahora, los ahorros de más de 100.000 euros estaban en riesgo si la entidad quebraba y se liquidaba. A partir de ahora, también están amenazados si hubiera un rescate bancario. Además, la Comisión propone que sean los preferentistas, los poseedores de deuda *junior* y los que tengan deuda *senior* los que asuman el coste de futuros rescates.

¿Y si tengo menos de 100.000 euros en bonos?
Los bonos no están asegurados por

Los expertos aconsejan repartir el ahorro para conseguir la máxima protección posible

lo que lo tendrían que asumir la parte del rescate que establezca finalmente la directiva.

¿Qué pasaría con las preferentes?
En España se busca una salida para los poseedores de participaciones preferentes recuperen parte de su inversión en entidades financieras (ver página 8). La medida es consecuencia de una mala comercialización por parte de muchas entidades. Con la directiva que prepara la UE participarían a la hora de asumir el coste del rescate. Aún no está clara la posición que ocuparían los depósitos no asegurados en la prioridad de pago, si antes o al mismo nivel que la

Los ahorradores no son conscientes de que cuando dejan dinero en una entidad son acreedores

deuda sénior. Después cobrarían los poseedores de deuda subordinada y tras ella los de las preferentes.

¿Afecta a los fondepósitos?
Los depósitos en los que invierten los fondepósitos sí se verían afectados si se aplica quita, ya que no están amparados por ninguna garantía.

¿Y el resto de fondos de inversión?
La directiva no cambia la situación actual. El dinero invertido en fondos de inversión no goza de ninguna protección especial, al no estar amparados por el fondo de garantía. Su marcha dependerá de los activos donde ca-

Página 9 / Fondepósitos en el punto de mira.

da producto invierte y de las condiciones del producto (garantizados o no). Los activos en los que invierte el fondo están custodiados a buen recaudo por una entidad depositaria. La gestora es simplemente la que toma las decisiones de inversión, pero los activos pertenecen a los partícipes. En caso de quiebra de la gestora, el inversor debe acudir al depositario del fondo para que inicie un proceso de liquidación ordenada de los activos.

¿Qué efectos el modelo de rescate?
Supone decir al inversor que si presta dinero al banco puede perder parte de su inversión si la entidad tiene problemas. Muchas veces los ahorradores no tienen conciencia de que cuando dejan dinero en una entidad pasan a ser acreedores de la misma, y si quiebra pueden perder buena parte de su dinero. Bruselas ha querido dar un mensaje de que no va a poner dinero para evitar liquidaciones y que hay que asumir las consecuencias.

¿Cuál es el riesgo?
Siempre se había protegido a los acreedores *senior* (poseen deuda de alta calidad) para que sigan financiando a los bancos. Ahora puede extenderse el miedo y que haya una retirada de dinero para dejar las cuentas por debajo de los 100.000 euros, que es lo que garantiza la ley europea.

¿Qué hacer?
Los expertos afirman que en España no hay riesgo. Pero, por seguridad lo mejor es tener repartido el dinero en cuentas de distintas entidades con el fin de no superar los 100.000 euros por titular.

En el modelo de 'ganar al movimiento', la metodología que se sigue es, generalmente, la de mantener la estrategia con *call* y *put*, hasta vencimiento, rebajando riesgo en cada posición cuando ello es posible, hasta entrar en beneficio, y una vez en resultado positivo mantener las opciones en ambas direcciones para poder incrementar el mismo hasta su vencimiento, o un día o dos antes.

Una de las razones de dicho método es intentar llegar con el máximo beneficio posible, en los valores que lo tengan, para de esta forma recuperar a otros subyacentes que no alcancen el umbral de beneficio, y que por tanto no han recuperado la totalidad del riesgo que se tiene en él. Esta es la técnica de común aplicación con referencia a todos o gran parte de las acciones que componen el índice, y que en el caso de la estrategia general que tenemos abierta en el EuroStoxx 50, con 39 valores, es necesario mantener dicha disciplina.

Sin embargo, en las cestas que construimos, con sólo 5 valores cada una, el sistema permite una variante: cerrar con beneficio las opciones que ganan con un movimiento direccional fuerte, y dejar la opción contraria. Esto se debe a que al ser sólo 5 valores, resultados positivos entre el 10% y el 15%, en unos valores, pueden compensar el riesgo residual de otros.

Este caso es el que se ha dado en Philips, donde con la venta de 6 *call* de precio de ejercicio 20, a una prima de 3,79, hemos asegurado un beneficio del 13,13%. Eso sí, sólo podemos incrementarlo si Philips bajase.

Estas estrategias tienen un seguimiento en tiempo real en:
www.opcionesyestrategias.com
y www.expansion.com

Figura 6.2

155

6.5.3. El certificado de depósito

Es un instrumento financiero al portador, negociable y emitido a la recepción de un depósito a plazo. En esencia, es un depósito a plazo representado por un título, de modo que la negociación del mismo implica la transferencia de titularidad, al igual que ocurre con cualquier otro valor mobiliario. Históricamente, su nacimiento obedeció a la necesidad de dar movilidad y liquidez a los depósitos a plazo que se constituían.

Generalmente se emiten en divisas, siendo la más común el dólar estadounidense. Pueden ser tanto a corto plazo —emisión hasta un año— como a medio plazo —emisiones entre uno y cinco años—.

Los certificados de depósito (CD) se emiten a la par, a un tipo de interés que puede ser fijo o variable, pagadero al vencimiento junto con el principal. En los CD a medio plazo, los intereses se reciben anualmente.

En el documento acreditativo se indicará:

— Valor nominal del depósito.
— Tipo de interés a devengar.
— Fecha en que se efectuará el reembolso.

El CD se caracteriza por ser un depósito a plazo negociable cuya comercialización es facilitada por el hecho de ser emitido al portador. Este instrumento posee un activo mercado secundario, especialmente para los emitidos en dólares, cuya principal plaza es Londres.

La rentabilidad que obtiene el vendedor de uno de estos títulos se calcula considerando los intereses devengados y los tipos vigentes en mercado. Para entenderlo mejor, veamos el siguiente ejemplo.

Supongamos un CD emitido en dólares, con un nominal de 1 millón, a un plazo de 90 días y a un tipo del 6,5%. Al cabo de 30 días su poseedor decide venderlo. En esos momentos, el tipo de mercado de los CD para el plazo residual —60 días— es del 6%. Según esto, el precio de venta será:

$$PV = 1.000.000 \frac{36.000 + 6,5 \cdot 90}{36.000 + 6,0 \cdot 60} = 1.006.188,11 \, \$$$

con lo que el vendedor habrá obtenido un rendimiento de 6.188,11 dólares durante 30 días, equivalentes a una rentabilidad r_v:

$$r_v = \frac{6.188,11}{1.000.000} \cdot \frac{36.000}{30} = 7,425\%$$

Por lo que se refiere al comprador, si lo mantiene hasta el vencimiento, recibirá:

$$\frac{1.000.000 \cdot 6,5 \cdot 90}{36.000} = 16.250\,\$$$

por lo que su rendimiento, en dólares, será de:

$$16.250 - 6188,11 = 10.061,89\,\$$$

que es equivalente a una rentabilidad r_c:

$$r_c = \frac{10.061,89}{1.006.188,11} \cdot \frac{36.000}{60} = 6,0\%$$

6.6. EMISIÓN DE VALORES NEGOCIABLES

Otra vía que las entidades tienen a su alcance para captar fondos es la emisión de activos financieros. Mediante este mecanismo, las entidades consiguen recursos ajenos a diversos plazos y el reconocimiento de la deuda que contraen se plasma en los títulos emitidos.

Una primera aproximación al asunto nos llevaría a distinguir entre los diversos títulos dependiendo de su acceso a los mercados. Así, distinguiremos entre valores negociables y aquellos que no lo son, entendiendo por tales los que tengan la posibilidad de comprarse o venderse en un mercado secundario, ya sea público o privado.

Es decir, la negociabilidad vendrá determinada por la posibilidad de poder fijar un precio al título y que éste sea conocido por los participantes del mercado, además de la necesidad de que un título pueda ser intercambiado por otro con idénticas características de emisión (valor nominal, fecha de vencimiento, tipo de interés, periodicidad y fechas de pago), lo cual nos lleva a que la negociabilidad exige la emisión de largas series, de modo que se consiga la deseable cualidad de la liquidez de los títulos en el mercado. Desde este punto de vista, la clasificación que podemos hacer sería:

— Valores negociables: bonos, cédulas, obligaciones, programas de pagarés, etc.
— Valores no negociables: títulos singulares o a medida.

Se ha apuntado la necesidad de emitir un alto volumen para, en las condiciones actuales de los mercados, poder garantizar la negociabilidad de los títulos. Ello ha forzado a modificar incluso los procedimientos de emisión. Hasta hace no mucho, el procedimiento habitual de emisión era el de títulos valores.

Este procedimiento consistía en el lanzamiento al mercado de documentos físicos que concedían una serie de derechos al portador de los mismos, tales como el cobro periódico del cupón y el del principal en la fecha de la amortización. Tradicionalmente, estos títulos eran de papel y con los intercambios eran susceptibles de deterioro, extravío y robo. Por otra parte, la simple emisión suponía un coste para la empresa que solicitaba los fondos, pues:

— Debía imprimirlos en papel.
— Necesitaba de un fedatario público.

Los inconvenientes arriba expuestos hicieron que este sistema supusiera no pocas dificultades en la negociación a gran escala en el momento en que los títulos accedían a los mercados secundarios. Para solucionar estos problemas, surgen las llamadas anotaciones en cuenta. En esencia, lo que hacen es sustituir los títulos físicos por un apunte contable en un ordenador central del mercado oficial donde se negocie. Este sistema conlleva una serie de ventajas, tales como:

— Facilitar los intercambios a gran escala, pues la negociación de los títulos se realiza por medios informáticos, lo que implica una tremenda ganancia en velocidad y, bajo ciertas condiciones de estandarización, también de seguridad en las transacciones.
— No hacer necesaria ni la intervención del fedatario público en cada operación ni la impresión de los títulos en papel, lo cual supone un ahorro de costes para el emisor.

Una vez comentados los procedimientos de emisión de deudas, pasamos a enumerar las distintas modalidades de títulos. Las clasificaciones más comunes son las siguientes:

1. En función del plazo, tendríamos:

    — Títulos a corto plazo; por ejemplo, bonos de tesorería o bonos de caja.
    — Títulos a medio y largo plazo; por ejemplo, bonos (3 y 5 años) y obligaciones (10 y 30 años), respectivamente.

2. En función de que reconozcan o no algún derecho adicional al poseedor del mismo. Dentro del primer grupo tendríamos los llamados bonos u obligaciones convertibles, los cuales incorporan un derecho preferente en la suscripción de emisiones futuras de acciones, en una o más convocatorias.

3. Por la forma de emisión, distinguiríamos entre aquellos que son lanzados al mercado por el sistema de subasta, los que lo son tras un período de oferta pública de suscripción y los que su colocación está asegurada por un banco o sindicato de ellos.

4. Por el hecho de que repartan o no un cupón periódico. En este caso distinguiríamos entre:

— Títulos con interés explícito, que tienen pago periódico de intereses.

— Títulos con interés implícito, que son los que no dan ningún pago periódico de intereses. Dentro de estos últimos, habría que distinguir entre:

- Los que se emiten a la par y acumulan todos los intereses para entregarlos en el momento de la amortización. Son los llamados títulos cupón cero.

- Los que anticipan el pago de intereses desde el momento de la emisión y que, por tanto, se emiten a un precio muy inferior a su valor nominal. Son los llamados títulos al descuento.

5. En función de la normativa que regula la emisión encontramos, por ejemplo, los títulos hipotecarios, que analizaremos con más detalle en el epígrafe siguiente.

6.6.1. Títulos hipotecarios

Estos títulos están garantizados por los créditos hipotecarios concedidos por la entidad que los emite y son susceptibles de movilización. Reconocen un derecho del poseedor de los mismos sobre el emisor, con afectación de los créditos hipotecarios concedidos por éste, pero sin ningún vínculo entre el tenedor del título y el deudor del préstamo hipotecario que sirve de cobertura a su emisión.

Existen tres grandes categorías de títulos hipotecarios (tabla 6.4): las cédulas, los bonos y las participaciones. De todos ellos, muy probablemente sean las cédulas las más conocidas por la mayoría de los inversores particulares. Veámoslos en detalle:

a) Cédulas hipotecarias

Son títulos emitidos generalmente a medio y largo plazo y con cupón explícito. No obstante, también se pueden encontrar en el mercado cédulas cupón cero.

Su principal característica es la garantía que ofrecen, representada por la totalidad de los préstamos hipotecarios que la entidad emisora mantiene en vigor más el patrimonio de la misma.

Las cédulas hipotecarias gozan de gran libertad respecto a su emisión, pudiendo ser nominativas, a la orden o al portador; con amortización periódica o no (incluso pueden incluir una cláusula de amortización anticipada); a corto o largo plazo; con interés fijo o variable; con o sin prima, etc.

Sus plazos de vencimiento suelen oscilar desde uno hasta varios años y sus tenedores tienen el carácter de acreedores privilegiados respecto a los créditos hipotecarios existentes en el patrimonio de la entidad emisora, siempre que no hubiesen garantizado la emisión de otros títulos hipotecarios. Estas emisiones, a diferencia de las de los bonos y participaciones hipotecarias, no requieren de inscripción registral.

TABLA 6.4

Categorías de títulos hipotecarios

	Cédulas	**Bonos**	**Participaciones hipotecarias**
Emisores	• Bancos oficiales. Cajas de ahorros. Sociedades de crédito. • Cooperativas de crédito.	• Bancos oficiales. Bancos privados. Cajas de ahorros. Entidades de financiación. Cooperativas de crédito. • Sociedades de crédito hipotecario.	• Bancos oficiales. Bancos privados. Cajas de ahorros. Entidades de financiación. Cooperativas de crédito. • Sociedades de crédito hipotecario.
Afectación de crédito	• Se rigen por el Real Decreto 685/1982.	• Se inscribirán en el Registro de la Propiedad donde figuren los créditos hipotecarios.	• Los derechos del titular se expresan en la participación. • Los contratos que garanticen bonos no se tendrán en cuenta.
Extinción	• A su vencimiento se expresa en la escritura de la emisión.	• Por amortización total o parcial de los bonos. Por acuerdo de la sociedad y el sindicato. Por cancelación de la hipoteca.	• Por extinción del crédito hipotecario.
Pago de capital e intereses	• Por ventanilla o abono en cuentas abiertas de los acreedores en cualquier entidad bancaria, titular o tenedor o último cesionario.	• Por ventanilla o abono en cuentas abiertas de los acreedores en cualquier entidad bancaria al titular o tenedor o último cesionario.	• Por ventanilla o abono en cuentas abiertas de los acreedores en cualquier entidad bancaria al titular o tenedor o último cesionario.
Amortización	• Al vencimiento, por extinción del crédito hipotecario.	• Al vencimiento, por extinción del crédito hipotecario.	• Al vencimiento, por extinción del crédito hipotecario.

Fuente: elaboración propia.

La rentabilidad efectiva, es decir, financiero-fiscal, depende del mercado y de la fiscalidad. Para ello es preciso tener en cuenta el tipo nominal de los títulos, el importe pagado al inicio, la periodicidad del pago del cupón y la retención en la fuente por los rendimientos del capital, que posteriormente se deduce en la declaración del impuesto correspondiente.

b) **Bonos hipotecarios**

Desde un punto de vista financiero, son instrumentos idénticos a las cédulas. Sin embargo, la diferencia entre ambos estriba en sus aspectos jurídicos: la garantía que ofrecen los bonos a sus tenedores es la afectación de créditos específicos vinculados como garantía de títulos y no la totalidad de préstamos como ocurría con las cédulas. Además, dicha afectación debe quedar reflejada registralmente.

c) **Participaciones hipotecarias**

Son títulos nominativos que representan la participación de un tercero en uno o varios créditos hipotecarios de la cartera de la entidad emisora. Dada la vinculación entre estos títulos y los préstamos, las participaciones no pueden tener ni un plazo ni un tipo de interés superior al del préstamo que los respalda. Si el crédito participado fuera reembolsado anticipadamente, la entidad emisora deberá reembolsar la participación.

6.7. LAS CESIONES TEMPORALES DE TÍTULOS

Mediante este sistema, las entidades movilizan partidas de su activo y se constituyen en otra vía de captación de recursos ajenos. Puede utilizarse parte de la cartera de activos financieros (o incluso de préstamos) que posee. En esencia, el mecanismo es muy simple, pues se consiguen fondos al ceder temporalmente parte de esas carteras a un tercero, recuperando fondos a cambio de un rendimiento.

Estas operaciones se instrumentan mediante las llamadas compraventas con pacto de recompra, que no son más que la venta de valores a un tercero a un precio fijado en el momento inicial, unida al compromiso de recompra en un instante posterior en el tiempo a un precio también fijado en ese momento inicial. El precio de recompra es superior al de la venta y, por tanto, la diferencia entre ambos es el interés o coste pagado por la financiación obtenida.

Este mecanismo se suele realizar con títulos de Deuda Pública (Letras del Tesoro, Bonos u Obligaciones del Estado), dada su liquidez y fácil negociabilidad. En España, las operaciones pueden ser de dos clases:

— *Repos* en los cuales se produce una venta de unos valores con el pacto de recomprarlos en una fecha determinada. Se instrumentan en una sola operación y el comprador conoce con toda certeza la rentabilidad. Asimismo, esta operativa se puede plantear como un préstamo garantizado por valores. El vendedor de los títulos toma prestado dinero durante el plazo del repo y el coste de financiación será la diferencia entre lo que recibe y lo que paga por los títulos.
— *Simultáneas,* llamadas así por constar de dos operaciones, una al contado y otra a plazo de signo contrario frente a una misma contrapartida. Ambas se pactan sobre una misma referencia y valor nominal.

Tanto las operaciones repo como las simultáneas u operaciones con pacto de recompra constituyen lo que se conoce como operaciones dobles, es decir, aquellas que ligan una transacción, compra o venta, en un instante del tiempo, con aquella de sentido contrario en el futuro, venta o compra. Ambas operaciones son iguales desde el punto de vista financiero. El vendedor de los activos obtiene un préstamo garantizado por deuda del Estado con el compromiso de recompra de los activos en una fecha anterior a su vencimiento. La diferencia entre ellas está en el tratamiento que hace la Central de Anotaciones del Banco de España de la titularidad en la venta de los títulos. En la simultánea, la transmisión de la titularidad es plena, por lo que el comprador puede disponer de ellos para hacer ventas, mientras que en el repo no hay cambio de titularidad, con lo que sólo puede hacer con los activos adquiridos nuevos repos antes de la fecha de vencimiento de la operación original. Por tanto, para el comprador, la simultánea es una operación más flexible que la repo. De hecho, a escala internacional, las simultáneas españolas son los repos que se hacen en los mercados financieros fuera de España.

En ambos casos, se genera un pasivo equivalente al importe del efectivo de la cesión temporal, el cual, en el caso de las entidades financieras, no computa en el coeficiente de caja. Desde un punto de vista fiscal, la diferencia de valor entre una operación (compra/venta) y su opuesta (venta/compra) no exige que se aplique retención fiscal a cuenta en el impuesto del comprador[1].

6.8. UN CASO PARTICULAR: LA EMISIÓN DE CÉDULAS TERRITORIALES

Es un activo de renta fija que aparece en el mercado de valores español a raíz de la reforma del sistema financiero de finales de 2002. Permite que las entidades financieras emitan estos activos facilitando, en definitiva, que las entidades de crédito dispongan de una vía de refinanciación de sus créditos frente a las Administraciones Públicas.

Las cédulas territoriales se emiten con un «capital e intereses especialmente garantizados por los préstamos y créditos concedidos por el emisor al Estado, las Comunidades Autónomas, los Entes Locales, así como a los organismos autónomos y a las entidades públicas empresariales dependientes de los mismos o a otras entidades de naturaleza análoga del Espacio Económico Europeo».

Estos activos se pueden negociar en los mercados de valores y se representan mediante anotaciones en cuenta.

Como norma general, el importe total de las cédulas territoriales emitidas por una entidad de crédito no podrá ser superior al 70% del importe de los préstamos y créditos no amortizados que tenga concedidos a las Administraciones Públicas antes señaladas.

---

[1] Esta situación se produce sólo si el repo es sobre Deuda Pública.

Los inversores que compren estas cédulas tienen derecho preferente sobre los derechos de crédito de la entidad emisora a las entidades ya citadas.

Las cédulas territoriales pendientes de amortización tienen el mismo trato que las cédulas hipotecarias a los efectos de la normativa de coeficientes de inversión, recursos propios y obligación de información de los intermediarios financieros.

CONCEPTOS CLAVE

- Las operaciones de pasivo.
- Las cuentas corrientes a la vista.
- Cuentas de ahorro.
- Cheques.
- Depósitos a plazo.
- Certificados de depósitos.

- Títulos hipotecarios.
- Cesión temporal de títulos.
- Cédulas territoriales.
- Método divisor fijo.
- Método hamburgués.

BIBLIOGRAFÍA

Bodie, Z., Kane, A. y Marcus, A. (2011). *Investments* (9.ª ed.), McGraw-Hill Irwin.

Rose, P. S. y Hudgins, S. C. (2013). *Bank Management and Financial Services* (9.ª ed.), McGraw-Hill Irwin.

Saunders, A. y Cornett's, M. M. (2011). *Financial Institutions Management: A Risk Management Approach* (7.ª ed.), Mcgraw-Hill Publishing Co.

Valls Martínez, M. C. y Cruz Rambaud, S. (2012). *Operaciones financieras avanzadas,* Pirámide. Madrid.

PÁGINAS WEB

www.ahe.es
www.aebanca.es
www.ceca.es
www.cnmv.es

7 Los inversores institucionales: los fondos de inversión

7.1. INTRODUCCIÓN*

En los últimos años hemos asistido a un rápido desarrollo y expansión de las instituciones de inversión colectiva y, en particular, de los Fondos de Inversión. Estos productos financieros se han situado como uno de los más «populares» dentro del sistema financiero español, reflejándose en los elevados volúmenes patrimoniales gestionados.

El Fondo de Inversión se ha convertido en un producto habitual en las carteras de pequeños y grandes inversores, ya que ha tenido la capacidad de llegar a toda clase de clientes, gracias al importante desarrollo de los comercializadores. Esta situación implica que, a través del gran abanico de fondos, el inversor tiene la posibilidad de adecuar su inversión en función de multitud de variables, tales como mayor o menor aversión al riesgo o mercados (de renta fija o variable) en donde invertir. De esta forma, a través de este producto financiero, se puede tener acceso a la inversión en cualquier mercado internacional o nacional, y todo ello a través de una gestión profesional y con un excelente tratamiento fiscal (diferimiento de las ganacias patrimoniales).

Por todo ello, el fondo puede servir como una «inversión a la medida» según las peculiaridades y necesidades de cada particular, que puede destinar una parte de sus ahorros a este producto.

Los fondos van a presentar unas características que los van a hacer especialmente atractivos para una amplia gama de particulares, que pueden ver en ellos el producto idóneo para canalizar su ahorro. Todo ello lo veremos más adelante.

7.2. LAS INSTITUCIONES DE INVERSIÓN COLECTIVA

Las Instituciones de Inversión Colectiva son una agrupación genérica en la que se engloban las distintas clases de fondos de inversión (con la excepción de los *Fondos*

---

* Queremos agradecer a la Asociación de Instituciones de Inversión Colectiva y Fondos de Pensiones (INVERCO) la ayuda en la elaboración del presente capítulo.

de Titulización Hipotecaria) y de sociedades de inversión. Las Instituciones de Inversión Colectiva son aquellas que tienen por objeto la captación de fondos, bienes o derechos del público para gestionarlos e invertirlos en bienes, derechos, valores u otros instrumentos, financieros o no, siempre que el rendimiento del inversor se establezca en función de los resultados colectivos. Así, estas instituciones activamente gestionadas permiten a sus partícipes o accionistas la diversificación de sus inversiones a través de su participación.

Las Instituciones de Inversión Colectiva se sitúan entre los mercados de los diferentes activos invertidos y los inversores finales, con el fin de permitir a estos últimos el acceso a una gestión altamente profesionalizada y a una reducción de los costes en los que incurrirían por replicar ese conjunto de inversiones si las realizaran directamente.

La inversión en este tipo de mecanismos es, como ya decíamos en la introducción, una fórmula de inversión muy atractiva para los inversores individuales. Su gran penetración en las carteras de los inversores individuales españoles, los constantes procesos de innovación financiera, junto con otros factores como la dispersión de textos legales reguladores de la inversión colectiva, motivaron la aprobación de la Ley 35/2003, de 4 de noviembre, de Instituciones de Inversión Colectiva (en adelante Ley de Instituciones de Inversión Colectiva) que hoy rige estas instituciones, tras ocho modificaciones parciales, la última de ellas en 2011. De forma más concreta, la Ley de Instituciones de Inversión Colectiva ha tratado de cumplir con dos objetivos básicos:

1.º Instituir de forma clara, ordenada y completa el régimen jurídico de las Instituciones de Inversión Colectiva.

2.º Transponer las Directivas que han modificado la regulación comunitaria de las Instituciones de Inversión Colectiva: la Directiva 2001/107/CE del Parlamento Europeo y del Consejo, de 21 de enero de 2002 (reguladora de las sociedades de gestión y los folletos simplificados), la Directiva 2001/108/CE del Parlamento Europeo y del Consejo, de 21 de enero de 2002 (reguladora de las inversiones de las Instituciones de Inversión Colectiva) y más recientemente las Directivas 2009/65/CE, de 13 de julio de 2009 (reguladora de la simplificación de la comercialización transfronteriza) y la Directiva 2010/78/UE, de 24 de noviembre de 2010 (reguladora de las facultades de las tres Agencias Europeas de Supervisión).

En cumplimiento de estos objetivos, la Ley de Instituciones de Inversión Colectiva adapta la actividad de estas entidades al dinamismo al que está siendo sometido constantemente el sector. En este sentido:

a) Se liberaliza la política de inversiones de las Instituciones de Inversión Colectiva. Es destacable el abandono del enfoque basado en la multitud de categorías legales de las Instituciones de Inversión Colectiva, las cuales, en muchos casos, suponían limitaciones que perjudicaban, en última instancia, al partícipe o accionista en fondos o sociedades de inversión. De esta forma se adopta una mayor flexibilidad a la hora de definir los perfiles inversores de las entidades.

b) Se refuerza la protección de los inversores a través de la aplicación de nuevos mecanismos e instrumentos.

c) Se perfecciona el régimen de intervención administrativa.

En la Ley de Instituciones de Inversión Colectiva se destaca a esta fórmula de inversión como el *canal natural para la participación de los hogares españoles en los mercados de capitales*. Sin embargo, las Instituciones de Inversión Colectiva no sólo reportan ventajas a sus inversores, sino que también resultan altamente beneficiosas para los emisores de activos financieros, dado que, a través de aquéllas, éstos pueden acceder fácilmente a una fuente de financiación desintermediada.

7.3. CLASIFICACIÓN DE LAS INSTITUCIONES DE INVERSIÓN COLECTIVA

La Ley de Instituciones de Inversión Colectiva distingue dos tipos básicos de instituciones:

1. Instituciones de Inversión Colectiva de carácter financiero

En este grupo incluiríamos todas aquellas IIC cuya inversión se centra en activos e instrumentos financieros. *Jurídicamente,* dentro de esta clase de IIC se pueden distinguir dos clases:

a) Las Sociedades de Inversión de Capital Variable (SICAV)

Son aquellas sociedades anónimas que invierten en toda clase de activos e instrumento financieros, incluidos derivados, acciones y participaciones de otras IIC y valores no cotizados. Esta nueva denominación elimina las restricciones a la gama de activos aptos para la inversión de leyes anteriores. Además, ya la Ley 35/2003 hizo desaparecer las categorías que existían anteriormente, como SIM y SIMCAV, unificando en una sola tipología, SICAV. Están sometidas a unos requisitos particulares de inversión mínima (2,4 millones de euros) y número de accionistas (más de 100 accionistas). A diferencia de los fondos de inversión, estas sociedades anónimas no tienen una política de inversión definida, sino que pueden variar sus inversiones previo acuerdo de la Junta General de Accionistas. Este hecho les permite tener una gestión más activa y flexible. Su política básica de inversión se encuentra definida en sus propios estatutos de constitución. Las SICAV tienen la obligación de otorgar liquidez para los accionistas, bien cotizando en bolsa, en el MAB (Mercado Alternativo Bursátil), o bien siguiendo un mecanismo similar al de Fondos de Inversión.

b) *Los fondos de inversión (FI)*

Se pueden definir como el patrimonio común o cartera de valores, perteneciente a una pluralidad de inversores finales denominados partícipes. Antes de la Ley 35/2003 existía la diferenciación entre los Fondos de Inversión Mobiliaria (FIM) y los Fondos de Inversión en Activos del Mercado Monetario (FIAMM). Esta distinción desapareció, ya que todos pasaron a denominarse genéricamente FI, y será su política de inversión la que definirá las directrices básicas de su cartera de valores. La Circular 1/2009, de 4 de febrero de la CNMV (Comisión Nacional del Mercado de Valores), ha regulado los requisitos de las quince categorías reguladas, con el objetivo de proporcionar al inversor una información clara de la política de inversión del fondo.

Adicionalmente a esta clasificación, podemos distinguir dos grupos de fondos de inversión:

1. *Fondos de renta o reparto:* son fondos de inversión en los que existe un reparto periódico de los rendimientos generados por la inversión, vía dividendos.

2. *Fondos de capitalización:* son fondos de inversión basados en la reinversión, en el patrimonio del fondo, de los rendimientos generados. Estos tipos son la práctica mayoría en España, ya que el diferimiento fiscal (no tributación hasta el momento del reembolso) los hace más atractivos fiscalmente.

2. Instituciones de Inversión Colectiva de carácter no financiero

En este grupo incluiríamos todas aquellas IIC cuya inversión se centra fuera de los mercados financieros. Destacan las IIC inmobiliarias y las IIC no financieras no tipificadas. El objetivo fundamental de las IIC inmobiliarias es la inversión en bienes inmuebles para su arrendamiento, y tienen su reflejo en los Fondos de Inversión Inmobiliaria (FII) y en las Sociedades de Inversión Inmobiliaria (SII). La baja liquidez que tienen estas IIC les permiten establecer ciertos límites en la suscripción y reembolso de participaciones.

El patrimonio de un FI o de una SICAV va a ser gestionado por una entidad llamada Sociedad Gestora de Instituciones de Inversión Colectiva (SGIIC). Esta sociedad anónima se encargará de la gestión de las inversiones establecidas en las *políticas de inversión* de cada IIC, las cuales atenderán a tres líneas básicas:

I. **Liquidez:** las IIC tendrán la liquidez mínima suficiente para atender a los reembolsos de los partícipes o accionistas. Esto garantiza al partícipe un grado alto de liquidez en sus inversiones en IIC, ya que en un plazo máximo de setenta y dos horas debe obtener el reembolso.

II. **Diversificación del riesgo:** al establecerse mayor libertad y flexibilidad en las inversiones que realizan las IIC, éstas tienen la obligación de asumir unos requisitos que limiten su exposición al riesgo a través de la diversificación (entre otros, no invertir más de un 5% de su patrimonio en un único emisor). La gestión profesionalizada de las IIC hará que éstas utilicen unos criterios de inversión más eficientes que los de un inversor particular.

III. **Transparencia:** las IIC deberán establecer de forma clara cuál es su política de inversión, en qué instrumentos o activos invertirán su cartera y los costes que soportan los inversores, todo ello en el documento, de obligada entrega, denominado Datos Fundamentales del Inversor, y del informe semestral que envían a los inversores.

7.4. CASOS PARTICULARES

Existe un elevado número de Fondos de Inversión que se comercializan en España. Son más de 2.000 fondos a los que tienen acceso los inversores españoles. En general, las IIC han tratado de adecuarse a las volatilidades de los mercados financieros creando Fondos de Inversión que satisfagan las necesidades de los ahorradores en cada momento.

Una de las categorías de Fondos de Inversión que más auge ha tenido entre los ahorradores particulares ha sido los Fondos de Inversión garantizados. Estos fondos se basan en garantizar una rentabilidad mínima de la inversión en un horizonte temporal a medio o largo plazo. Por el contrario, muchos de estos fondos tienen una alta comisión de penalización (hasta un 5% de la inversión) si se rescata el capital anticipadamente, dotándoles de cierta inflexibilidad, si bien el objetivo de la misma es evitar qué durante el período de la garantía los reembolsos generalizados eviten lograr que rendimiento garantizado a los partícipes se obtenga.

Finalmente, cabe señalar otra modalidad de producto financiero, asociado a Fondos de Inversión, que ha adquirido gran éxito. Nos referimos a los conocidos como *unit linked*.

Los *unit linked* son, en realidad, seguros de vida que invierten su patrimonio (denominado técnicamente provisiones matemáticas) en Fondos de Inversión, siendo la entidad aseguradora y no el asegurado el titular de los fondos. Así pues, quien contrata un *unit linked* lo que tiene en realidad es un seguro de vida. Esta matización modifica su consideración fiscal como producto, habiendo presentado durante mucho tiempo notables ventajas para el inversor particular.

Otro gran activo de este producto es que el asegurado puede cambiar sus inversiones de un fondo a otro como si se tratase de un fondo paraguas, sin tener que tributar por ello. El motivo no es que el asegurado esté moviendo ese capital, ya que lo que él ha contratado es un seguro de vida y, en definitiva, es la entidad aseguradora la que realiza los cambios a petición del asegurado. Ese detalle es el que ha proporcionado los beneficios fiscales, ya que en el momento de realizar la declaración del IRPF el asegurado se aplica la fiscalidad correspondiente a un seguro de vida.

No obstante, con la regulación en 2003 del mecanismo de traspasos en Fondos de Inversión, los *unit linked* perdieron esa singularidad que mantenían y muchos inversores que cambiaban sus inversiones empezaron a cambiar de un fondo a otro sin necesidad de utilizar una estructura de seguro interpuesta.

10 5d   Fin de semana 19 y 20 de enero de 2013 | **Cinco Días**

En portada

El coto a la guerra del pasivo anima a los fondos

Las gestoras se preparan para captar a los ahorradores descontentos con el tope a la rentabilidad de los depósitos

TEXTO TATIANA NOGUERAS

La guerra del pasivo desatada entre las entidades financieras como vía para captar liquidez y combatir la falta de financiación provocada por el cierre de los mercados mayoristas parece llegar a su fin. El Banco de España ha decidido poner coto a las altas rentabilidades ofrecidas por la banca, una medida que puede favorecer a otros productos de ahorro como los fondos de inversión, que quedaron en un segundo plano ante el estallido de la crisis.

En este contexto, 2013 se presenta como el año de la oportunidad para el resurgir de los fondos, aunque el papel de los bancos es clave, ya que tendrán que ser los encargados de comercializarlos en las oficinas y ofrecerlos a clientes que antes se decantaban por otros productos como los depósitos. Algunas entidades financieras ya apuntan a que este producto podría recuperar parte del protagonismo perdido. "Las campañas de depósitos con tipos agresivos restaban visibilidad a los fondos, que son instrumentos que, por su variedad, se pueden adaptar a cualquier necesidad de ahorro y cualquier horizonte temporal", señalan desde Banco Mediolanum. Por su parte, Valero Penón, director de Ibercaja Gestión, también apunta que "con este panorama de depósitos, los clientes de las entidades financieras buscarán otras alternativas como los fondos de inversión".

La mayoría de las gestoras considera que los inversores españoles seguirán apostando por los fondos garantizados, que podrían vivir una nueva época dorada, aunque también habrá

una rotación desde los fondos de renta fija (que ya han agotado considerablemente su potencial de revalorización en 2012) hacia los de renta variable. Pepe Hinojo, de Renta 4, puntualiza que "hay perspectivas positivas para los fondos de renta variable más que para los de renta fija. En 2012 la renta fija tuvo rentabilidades del 10% y parece difícil que se vuelva a repetir. Ha vuelto parte de la confianza de los inversores, por lo que quizá estemos más en renta variable europea y emergente. Nos gusta Asia y Latinoamérica".

Asimismo, José María Luna, director de Análisis Financiero de Profim, tam-

Los garantizados, la renta variable y los fondepósitos pueden ser una opción atractiva este año

bién cree que "este año los inversores (en la búsqueda de retornos que superen a depósitos y a la inflación española) pueden estar más interesados por los fondos mixtos y fondos 'puros' de Bolsa", mientras que José Luis Jiménez, director general de March Gestión, coincide al señalar que "se tiene que producir una rotación de los bonos de crédito hacia la renta variable, pero hay que tener muy en cuenta que para todos los que compran rentabilidades pasadas el panorama puede ser complicado".

Los expertos tampoco pierden de vista los fondepósitos (fondos que invierten en depósitos), una opción que, tal y como anota Rafael Hurtado Coll,

director de Inversiones de Allianz Popular Asset Management, "son una buena alternativa". Desde Abante, además, reconocen que las oficinas bancarias podrán vender con facilidad este tipo de producto. José María Luna también considera que los fondepósitos son una opción atractiva ya que "los inversores institucionales (como son los fondos) tienen un poder de negociación superior al que podemos tener la mayoría de inversores particulares y, por ello, aún pueden acceder a depósitos con rentabilidades interesantes".

De cualquier manera, y dentro de un producto que presenta un abanico de opciones a gusto de cada inversor, las gestoras no dudan en destacar que lo más importante es que se canalice a los clientes en función de su perfil de riesgo y que hay que escuchar sus necesidades y asesorarle activamente para que su cartera se ajuste al entorno financiero de cada momento. En España, el perfil del inversor de fondos

Rentabilidades en 2012		
A 31 de diciembre. Media anual ponderada en %		
	1 año	3 años
Monetarios	2,14	1,42
Renta fija euro corto plazo	2,76	1,35
Renta fija euro largo plazo	7,09	2,50
Renta fija mixta euro	5,03	0,94
Renta variable mixta euro	6,52	-1,21
Renta variable nacional euro	4,40	-6,46
Renta fija internacional	7,68	3,33
Renta fija mixta internac.	4,89	0,87
RV mixta internacional	9,36	2,42
Renta variable euro resto	15,16	1,52
RV internacional Europa	11,90	0,44
RV internacional EE UU	10,35	9,00
RV internacional Japón	11,09	1,45
RV internacional emergentes	11,21	2,07
RV internacional resto	14,48	5,90
Globales	6,62	0,98
Garantizados de rend. fijo	5,00	2,51
Garantizados de rend.variable	4,31	0,87
De garantía parcial	3,03	-2,32
Gestión pasiva	7,18	-1,53
Retorno absoluto	3,85	0,96
Fondos de inversión libre	6,91	2,28
Fondos de FIL	4,59	0,48
TOTAL FONDOS	5,15	1,55

Fuente: Inverco   Cinco Días

PREGUNTA Y RESPUESTA

La guía básica para el ahorrador

P ¿Qué diferencias existen entre los fondos y los depósitos?

R Los fondos de inversión, al contrario que las imposiciones a plazo fijo, no están garantizados por el Fondo de Garantía de Depósitos. Además, si se cancela un fondo de manera anticipada el dinero se recupera a valor de mercado, los plazos suelen ser más largos y conllevan el cobro de determinadas comisiones de gestión. Sin embargo, a través de un fondo el inversor puede alcanzar un mayor grado de diversificación que si se contrata un depósito bancario.

P ¿Cuáles son las comisiones que tienen los fondos?

R Cada fondo tiene establecidas unas determinadas comisiones en su folleto, que son más elevadas en los productos que requieren una gestión más sofisticada. Las más básicas son las de gestión y depositaría, a las que se suma la de suscripción, no muy común en fondos españoles, y la de reembolso. Para fondos conservadores y que requieren escasa gestión, la comisión recomendada no debería superar el 0,5%.

P ¿Qué fiscalidad tiene este tipo de producto?

R Tal y como explica Encarna Ramos, *senior sales* de DWS Investments, "los fondos de inversión gozan de importantes ventajas fiscales gracias al diferimiento de la tributación hasta que el inversor decida hacer efectiva su inversión, pudiendo traspasar la inversión de un fondo a otro sin tributación". Los depósitos, sin embargo, conllevan una retención de entre el 21% y el 27% que se aplica en el mismo momento en el que se abonan los intereses en la cuenta corriente. Aunque, en defini-

Figura 7.1a

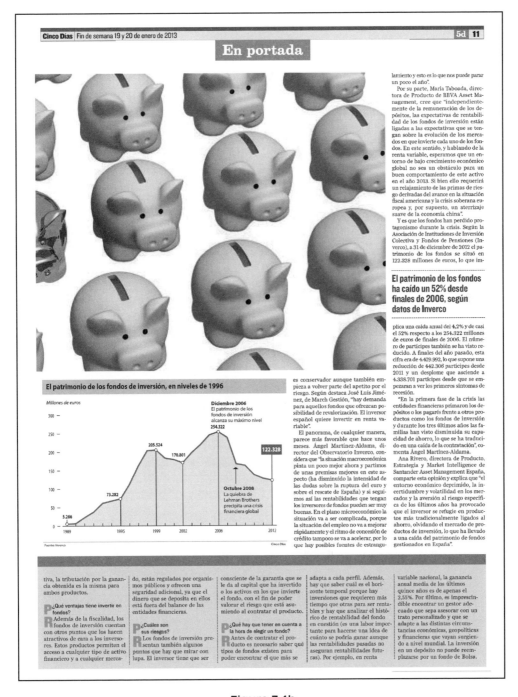

Figura 7.1b

Viernes 22 marzo 2013 **Expansión** **13**

FINANZAS & MERCADOS

Las gestoras se disputan 312.000 millones en depósitos y garantizados

La banca cree que no volverá a tener pérdidas

AVALANCHA DE VENCIMIENTOS/ Las firmas de gestión sacan su artillería para atraer el dinero que se libere en 2013. Vencen 300.000 millones en depósitos, y 12.000 millones en fondos que garantizan capital.

Ana Antón. Madrid

La avalancha de vencimientos de depósitos y fondos garantizados dará mucho juego a gestoras y bancos durante este año.

A lo largo de 2013 vencerán imposiciones a plazo fijo por un importe estimado de entre 290.000 y 300.000 millones de euros, según Afi (Analistas Financieros Internacionales), que calcula que anualmente vence el 85% del saldo colocado en ahorro plazo, puesto que la mayoría de los productos están contratados para periodos de 6 y 12 meses. Paralelamente, en los próximos 10 meses, termina la garantía de 181 fondos que canalizan 12.000 millones, según datos de VDOS Stochastics.

Estos datos ponen en evidencia que las firmas de inversión y las entidades financieras se disputarán en 2013 alrededor de 312.000 millones de euros, una cifra abultada y jugosa, especialmente en un momento de atonía económica como el actual, en el que no se genera riqueza.

La pregunta del millón es adónde irá a parar ese patrimonio, ahora que los depósitos ofrecen tipos muy por debajo de la inflación –entre el 1,75% y el 2,25% TAE–, desde que el Banco de España recomendase a las entidades, a finales de 2012, limitar el coste de su pasivo.

Esteban Sánchez, socio del área de banca y seguros de Afi, considera que el 75% del volumen de depósitos permanecerá en el balance de las entidades, rentando a los escuetos tipos que fija el regulador. Del restante 25%, parte se mantendrá en depósitos de alta remuneración (las entidades tienen un cupo para otorgar superdepósitos a los mejores clientes) y otra parte se trasladará a productos como los fondos de inversión.

El fin de la batalla del pasivo es un potente espaldarazo para la recuperación del mercado de la inversión colecti-

BBVA, Invercaixa y Ahorro Corporación son las gestoras más expuestas a posibles fugas de patrimonio

va. "Con este escenario, puede estimarse que tanto el patrimonio los fondos de inversión como en pensiones tendrán un comportamiento moderadamente positivo durante 2013", considera en Inverco, que augura una crecimiento en activos del 8%.

Suscripciones

Las cifras de los primeros meses del año avalan este incipiente resurgir ya que, tras casi dos años con fuertes reembolsos mensuales, en enero y febrero estos vehículos registraron suscripciones netas por 2.675 millones.

Pero, pese al buen tono generalizado de estas semanas, el sector no baja la guardia, ya que está expuesto a potenciales salidas de capital, ante la oleada de vencimientos de garantizados. Entre marzo y diciembre, finaliza la garantía de casi 12.000 millones invertidos en productos que aseguran el capital, una cifra que supera los 11.500 millones

que vencieron tanto en 2011 como 2012. Aun así, el importe se queda por debajo de los 16.200 y 18.600 millones que vencieron en 2010 y 2011, según datos de VDOS.

Estos vencimientos son un arma de doble filo para las gestoras: les brinda una oportunidad de oro para atraer activos de la competencia, al tiempo que se arriesgan a

perderlos. En 2012, esta categoría vio salir 4.000 millones.

La gestora con más exposición a posibles fugas de patrimonio es BBVA, a quien expiran 30 fondos por importe de 4.519 millones, seguido de Invercaixa, que afrontará el vencimiento de 8 fondos que mueven 2.419 millones. Ahorro Corporación y Santander cuentan con vehículos que

canalizan 1.321 y 1.010 millones, respectivamente, con vencimiento este año.

Enero, septiembre y octubre son los meses más agitados, en los que más instrumentos cumplen su plazo. En enero, vencieron 1.942 millones. En septiembre y octubre, lo harán 36 vehículos por importe de 3.855 millones.

Para atraer activos de la competencia, muchas firmas lanzan campañas que bonifican los traspasos. Los productos que, según el sector, tendrán más éxito son los de gestión activa, los garantizados y los fondos de rentabilidad objetivo. Los fondos de reparto están ganando interés.

La Llave / Página 2

En 2012, los reembolsos de garantizados ascendieron a más de 4.000 millones

REEMBOLSOS
Durante los últimos cinco años hasta 134.000 millones de euros podrían haber salido de vehículos de inversión colectiva con destino a imposiciones a plazo. La tendencia podría invertirse ahora.

RENTABILIDAD
La rentabilidad media anual para el total de fondos se situó en febrero 2013 en el 3,95%. Al cierre de 2012 el rendimiento medio fue del 5,15%, la mejor cifra desde 1999.

PATRIMONIO
Los fondos nacionales gestionaban más de 254.000 millones antes de la crisis. Ahora, 126.875 millones. Los internacionales controlan 53.000 millones, recuperando el nivel previo a 2007.

AHORRO A PLAZO
La composición de la cartera financiera de las familias españolas se caracteriza por su perfil conservador, incluso en años de bonanza. Los depósitos representan el 46,1% del total de los activos.

EN EL PUNTO DE MIRA

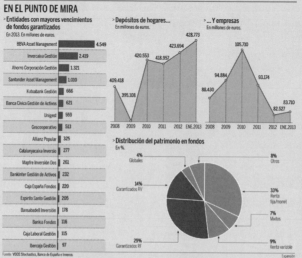

Entidades con mayores vencimientos de fondos garantizados
En 2013. En millones de euros.

Entidad	Millones
BBVA Asset Management	4.549
Invercaixa Gestión	2.419
Ahorro Corporación Gestión	1.321
Santander Asset Management	1.010
Kutxabank Gestión	666
Banca Cívica Gestión de Activos	621
Unigest	559
Gescooperativo	513
Allianz Popular	325
Catalunyacaixa Inversió	277
Mapfre Inversión Dos	261
Bankinter Gestión de Activos	232
Caja España Fondos	220
Espírito Santo Gestión	205
Bansabadell Inversión	178
Bankia Fondos	116
Caja Laboral Gestión	115
Ibercaja Gestión	97

Fuente: VDOS Stochastics, Banco de España e Inverco.

Depósitos de hogares...
En millones de euros.
409.418 · 395.108 · 420.553 · 418.957 · 423.694 · 428.773
2008 · 2009 · 2010 · 2011 · 2012 · ENE.2013

... Y empresas
En millones de euros.
88.430 · 94.884 · 105.710 · 93.174 · 82.527 · 83.710
2008 · 2009 · 2010 · 2011 · 2012 · ENE.2013

Distribución del patrimonio en fondos
En %.
- 8% Globales
- 14% Garantizados RV
- 29% Garantizados RF
- 9% Renta variable
- 7% Mixtos
- 33% Renta fija/monet
- 8% Otros

Expansión

M.Romani. Madrid

Miguel Martín, presidente de la patronal bancaria AEB explicó ayer que 2012 fue un año terrorífico", pero útil, porque con grandes sacrificios se ha avanzado hacia la solución de los problemas. Insistió en que los bancos han superado un periodo complicado y han ayudado al Gobierno en algunos de sus planes, como el pago a proveedores y el capital de la Sareb.

Ahora, el objetivo es huir de las pérdidas y recuperar la rentabilidad. En 2012, los bancos tuvieron por primera vez en la historia perdidas, tanto en el consolidado como en el individual. Martín justificó estos números rojos por los saneamientos de más de 40.000 millones. El resultado individual de los bancos arrojó unas pérdidas de 4.112 millones. Martín comparó este dato con las pérdidas totales del sistema que fueron de 63.777 millones. "Está claro dónde está el problema", dijo, y señaló a las antiguas cajas de ahorros. Martín señaló que CatalunyaCaixa, donde sigue fallando el modelo de negocio. De Bankia afirmó que "será viable si lo hace bien".

Además, hizo hincapié en la capacidad de los bancos para mejorar su ratio de solvencia y al fuerte desapalancamiento del último año. "Hemos reducido los créditos porque hemos hecho muchas provisiones". Y "hemos ayudado este país a financiarse comprando deuda pública". Martín se mostró convencido de que los números rojos no se repetirán.

Martín destacó la importancia del Memorandum de Entendimiento (MoU) con Europa para rescatar a la banca. Este "contrato" ha permitido acceder a la financiación y ha dejado claro cómo había que proceder para reestructurar el sector.

Entrada a las cajas
La AEB cambió ayer sus estatutos para propiciar la entrada de los bancos de las excajas entre sus socios. Se de ahora en adelante, los derechos de voto de los socios se establecerán en función de los activos en balance que las entidades tienen en España. Se quiere evitar" así que las excajas se vean aplastadas por el peso de los dos grandes bancos.

Figura 7.2

7.5. LOS FONDOS DE INVERSIÓN Y LAS ENTIDADES INTERVINIENTES

En el siguiente esquema (figura 7.3) se recoge, sistemáticamente, la operativa de un Fondo de Inversión, donde, como se aprecia, la sociedad gestora y la entidad depositaria constituyen, junto al partícipe, el eje central del diseño.

Sin embargo, estas dos entidades no están en una situación de dicotomía ni entre ellas ni con respecto a los partícipes.

En este sentido, se puede hablar de la existencia de una serie de relaciones: entre los partícipes (auténticos propietarios del fondo) y la Sociedad Gestora, responsable, en última instancia de la evolución de sus inversiones (relación 1), y entre la Sociedad Gestora y la Entidad Depositaria (relación 2), que sería una vinculación de carácter institucional.

Cabe destacar la presencia de una tercera entidad, el comercializador, que va a tener como objeto fundamental la promoción y venta de Fondos de Inversión a través de su red de sucursales o agencias.

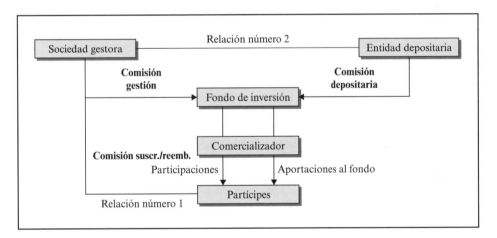

FUENTE: elaboración propia.

Figura 7.3. Relaciones entre agentes en la operativa de los fondos de inversión.

Una vez hecho este breve análisis, profundizaremos en las distintas figuras básicas que surgen de la operativa de un fondo:

1. **El partícipe:** un ahorrador se convierte en partícipe de un Fondo de Inversión cuando, tras realizar aportaciones al patrimonio del fondo, recibe a cambio participaciones del mismo. Por tanto, la participación es una de las partes alícuotas en las que se divide el patrimonio del fondo. En el caso de SICAV,

el inversor será accionista. La condición de partícipe confiere una serie de derechos: en líneas generales, son los derechos a reembolsar el valor de las participaciones, a traspasar las participaciones a otra IIC, a obtener información sobre el fondo y su política de inversión, a exigir responsabilidades a la Sociedad Gestora (SGIIC) y a la Entidad Depositaria y a acudir al defensor del partícipe.

2. **Sociedad Gestora (SGIIC):** es la sociedad anónima que se encarga de la administración y gestión del patrimonio de la IIC, la cual es responsable de las suscripciones y reembolsos de los partícipes o accionistas. La condición de la SGIIC implica varias obligaciones, como la de informar a los partícipes de los Fondos de Inversión acerca de la política de inversión y atender y resolver las reclamaciones y quejas que los partícipes o accionistas puedan presentar. Una SGIIC puede comercializar directa o indirectamente participaciones o acciones de IIC.

3. **Entidad depositaria:** la función principal de las entidades depositarias es la custodia de los valores de las IIC. El término custodia implica la liquidación en mercados financieros de las operaciones de compraventa que realicen las IIC. Para ello, las entidades depositarias serán entidades participantes en los sistemas de compensación, liquidación y registro de los mercados en los que las IIC operen. Además, la actuación independiente de la entidad depositaria implica la supervisión y control de todas las actividades de la SGIIC, para garantizar la transparencia y seguridad de los partícipes.

4. **Comercializador:** el comercializador de una IIC tiene por objeto la captación de clientes que realicen suscripciones a la IIC. Los comercializadores suelen ser grandes entidades financieras con una amplia red de sucursales distribuidas en todo el territorio nacional. De este modo, pueden llegar a mayor número de ahorradores con el fin de canalizar el ahorro hacia la inversión en IIC. El comercializador asume, entre otras funciones, el compromiso de facilitar al partícipe toda la documentación a la que tiene derecho. Las fuertes campañas comerciales lanzadas para la captación de dinero hacia Fondos de Inversión refleja la importancia que tiene la figura del comercializador para nuevas suscripciones de dinero en el patrimonio de los fondos. Todo esto se ha visto favorecido con las estrategias de *arquitectura abierta,* cuya base reside en que una entidad financiera ofrezca a sus clientes no sólo fondos gestionados por la gestora de su grupo, sino también fondos de otras entidades, con el objetivo de facilitar al cliente una mayor gama de productos financieros.

7.6. LOS FONDOS DE INVERSIÓN COMO FUENTE DE INGRESOS PARA LAS ENTIDADES DE CRÉDITO

Ante el elevado volumen de activos que gestionan los Fondos de Inversión, hacen que éstos tomen un papel destacado como fuente de ingresos de las entidades financieras. Varios son los canales por los que las entidades financieras consiguen ingresos con los Fondos de Inversión.

La primera vía son las comisiones que soporta el *patrimonio de las IIC.* Estas comisiones son dos:

a) Las **comisiones por depositaria,** que no pueden superar el 0,2% anual del patrimonio custodiado, por lo que a mayor volumen gestionado/custodiado, mayores serán los ingresos generados por depositaria. De este modo, uno de los objetivos de las entidades financieras es el de incrementar anualmente los activos bajo gestión, con el fin de aumentar sus ingresos. Por tanto, una de las líneas básicas de actuación de las IIC será la captación de nuevos capitales que inviertan en fondos a través de su red de comercializadores. Como conclusión, el papel del comercializador adquiere gran importancia en relación a los nuevos partícipes que pueden generan.

b) Las **comisiones por gestión** desempeñan un papel importante, ya que suelen estar referenciadas a las rentabilidades del fondo de inversión. Por tanto, una gestión eficiente y profesional por parte de la SGIIC del patrimonio de las IIC provocará un incremento del patrimonio gestionado. Este hecho implica un mayor ingreso por la comisión, que se carga al patrimonio del fondo. Existen unos límites máximos que la SGIIC puede cobrar al Fondo de Inversión. Cuando sean FI, pueden ser uno de los siguientes porcentajes:

— El 2,25%, si se calcula únicamente en función del patrimonio.
— El 18%, si se calcula únicamente en función de los resultados.
— El 1,35% del patrimonio y 9% de los resultados, si se calcula con ambas variables.

Cuando sean FI cuya política de inversión se centre en activos del mercado monetario (antiguos FIAMM), pueden ser uno de los siguientes porcentajes:

1. El 1%, si se calcula únicamente en función del patrimonio.
2. El 10%, si se calcula únicamente en función de los resultados.
3. El 0,67% del patrimonio y 3,33% de los resultados, si se calcula con ambas variables.

Una segunda vía son las comisiones que soportan *los partícipes.* Son las comisiones que se generan por cada suscripción o reembolso que el partícipe realiza. Éstas no pueden ser superiores al 5% del precio de las participaciones, si bien, salvo en garantizados y fondos de renta variable, apenas se cobran.

Por tanto, son dos las figuras por medio de las cuales las entidades financieras generan ingresos: a través de los partícipes de los fondos, con las comisiones de suscripción y reembolso, y a través de los patrimonios que gestionan los fondos, con las comisiones de gestión y depositaria que cargan al mismo. Estos canales reportan a las entidades financieras jugosas comisiones que suponen un porcentaje importante dentro de su cuenta de resultados.

Esquemáticamente, este flujo de dinero se puede representar de la siguiente forma (figura 7.4).

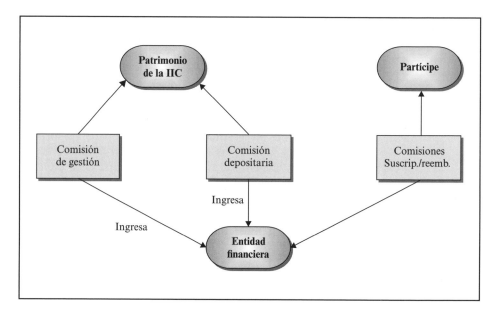

Figura 7.4. Flujo de dinero.

7.7. EL PAPEL DE LA CNMV

La Comisión Nacional del Mercado de Valores (CNMV) desempeña un papel fundamental en las Instituciones de Inversión Colectiva al convertirse en el principal órgano de control y supervisión de éstas instituciones, correspondiéndole diversas funciones.

Para llevar a cabo estas funciones la CNMV cuenta con un Departamento de Supervisión de Instituciones de Inversión Colectiva. Las funciones de la Comisión Nacional, en lo que se refiere a Instituciones de Inversión Colectiva, consisten en analizar su proyecto de creación, verificando que se ajusta a la ley; controlar, a través de la información mensual, sus riesgos, solvencia y liquidez; controlar su operativa con socios y partícipes, en especial la información remitida a los mismos, que se incorpora a sus registros públicos, y, mantener un registro público de participaciones significativas en el capital o patrimonio y de entidades gestoras.

7.8. EL CASO PARTICULAR DE LOS TRASPASOS DE FONDOS EXENTOS

Cuando se habla de traspasos de Fondos de Inversión de forma genérica, se pueden entender dos operaciones totalmente distintas:

a) Cambio de comercializador: esta operación implica que el partícipe de un Fondo de Inversión extranjero en España cambia de comercializador (que custodia sus participaciones), pero sigue siendo partícipe del mismo Fondo de Inversión de origen. Hay que tener en cuenta que los partícipes de fondos nacionales no pueden cambiar de comercializador, ya que el partícipe tiene una relación directa con la SGIIC. Esta operación supone para el partícipe de un fondo extranjero cambiar de entidad comercializadora, manteniéndose las mismas participaciones y los mismos derechos.

b) Traspasos exentos de fondos: son traspasos entre Fondos de Inversión distintos, ya sean de la misma gestora o de gestoras distintas ya sean entre fondos domésticos o fondos extranjeros, que están exentos de retención y no generan plusvalías ni minusvalías. La gran virtud de este tipo de traspasos es que no generan coste fiscal al partícipe, que puede traspasar a cualquier otro Fondo de Inversión, adecuando así sus inversiones a las tendencias de los mercados.

El proceso básico de los traspasos exentos de fondos es el siguiente:

1. El partícipe acude al comercializador o SGIIC de destino para cumplimentar el documento de traspaso de fondos, en el cual se mencionará el fondo de origen, del cual el inversor es partícipe, y el fondo de destino en el que se va a invertir. Por tanto, será la entidad de destino desde donde se inicie el traspaso exento de fondos. La gestora de destino tiene un plazo máximo de un día hábil, desde que el cliente firma el documento de traspaso hasta que lo inicia, para dirigir la solicitud a la gestora de origen.

2. La entidad destino envía la solicitud a la entidad de origen a través del Sistema Nacional de Compensación Electrónica (SNCE), que actúa como cámara de compensación. El SNCE es el canal por el que se envían las transferencias de efectivo entre entidades financieras.

3. La entidad de origen recibe la solicitud de la entidad de destino y comprueba que los datos recibidos, tales como titularidad, participaciones solicitadas, fondo de origen... son correctos. La entidad de origen posee dos días hábiles para procesar la solicitud recibida.

4. Una vez aceptada la solicitud por la entidad de origen, se ordena el reembolso de las participaciones solicitadas y se envía el efectivo resultante a la entidad de destino a través del SNCE. Esta transferencia tiene la particularidad

TABLA 7.1

Instituciones de inversión colectiva en España. Volumen de traspasos

	Millones de euros por trimestre									
	2003	2004	2005	2006	2007	2008	2009	2010	2011	2012
Enero	1.196	3.174	2.323	5.061	4.560	10.260	3.097	2.455	3.421	1.197
Febrero	2.408	3.447	3.276	6.755	5.154	7.577	3.105	3.098	4.064	2.059
Marzo	1.452	3.566	3.356	6.291	6.815	4.794	3.071	2.832	4.790	1.760
Trimestre	5.057	10.187	8.955	18.107	16.530	22.631	9.273	8.385	12.275	5.015
Abril	2.067	2.664	2.291	5.522	4.742	5.588	2.308	3.043	1.935	1.482
Mayo	1.593	3.246	2.738	6.964	4.414	5.101	2.414	3.030	1.995	1.560
Junio	1.918	2.406	3.271	5.833	4.674	4.186	2.686	2.329	1.841	1.563
Trimestre	5.578	8.317	8.299	18.319	13.830	14.875	7.407	8.402	5.771	4.605
Julio	1.558	1.559	3.712	4.071	4.300	5.305	3.206	2.327	1.528	1.466
Agosto	885	1.403	2.469	2.373	5.671	3.014	1.319	860	1.581	708
Septiembre	1.742	1.247	3.340	4.787	8.011	4.033	2.439	1.161	1.584	834
Trimestre	4.186	4.208	9.522	11.232	17.982	12.352	6.965	4.348	4.693	3.008
Octubre	2.189	2.106	4.815	5.397	6.626	8.176	3.927	1.591	1.796	919
Noviembre	1.815	2.407	4.378	4.598	5.935	5.151	3.384	2.195	1.824	1.111
Diciembre	1.419	2.486	3.551	3.870	4.365	3.050	2.121	2.598	1.485	1.116
Trimestre	5.423	6.999	12.744	13.865	16.926	16.377	9.433	6.383	5.105	3.146
Total	**20.244**	**29.711**	**39.520**	**61.523**	**65.267**	**66.235**	**33.077**	**27.518**	**27.844**	**15.774**

FUENTE: INVERCO.

de que junto al dinero enviado se acompañarán los datos fiscales de las participaciones traspasadas. Esos datos son las fechas y los efectivos de la compra inicial.

5. La entidad de destino recibe el traspaso mediante transferencia y procesa la compra del fondo de destino. Una vez liquidada la suscripción del fondo de destino, finalizará el traspaso. En la información fiscal que la entidad de destino tiene por la operación de suscripción del nuevo fondo debe incluir la

documentación histórica facilitada por la entidad de origen. Por tanto, los datos fiscales iniciales se mantienen a lo largo del tiempo a través de los traspasos exentos.

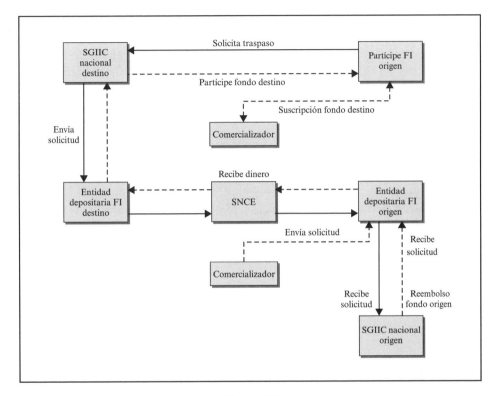

Figura 7.5

En todo el proceso de traspasos exentos cabe destacar que cuando el Fondo de Inversión es nacional, el partícipe acudirá a la SGIIC para solicitar el traspaso. Cuando se traten de Fondos de Inversión extranjeros, el participe tiene que acudir al comercializador, que será la entidad que contacte con la SGIIC internacional. En este sentido, los traspasos entre SGIIC extranjera serán más ágiles y rápidos al minimizarse la labor administrativa.

Cuando la entidad de destino envíe una solicitud a la de origen, ésta tiene dos opciones: aceptar o rechazar la solicitud recibida. Los motivos de rechazo están delimitados y pueden ser varios, pero los más habituales son por titularidades, ya que las cuentas partícipes de origen y de destino han de tener los mismos titulares. Relacionado con las titularidades, sólo podrán realizar traspasos exentos de fondos todas aquellas personas físicas residentes sujetas a IRPF.

Pueden existir dos tipos de traspasos exentos:

1. Traspaso entre distintas gestoras: son los traspasos solicitados a través del SNCE. Estos traspasos suelen tener una duración aproximada de semana y media, dependiendo de los plazos liquidativos de los Fondos de Inversión de origen y destino.
2. Traspasos internos dentro de la misma gestora: son los traspasos que se realizan entre fondos que gestiona la propia entidad. Estos traspasos son mucho más ágiles porque no es necesario procesarlos por el SNCE. En muchos casos el plazo de ejecución suele ser inferior a cinco días.

CONCEPTOS CLAVE

- Instituciones de inversión colectiva.
- Fondos de inversión.
- Sociedades de inversión de capital variable (SICAV).
- Sociedad Gestora de Instituciones de Inversión Colectiva.

- Partícipe.
- Entidad depositaria.
- Comercializador.
- Traspaso de fondos.

BIBLIOGRAFÍA

CNMV: *Memorias anuales 2010-2012.*

EUROPEAN FUNDS AND ASSET MANAGEMENT ASSOCIATION (EFAMA): STATISTICS 2010-12.

EUROPEAN FUNDS AND ASSET MANAGEMENT ASSOCIATION (EFAMA) (2013): *Trends in the European Fund Industry.*

Howells, P. y Bain, K. (2007). *Financial Markets and Institutions.* 5th edition, Edit. Financial Times, Prentice-Hall.

INVERCO. *Protocolo de traspasos IICs 2006.*

INVERCO. *Informes anuales 2008-2012.*

INVERCO. *Memorias 2008-2012.*

López, J. (1999). *Los fondos de inversión: cien preguntas clave y sus respuestas.* (3.ª ed.), Dykinson.

PÁGINAS WEB

www.cnmv.es
www.bolsasymercados.es
www.inverco.es
www.efama.org

8

Los productos derivados

8.1. INTRODUCCIÓN*

Desde mediados de la década de los años setenta se ha extendido y generalizado el uso de una serie de productos con un enorme potencial de utilidades y beneficios, pero también de riesgos. Nos estamos refiriendo a los productos llamados «derivados». Las razones por las cuales reciben este nombre son:

1. Lo que se negocia es un derecho o una obligación a adquirir o comprar un determinado activo en un instante posterior en el tiempo. A este activo objeto de intercambio en el futuro se le conoce como «activo subyacente».

2. El precio de los contratos negociados depende del valor del activo subyacente sobre el cual están basados, *deriva* su valor o retorno de otro activo o título.

Es decir, su razón de ser viene explicada por el valor del activo subyacente a una fecha futura. Por ejemplo, si hablamos de derivados, pongamos sobre oro, y leemos en prensa o nuestro agente financiero nos dice que el valor de la onza a entregar dentro de tres meses es de 1.450 dólares, significa que hoy el precio de la onza de oro que se intercambiará dentro de aproximadamente 90 días se está negociando a un precio de 1.450 dólares y que, por tanto, si cerrásemos ahora mismo una transacción en estas condiciones —intercambio de oro dentro de tres meses al precio ya indicado— pagaremos o recibiremos ese importe independientemente del valor que tuviera el oro en el mercado en el momento de la entrega. Hoy hemos fijado el precio de la transacción que se realizará en el futuro.

La principal razón de la aparición de estos productos fue la cobertura de riesgos debido a la alta volatilidad de los mercados de materias primas y financieros. Sin embargo, permiten otras posibilidades de operativa:

---

* Queremos agradecer al profesor Íñigo Serrats la ayuda en la elaboración del presente capítulo.

1. **Especulación:** apostando por una determinada evolución futura de los precios del subyacente del contrato derivado. Para ello, el inversor tomará posiciones en el sentido que considere oportuno, cerrándolas cuando los precios hayan llegado al nivel deseado. Incluso en futuros y opciones, existe la posibilidad de especular con apalancamiento, es decir, destinando todos los recursos disponibles a la garantía o la prima, que suponen sólo una pequeña parte del valor nominal del subyacente.

2. **Cobertura de riesgos:** protegiéndose o cubriéndose ante evoluciones no deseadas de precio y/o tipos de interés. En este caso, con la entrada en un contrato derivado, el agente se está asegurando bien un rendimiento, si es inversor, bien un coste, si es tomador de fondos.

3. **Arbitraje de precios:** mediante la combinación de activos financieros y/o productos derivados se puede replicar otro activo financiero o producto derivado con un precio de compraventa sintético más bajo/alto que el que cotiza en el mercado. De este modo, se pueden conseguir beneficios arbitrando entre ambos precios.

Además, existen multitud de contratos derivados. Básicamente, se puede dividir en dos categorías:

a) Productos derivados a medida negociados en el mercado *over the counter* (OTC): su mercado no está centralizado ni regulado. Los propietarios del instrumento derivado están sujetos a un riesgo de contrapartida (cuando la contrapartida no cumple su obligación de pago):

— Los productos más habituales en este mercado son: *FRA, Swaps, o permutas financieras, y Opciones OTC.*

b) Productos derivados estandarizados: contratados en mercados organizados. Cuentan con una cámara de liquidación *clearinghouse.*

— Los productos más habituales en este mercado son: *Futuros* y *Opciones.*

Los activos subyacentes sobre los que se pueden crear derivados no se circunscriben únicamente al ámbito financiero (tipos de interés, índices bursátiles, etc.), sino que abarca otras áreas, tales como materias primas y productos agrícolas.

Así, por ejemplo, podemos pactar la compra futura de Bonos del Estado en una cierta fecha y a un cierto precio. En este caso, lo que realmente estamos contratando en el instante actual es el compromiso de adquirir otro bien, como son los Bonos del Estado, en una fecha posterior en unas condiciones de precio que son pactadas hoy. En este simple ejemplo, el contrato derivado es el compromiso de compra y el activo subyacente es el bono, el bien que compraremos en el futuro.

Además de estos tipos genéricos, los mercados financieros también negocian los llamados «derivados sobre derivados», es decir, contratos que dan el derecho o la obligación a intercambiar otro derivado. Éste es el caso de las opciones sobre futuros, que son contratos que dan el/la derecho/obligación —según que se sea comprador/vendedor— a comprar o vender un contrato de futuros en un instante posterior en el tiempo, el cual, a su vez, nos obligará a comprar o vender un activo financiero en otro momento en el tiempo ulterior al primero. Dada la complejidad que implica esta última clase de contratos, no los vamos a tratar en este manual y solamente haremos mención de su existencia.

En este capítulo vamos a esbozar muy brevemente las características de los contratos derivados más comunes: *FRA, swaps,* futuros y opciones. Comenzaremos por los primeros.

8.2. FRA

Un *FRA (Forward Rate Agreement)* «es un contrato por el que dos partes acuerdan el tipo de interés que se va a pagar transcurrido un cierto tiempo sobre un importe teórico y durante un período de tiempo especificado. Una parte puede elegir recibir un tipo de interés fijo a cambio de un tipo de interés variable, o viceversa».

El comienzo y la duración del mismo se designa por los dos subíndices que acompañan a las siglas «FRA». Así, un $FRA_{2,5}$ significa que el contrato entrará en vigor dentro de 2 meses sobre un depósito que vence dentro de 5 meses, es decir, que actúa sobre un depósito a 3 meses. Los elementos básicos son los siguientes:

— Tipo de interés a plazo pactado en el contrato.
— Importe teórico y período de vigencia del contrato.
— Fecha de contratación, inicio y vencimiento, tales que la diferencia entre las fechas de inicio y contratación constituyen el plazo y entre las de vencimiento e inicio suponen el período de vigencia.
— Intervienen dos agentes: un comprador del FRA (posición «larga» de FRA) y un vendedor (posición «corta» de FRA). Veámoslo gráficamente (figura 8.1):

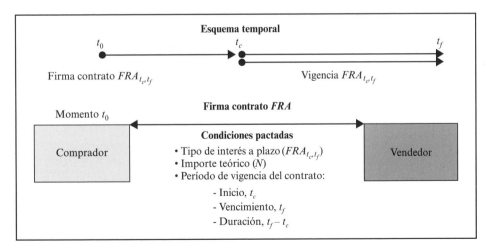

FUENTE: elaboración propia.

Figura 8.1. *FRA (Forward Rate Agreement).*

El FRA es un instrumento que asegura un tipo de interés en el futuro. Este hecho nos permite esquivar riesgos ante oscilaciones en los tipos. Así, podríamos encontrarnos en alguna de estas posiciones:

1. Posición «largo FRA». Conozco de antemano el tipo de interés que voy a pagar en todo el período. He invertido a un plazo t_f, para lo cual he tomado fondos a un plazo t_c que es inferior a t_f. Por tanto, me veo obligado a retomar fondos en ese momento intermedio t_c. Lo peor que me puede ocurrir es que en ese instante los tipos fuesen más altos. Por ello, si deseo cubrirme de esa eventualidad, hoy **compraré un FRA**^{t,f}. De este modo conoceré desde el inicio cuáles serán mis costes. Puede tener dos escenarios:

   a) Si en el momento t_c han subido los tipos de interés por encima del tipo pactado en el momento t_0, cobraré la diferencia entre el tipo de interés r^* del mercado en el momento t_c a plazo $(f - c)$ y el tipo i_F pactado en el contrato *forward* y pediré prestado el dinero que necesito al tipo r^*.

   b) Si en el momento t_c han caído los tipos de interés por debajo del tipo pactado en el momento t_0, pagaré la diferencia entre el tipo de interés r^* del mercado en el momento t_c a plazo $(f - c)$ y el tipo i_F pactado en el contrato *forward*. Posteriormente, pediré prestado al tipo r^*.

En ambos escenarios el tipo de interés que pagaré en el período $(c - f)$ será el tipo del contrato FRA (figura 8.2):

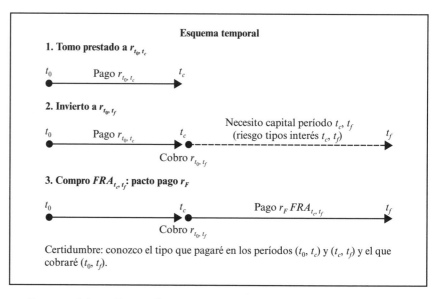

Esquema temporal

1. Tomo prestado a r_{t_0, t_c}

t_0 ———— Pago r_{t_0, t_c} ———— t_c

2. Invierto a r_{t_0, t_f}

t_0 ———— Pago r_{t_0, t_c} ———— t_c — Necesito capital período t_c, t_f (riesgo tipos interés t_c, t_f) ———— t_f

Cobro r_{t_0, t_f}

3. Compro FRA_{t_c, t_f}**: pacto pago** r_F

t_0 ———— t_c — Pago r_F FRA_{t_c, t_f} ———— t_f

Cobro r_{t_0, t_f}

Certidumbre: conozco el tipo que pagaré en los períodos (t_0, t_c) y (t_c, t_f) y el que cobraré (t_0, t_f).

FUENTE: elaboración propia.

Figura 8.2. Esquema temporal.

2. Posición «corto FRA». Inversamente, podría tomar fondos a un plazo t_f e invertirlos a un plazo t_c siendo $t_c < t_f$. Tengo riesgo de reinversión. Mi riesgo es que en ese instante t_c, en el que vaya a reinvertir los fondos hasta t_f, los tipos hayan bajado. Para evitar esta eventualidad hoy **venderé un FRA**$^{t_c t_f}$ para, así, conocer exactamente cuáles serán mis ingresos y me garantizo poder reinvertir al tipo del contrato FRA. A su vez, caben dos escenarios:

a) Si en el momento t_c han subido los tipos de interés por encima del tipo pactado en el momento t_0, pagaré la diferencia entre el tipo de interés r^* del mercado en el momento t_c a plazo $(t_f - t_c)$ y el tipo r_F pactado en el contrato *forward* e invertiré mi dinero al tipo r^*.

b) Si en el momento t_c han caído los tipos de interés por debajo del tipo pactado en el momento t_0, cobraré la diferencia entre el tipo de interés r^* del mercado en el momento t_c a plazo $(t_f - t_c)$ y el tipo r_F pactado en el contrato *forward*. Posteriormente, invertiré mi dinero al tipo r^*.

En ambos escenarios el tipo de interés al que invertiré mi dinero en el período (t_c, t_f) será el tipo del contrato FRA.

8.2.1. Liquidación de los FRA

Hay que señalar dos aspectos fundamentales:

— Los FRA se liquidan por diferencias entre el tipo pactado en la fecha de contratación y el tipo de liquidación que se aplique en la fecha de inicio, de tal modo que una de las partes pagará a la otra; la liquidación se realiza el día del inicio, por lo que es necesario descontar el importe al tipo utilizado en la liquidación y por el plazo de vigencia del FRA.

La expresión que nos da la cantidad a liquidar es la siguiente:

$$L = \frac{N(r_F - r^*)(t_f - t_c)}{360 + r^*(t_f - t_c)}$$

siendo:

N: nominal teórico.
r_F: tipo pactado en el FRA el día de la contratación.
r^*: tipo de liquidación usado. Se conoce el día del inicio del FRA y es publicado en alguna página de Reuters, Telerate, etc. (por ejemplo, BANDE).
t_f: período largo.
t_c: período corto.

Para determinar quién pagará a quién, deberemos analizar el signo de la diferencia entre r_F y r^*.

Así, tendremos los siguientes casos:

- Si $r_F - r^*$ es positivo, entonces será la parte compradora quien pague a la vendedora.
- Si $r_F - r^*$ es negativo, ocurrirá lo contrario.

8.2.2. Características de los FRA

Podemos resumir las características básicas de los FRA en la figura 8.3.

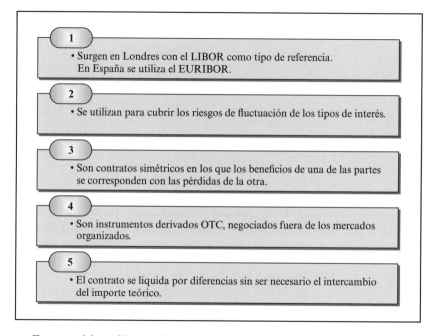

1
- Surgen en Londres con el LIBOR como tipo de referencia. En España se utiliza el EURIBOR.

2
- Se utilizan para cubrir los riesgos de fluctuación de los tipos de interés.

3
- Son contratos simétricos en los que los beneficios de una de las partes se corresponden con las pérdidas de la otra.

4
- Son instrumentos derivados OTC, negociados fuera de los mercados organizados.

5
- El contrato se liquida por diferencias sin ser necesario el intercambio del importe teórico.

FUENTE: elaboración propia.

Figura 8.3. Características básicas de los FRA.

8.3. *SWAPS*

Un *swap* «es un contrato por el cual se permuta la naturaleza de los flujos que se generan en una operación financiera».

Dentro de lo que es la casuística de los *swaps,* podemos englobarlos básicamente en dos grandes grupos: *Swaps de tipos de interés* y *Swaps de divisa.* A continuación analizaremos cada uno de ellos. Comencemos por los primeros.

8.3.1. *Swaps* de tipos de interés

Podemos definirlos como «aquellos contratos por los cuales una de las partes se compromete a pagar a la otra durante un cierto período de tiempo en determinadas fechas un tipo de interés fijo establecido de antemano, aplicado sobre un importe de referencia a cambio de recibir de la otra un tipo de interés variable aplicado sobre el mismo importe».

En este caso no existe intercambio de principales y ambas partes salen beneficiadas, pues intercambiando sus estructuras de deuda consiguen reducir sus costes. En la literatura se les conoce como IRS *(interest rate swap)*. En España, el tipo variable de referencia es el EURIBOR.

En un *swap* de tipos de interés intervienen dos contrapartidas. Normalmente, el principal es el mismo para las dos contrapartidas. Al igual que veíamos en el FRA, este contrato es simétrico, un juego de suma cero. El beneficio de una contrapartida se corresponde exactamente con la pérdida de la otra.

Para comprender mejor su mecánica, vamos a ver un ejemplo:

Supongamos dos bancos, A y B, con deudas de las siguientes características:

— A posee un pasivo de 10 millones de euros al 5% con un vencimiento de 5 años.
— B posee otro pasivo igualmente de 10 millones de euros y a 5 años, pero referenciado al Euribor 3 meses, con un margen de 0,85%.

Por razones de estrategia financiera, ambos convienen en pactar una permuta de intereses con las siguientes características:

— A pagará los intereses de la deuda de B referidos al Euribor 3 meses + 0,85%.
— B pagará los intereses de la deuda de A a un tipo fijo del 5,35%.

El resultado final será el siguiente:

— Coste de A = 5% + Euribor 3 m + 0,85% − 5,35% = Euribor 3 m + 0,50%.
— Coste de B = Euribor 3 m + 0,85% + 5,35% − Euribor 3 m − 0,85% = 5,35%.

Con el *swap,* A obtiene una deuda a tipo flotante, mientras que B pasa a tenerla a fijo.

8.3.2. *Swap* de divisa

Podemos definirlo como «aquel compromiso entre dos partes por el cual una de ellas paga a la otra en un momento determinado del tiempo una cantidad en divisa a cambio de recibir otra cantidad en una divisa diferente».

A diferencia del *swap* de tipos de interés, al finalizar el *swap* **sí existe intercambio de principales,** pudiéndolo haber también al principio. En la literatura se les conoce como CCRS *(cross currency rate swap)*.

Para una mejor comprensión, vamos a ver el siguiente ejemplo:

La sociedad A, española, contrae una deuda de 6 millones de euros a 5 años al 5%. Esta compañía se dedica a exportar toda su producción a Estados Unidos, por lo que, al cobrar en dólares, le gustaría transformar su pasivo a dicha moneda. En parecida situación, pero esta vez en Estados Unidos, está la sociedad B, que ha contraído una deuda de 6.666.667 dólares (1 $ = 0,78 euros) a 5 años y al 4%. Como quiera que B exporta toda su producción a España, le gustaría convertir su pasivo a euros.

Ambas sociedades acuerdan pactar un *swap* con las siguientes características:

— A pagará anualmente un 4% sobre 6.666.667 dólares y al final del quinto año le entregará dicho importe a B.

— B pagará anualmente un 5% sobre 6 millones de euros y al final del quinto año le entregará a A el citado importe.

8.3.3. Elementos que definen un *swap*

En todo contrato de *swap* se suele fijar una serie de términos para precisar lo más posible las condiciones de la operación. Los más habituales son:

— Fecha de entrada en vigor.
— Fecha de vencimiento.
— Fecha(s) de liquidación.
— Fecha de resolución o vencimiento anticipado.
— Período contractual.
— Principal teórico.
— Amortización del principal.
— Pagador fijo.
— Pagador variable.
— Tipo fijo.
— Tipo usado como referencia del variable.
— Tipo usado para la liquidación del variable.
— Monedas del *swap* si es en divisa.
— Tipos usados como referencia para cada divisa.

8.3.4. Liquidación de los *swaps*

Una vez que sabemos cómo funcionan estos instrumentos, vamos a determinar qué cantidades hay que pagar/recibir y quién debe hacerlo. Para ello, y por simplicidad en la exposición, vamos a seguir el ejemplo de un IRS. Las tres preguntas que nos haremos serán:

— ¿Cuánto hay que pagar?
— ¿Quién debe hacerlo?
— ¿Cuándo debe hacerlo?

Para responderlas es necesario saber que:

— Los *swaps* se liquidan por diferencias, es decir, que la parte que resulte con un mayor importe a pagar abonará a la otra el exceso sobre ella.
— Los pagos se realizan al finalizar el período de liquidación.
— El tipo variable que se toma es un tipo de liquidación, mientras que el fijo de las pantallas es anual y debe ser convertido a tipo del período correspondiente.

Una vez dicho esto, hay que señalar que para calcular las cantidades aplicaremos en ambos casos el clásico «carrete», usando como base el año de 360 días, es decir:

$$C_i = \frac{N \cdot r_i \cdot t}{360}$$

siendo:

i: F, V/F = fijo y V = variable.
N: nominal teórico.
r_i: tipo de interés fijo o variable, según el caso.
t: tiempo, expresado en días naturales.

Según lo anterior, el importe de la liquidación será:

$$L = \frac{N \cdot (r_F - r_V) \cdot t}{360}$$

— Si $(r_F - r_V) > 0$, entonces el importe de L lo abonará el pagador fijo.
— Si $(r_F - r_V) < 0$, entonces el importe de L lo abonará el pagador variable.

8.4. FUTUROS FINANCIEROS

Podemos definir un futuro financiero como aquel «contrato negociado en un mercado organizado por el cual el comprador/vendedor se obliga a adquirir/entregar una cantidad determinada de un activo en una fecha fija en el futuro. Tanto la cantidad —bloques— como la fecha están estandarizadas».

De esta definición podemos extraer una serie de características que identifican plenamente a los futuros:

— Se negocian en mercados organizados.
— Los contratos están estandarizados.
— Obligatoriedad del cumplimiento por ambas partes.

La primera de ellas hace referencia a la estructura del mercado, el cual gira en torno a un elemento clave, la Cámara de Compensación, que es el organismo que actúa de contrapartida en todas las operaciones que se lleven a cabo. Es decir, la compraventa de futuros no se hace directamente de comprador a vendedor en un solo contrato, sino en dos: de vendedor a la Cámara y de la Cámara al comprador. De este modo, se reduce considerablemente el riesgo de incumplimiento por las partes.

La segunda de las características arriba expuestas va a reforzar la liquidez del mercado al imponer una homogeneización de los contratos que en él se negocien. A cambio, va a dificultar la realización de coberturas perfectas porque no son a medida.

La tercera característica es propia del contrato del futuro, en el que ambas partes están obligadas a cumplir lo pactado. Para garantizar plenamente este cumplimiento, la Cámara de Compensación exige un depósito durante la vida del contrato a las dos partes contratantes. Suele ser un porcentaje bajo o un importe mínimo del nominal del activo subyacente.

A estas tres características habría que añadir la posibilidad de contratar activos subyacentes que no existen como tal. El caso más sencillo es el de los índices bursátiles. A través de un futuro se puede comprar o vender un índice bursátil, es decir, una cartera teórica de activos de renta variable que representa un sector (telecomunicaciones, construcción, etc.), una bolsa de un país (por ejemplo, el Ibex 35 en el caso español), o incluso la bolsa de una zona (por ejemplo, Euro Stoxx 50 en el caso de la Zona Euro). Las ventajas son importantes: evita la complejidad de replicar la cartera comprando las proporciones de valores en el mercado, reduce los costes operativos relacionados con cada una de las operaciones que conlleva y permite a los agentes actuar con mucha rapidez mediante una única operación que equivale a un alto número de activos.

La existencia de mercados organizados implica generalmente una mayor liquidez de estos mercados frente a los FRA y *swaps*. Esto nos va a permitir disfrutar de la posibilidad de cancelar anticipadamente nuestra posición en cualquier momento sin necesidad de esperar al vencimiento y con un coste de transacción muy reducido.

Existe una amplísima gama de subyacentes sobre los que se pueden contratar futuros. A modo de ejemplo, podemos mencionar los futuros sobre materias primas, índices bursátiles, acciones cotizadas, tipos de interés y muchos otros.

8.4.1. ¿Qué estrategia debemos adoptar?

A la hora de determinar el lado de la posición que vamos a tomar es absolutamente necesario saber de qué nos queremos proteger. Así, por ejemplo, respecto a la evolución de los tipos de interés tenemos las siguientes dos posiciones:

10 Expansión Martes 23 abril 2013

EMPRESAS

VISIÓN DE FUTURO

"Las reformas de los derivados acabarán con las operaciones más especulativas"

ENTREVISTA ASÍS VELILLA Socio de responsable de Productos Financieros Ernst & Young / El directivo explica cómo las empresas se adaptan contrarreloj a nuevas normas regulatorias y contables que quieren atajar la crisis atacando la opacidad de los derivados.

Mercedes Serraller. Madrid

Las nuevas regulaciones que controlan la operativa y contabilización de los derivados en Europa y EEUU acabarán con las operaciones más opacas y especulativas, apunta Asís Velilla, socio responsable de Productos Financieros de Ernst & Young. La EMIR europea y la Dodd Frank estadounidense, que se deben implementar a partir de julio, "no ralentizarán las transacciones pero las operaciones especulativas y opacas se replantearán y no se harán, porque esa información a va a ir a parar al regulador, que va a pedir explicaciones", dice.

Estas reformas no contables han surgido por la crisis financiera, ya que los derivados son uno de los productos más sospechosos de haberla desencadenado. Velilla explica que, en 2010, el G20 consideró que uno de los problemas era la falta de transparencia de los derivados *Over the Counter* (OTC), en las que las dos contrapartes se ponen de acuerdo para hacer una operación de forma opaca.

Las nuevas normas suponen "más controles, más trabas, más regulación, cuando era un problema más anglosajón que en España estaba más controlado: pagan justos por pecadores", lamenta Velilla.

Riesgos

Los OTC han provocado que actualmente nadie sepa dónde están los riesgos: "Si Grecia hubiera quebrado (posibilidad que antes era más probable), aunque los bancos alemanes, franceses e ingleses tuvieran más deuda, si se hubieran asegurado con bancos americanos a través de OTC, no se sabría; se pierde la pista y se crea riesgo sistémico", ejemplifica.

Es el punto de partida de la crisis, la opacidad de las hipotecas con pérdidas monumentales en EEUU por derivados, no por exposición directa. El G20 dio el mandato de que, a diciembre de 2012, todos los derivados pasaran por cámaras de compensación, que sean similares a mercados organizados.

En Europa, la EMIR obliga a crear unas entidades que controlarán bases de datos denominadas *trade repository*, entidades privadas que serán supervisadas y aprobadas por ESMA, la CNMV europea. Todas las entidades estarán obligadas a informar al *trade repository* de las operaciones de derivados OTC.

Antes de julio de 2013, las empresas deben mandar información al *trade repository*.

La norma exige una técnica mínima de mitigación de riesgos. En función del tipo de derivados, obligará a confirmar las operaciones con las contrapartes en plazos muy exigentes llamados D+1, que demandan que se confirme al día siguiente, cuando ahora pasan más de siete días; el modelo D+7. La CNMV tendrá acceso a esta información. Cuando las operaciones sean muy grandes o puedan implicar riesgos, los reguladores lo sabrán. El gran público tendrá información glo-

bal que publicará el *trade* de los precios negociados medios, no de las empresas.

Cabe destacar que la norma prevé que ESMA imponga sanciones, pero todavía no están detalladas.

Así, subraya Velilla, "las empresas deben cambiar sus procesos internos y de con-

> ❝ Las nuevas normas suponen más controles, más trabas, cuando era un problema más anglosajón: pagan justos por pecadores❞

> ❝ Si Grecia hubiera quebrado, aunque sólo los bancos alemanes tuvieran deuda, habría riesgos por derivados❞

> ❝ A partir de julio, cuando las operaciones sean muy grandes o puedan implicar riesgos, los reguladores lo sabrán❞

> ❝ El gran público tendrá información global que se publicará de los precios negociados medios, no de las empresas❞

> ❝ Entidades pequeñas que exportan encuentran riesgo de tipo de cambio y empiezan a buscar asesoramiento❞

Asís Velilla, socio responsable de Productos Financieros de Ernst & Young.

trol". Además, en ciertos casos, se les obligará a que todas las operaciones de derivados OTC pasen por cámaras de compensación. En la UE, si las operaciones superan unos umbrales; en EEUU, según el tipo de compañía.

El socio de Ernst & Young reconoce que "estas obligaciones van a suponer grandes costes, variables según el número y complejidad de las operaciones". En EEUU, las empresas no piden precios cerrados; en España, sí. La ratio de tiempo necesario se encuentra entre 100-200 horas a 4.500 o más para compañías grandes. Todo el proceso de adaptación le puede suponer un año a la entidad.

Por otra parte, las empresas tienen un nuevo frente con la entrada en vigor de dos nuevas normas contables: NIIF 13 y la NIIF 9. La NIIF 13, en marcha desde el 1 de enero de 2013, introduce cambios conceptuales en la definición de valor razonable para instrumentos financieros (también lo hace para elementos no financieros). Las empresas están aprovechando su entrada para actualizar sus modelos de valoración de instrumentos financieros derivados, básicamente, admitiendo varias curvas de tipos de interés (para capturar los riesgos de base entre plazos y monedas) e introduciendo el riesgo de crédito (técnicamente, CVA y DVA) en los modelos de valoración de esos instrumentos financieros.

En relación al riesgo de crédito, en la medida que supongan pasivos financieros para la entidad, es de esperar que su introducción en la valoración tenga un efecto positivo, constata Velilla.

Respecto a la NIIF9, las empresas están en pleno análisis de impacto, así como de recibir formación sobre ella, ya que entra en vigor en 2015 y sus efectos contables deben ser tenidos en cuenta de forma inmediata.

Por último, Velilla apunta que "entidades pequeñas que exportan se encuentran con que tienen riesgo de tipo de cambio y empiezan a buscar asesoramiento".

Cuatro normas en el horizonte

REGULACIÓN

Las nuevas regulaciones Dodd Frank/Capítulo 7 en EEUU y la europea, llamada EMIR, entran en vigor con efectos inmediatos. Se deben implementar en 2013 y se prevén sanciones en caso de incumplimientos. Obligan a reportar información periódica (e incluso diaria) con relación a nuevas posiciones en derivados OTC, e implementar medidas de mitigación de riesgos y utilizar cámaras de compensación.

CONTABILIDAD

Las empresas tienen un nuevo frente con la entrada en vigor de dos normas contables: NIIF 13 y NIIF 9. La primera, en marcha desde el 1 de enero de 2013, introduce cambios conceptuales en la definición de valor razonable para instrumentos financieros. Respecto a la NIIF9, las empresas están en pleno proceso de análisis de impacto, así como de recibir formación sobre ésta, ya que entra en vigor en 2015.

Figura 8.4

— Si soy un inversor y deseo cubrirme de un descenso de los tipos de interés en el futuro, tomaré una posición compradora en los contratos de futuro, pues si se cumplen mis expectativas, podré revender dichos contratos a un precio superior. La plusvalía que obtenga me compensará de la menor rentabilidad que me producen mis inversiones.

— Si soy un tomador de fondos me intentaré cubrir de subidas en los tipos. Para ello venderé contratos, pues si se cumplen mis expectativas, los recompraré más baratos en el futuro y esa plusvalía me compensará del mayor coste de mi financiación.

8.4.2. ¿Cómo liquidar las posiciones?

Podemos hacerlo de tres modos:

1. Mediante la toma de posiciones de sentido contrario; es decir, si hemos comprado 1.000 contratos de futuro, la cancelaremos vendiendo otros tantos contratos sobre el mismo contrato a igual vencimiento.

2. Esperando al vencimiento. La liquidación puede ser de dos formas. Una es en efectivo por las diferencias de precios *(marked-to-market)* en el caso de subyacentes que no existan como activos reales (por ejemplo, los índices bursátiles). La otra es por entrega del activo subyacente como es el ejemplo donde deberemos entregar/recibir bonos admitidos en la lista de «entregables» (el caso de los futuros sobre tipos de interés a largo plazo). En este supuesto, el vendedor tiene la prerrogativa de elegir de entre todos ellos aquel que mejor se ajuste a sus objetivos, estando el comprador a expensas de lo que decida el vendedor. ¿Qué bono elegirá el vendedor? Ya hemos dicho que al final la liquidación se deberá realizar con bonos reales, que serán traducidos al valor del nocional mediante un factor de conversión. Por tanto, el vendedor buscará entre todos aquellos que son entregables aquel que haga máxima la diferencia entre lo que recibirá por los bonos y el precio de compra de esos entregables. Al título que cumpla con esa condición se le denomina «entregable más económico» o, en la terminología anglosajona, *cheapest to deliver*.

3. En algunos mercados como en Estados Unidos se puede recurrir al *Exchange for physicals (ex-pit transactions):* un operador encuentra a otro que tiene una posición exactamente igual a la suya en sentido contrario y organizan un encuentro fuera del mercado para realizar la entrega física del subyacente en las condiciones especificadas en sus respectivos contratos. Posteriormente los operadores tendrán que contactar con la Cámara de Compensación y explicar que han realizado esta modalidad de pago, que se diferencia de la mencionada anteriormente en que el contrato no se cierra en la bolsa y los dos operadores negocian por separado las condiciones del cierre.

8.5. OPCIONES FINANCIERAS

Las opciones son los instrumentos más refinados y complejos de cuantos se negocian en los mercados financieros. Podemos definir una opción como aquel «contrato en el que, a cambio de pagar/recibir una prima por parte del comprador/vendedor, éste tiene el derecho/obligación de realizar una determinada acción en un instante prefijado del tiempo a un precio establecido».

De esta definición se deducen los elementos que son necesarios en toda opción:

— *Comprador:* aquel que paga la prima y tiene el derecho a comprar o vender según el tipo de opción (de compra o de venta).
— *Vendedor:* aquel que recibe la prima y tiene la obligación de vender/comprar según la opción de compra/de venta a requerimiento del comprador de la opción.
— *Prima:* precio que el comprador paga por disponer de este derecho.
— *Activo subyacente:* los bienes o títulos que son objetos del contrato.
— *Precio de ejercicio:* aquel al que el comprador de la opción podrá comprar o vender en el futuro el activo subyacente. En la literatura también se le conoce como *strike price*. Cada subyacente puede tener varias opciones cotizadas con la misma fecha de vencimiento y diferentes precios de ejercicio.
— *Fecha de expiración:* momento del tiempo en el que vence la opción.

Existen opciones de compra, «CALL», que dan derecho a comprar, y opciones de venta, «PUT», que dan derecho a vender el activo subyacente.

Los inversores pueden tomar dos posiciones en cada una de ellas: comprador y vendedor. En ambos casos, el comprador es el que tiene el derecho de ejercer la compra o la venta, mientras que el vendedor es el que tiene la obligación de satisfacer al comprador. Resumimos las cuatro posiciones en la siguiente tabla:

	Comprador	**Vendedor**
CALL	Derecho a comprar	Obligación de vender
PUT	Derecho a vender	Obligación de comprar

8.5.1. Análisis de las posiciones básicas

En este apartado vamos a ver cuánto podemos ganar o perder negociando con opciones. Las posibilidades son ilimitadas, pues se pueden combinar las cuatro posiciones básicas con diferente número de contratos. Como ejemplo, veremos cada uno de los cuatro casos básicos expuestos en la tabla anterior:

— **Compra de una *call***

Usaremos este tipo cuando estimemos que el precio futuro del subyacente será más alto que hoy. De este modo, a cambio de pagar una prima hoy, nos aseguramos un precio (el de ejercicio) que consideramos será menor que el que regirá en el mercado en el futuro. Si finalmente es así, tendremos el derecho a comprar a un precio que será más bajo que el que hay en el mercado. La ganancia será la diferencia entre el precio de mercado y el de ejercicio menos la prima pagada. Si no es así, perderemos la prima pagada, pero habremos evitado el riesgo ilimitado de pérdida si hubiéramos comprado el activo subyacente directamente. Su formulación analítica es la siguiente:

$$Bfo. = Máx \ \{-Pr; \ Px - S - Pr\}$$

siendo:

Pr: prima a pagar.
Px: precio del subyacente.
S: precio de ejercicio de la opción.

— **Venta de una *call***

El uso de esta opción implica tener unas expectativas inversas a las anteriores, es decir, suponemos que en el futuro el precio del bien no aumentará por encima del precio resultante de la suma del precio de ejercicio más el importe de la prima. Por tanto, a cambio de recibir una prima, asumimos el riesgo de obligarnos a vender el activo subyacente en el futuro si el comprador así nos lo exige porque el precio haya subido. Por tanto, el riesgo de pérdida es ilimitado para un vendedor de *call*. Su formulación analítica es:

$$Bfo = Mín \ \{Pr; \ S + Pr - Px\}$$

siendo:

Pr: prima a pagar.
Px: precio del subyacente.
S: precio de ejercicio de la opción.

— **Compra de una *put***

Usaremos esta posibilidad cuando nuestra expectativa es de bajadas en el precio del subyacente. De este modo, a cambio de pagar una prima, tenemos el derecho a vender algo en el futuro a un precio (el de ejercicio) que nosotros consideramos será superior al que tendrá en ese momento en el mercado. Su formulación analítica es:

$$Bfo: Máx \ \{-Pr; \ S - Px - Pr\}$$

siendo:

Pr: prima a pagar.
Px: precio del subyacente.
S: precio de ejercicio de la opción.

— **Venta de una *put***

En este caso suponemos que en el futuro el precio del subyacente no descenderá por debajo del precio resultante de la suma del precio de ejercicio de la opción menos el importe de la prima. Por tanto, intentaremos ganar un ingreso extra —la prima—, pero nos obligamos a comprar si nos lo exige el comprador, lo cual se produce cuando el precio cae.

Su formulación analítica es:

$$Bfo = Mín\ \{Pr;\ Pr + Px - S\ \}$$

siendo:

Pr: prima a pagar.
Px: precio del subyacente.
S: precio de ejercicio de la opción.

8.5.2. Clasificación de las opciones

a) **Por su valor**

Distinguiremos entre:

— *In-the-money:* aquellas cuyo ejercicio en el mercado va a reportar un flujo de caja positivo para el comprador. Esto ocurrirá:

- En las *call,* cuando $Px > S$.
- En las *put,* cuando $Px > S$.

— *At-the-money:* aquellas cuyo ejercicio en el mercado nos da un resultado igual a $\pm Pr$. Esto ocurrirá, tanto en las *call* como en las *put,* cuando $Px = S$.

— *Out-of-the-money:* aquellas cuyo ejercicio en el momento actual generaría un flujo de caja negativo. Esto ocurrirá:

- En las *call,* cuando $Px < S$.
- En las *put,* cuando $Px > S$.

Todas estas posibilidades las resumimos en la siguiente tabla:

	Call	*Put*
In-the-money	$Px > S$	$Px < S$
At-the-money	$Px = S$	$Px = S$
Out-of-the-money	$Px < S$	$Px > S$

b) **En función de la fecha de expiración**

Tenemos dos estilos de opciones:

— *Europea:* si sólo puede ejercitarse en la fecha de expiración de la opción.
— *Americana:* si su ejercicio puede exigirse en cualquier momento anterior a la fecha de expiración.

CONCEPTOS CLAVE

- El producto derivado.
- El activo subyacente.
- Los contratos a medida y los estandarizados.
- El *Forward Rate Agreement* (FRA).
- El *swap*.
- El contrato de futuros.
- El contrato de opción.
- Deuda Pública.
- Déficit Público.
- Sistema financiero.

BIBLIOGRAFÍA

Castellanos, E. (2011). *Opciones y futuros de renta variable,* BME.
Howells, P. y Bain, K. (2007). Financial Markets and Institutions. (5.ª ed.), Financial Times, Prentice-Hall.
Hull, J. (2009). *Options, Futures and other derivatives,* Prentice-Hall.
Mulugetta, A. y Hadjinikolov, H. (2004). *Derivatives and risk management in the banking industry.* International Journal of Banking and Finance.

PÁGINAS WEB

www.bde.es
www.bolsasymercados.es
www.cnmv.es
www.meff.es

9

El sector bancario: análisis de los estados financieros

9.1. INTRODUCCIÓN

Los estados financieros son un elemento clave para comprender la gestión y el funcionamiento del sector bancario, permitiéndonos conocer sus aspectos más relevantes: estructura de inversión/financiación, naturaleza de los ingresos y gastos y componentes de la rentabilidad, entre otros.

Por la actividad que desarrollan, las entidades de depósito[1] presentan unos estados financieros distintos a los de otro tipo de sociedades, siendo sus activos y sus pasivos mayoritariamente financieros. En el balance, las partidas, Créditos (activo) y Depósitos (pasivo), lo equivalente, respectivamente, a clientes y proveedores, tienen un peso generalmente superior al 50 %. Además, cualquier sujeto económico puede ser titular de un préstamo y de una cuenta de depósito, asumiendo simultáneamente la posición de cliente y de proveedor.

Otra especificidad de este tipo de entidades es su baja dependencia de la inversión en activos fijos. De hecho, para el desarrollo del negocio bancario necesitan una estructura física (mobiliario, plataforma tecnológica, ordenadores, oficinas[2], etc.) poco significativa con respecto al total del activo. Por ejemplo, la Ciudad Santander, en Boadilla del Monte, donde están centralizados los servicios centrales del banco, no está contemplada en el balance de la entidad porque, en 2008, fue vendida a un consorcio liderado por el grupo inmobiliario británico, Propinvest. Al mismo tiempo, la entidad firmaba un compromiso contractual de alquiler, *lease-back*[3].

---

[1] Tradicionalmente, el sector bancario español estaba compuesto por tres tipos de entidades: bancos, cajas de ahorros y cooperativas de crédito. La crisis financiera hizo mella sobre todo en las cajas, transformándose algunas en bancos, mientras otras, consideradas inviables, fueron absorbidas por entidades sanas.

[2] Las oficinas, así como los servicios centrales, pueden ser alquiladas.

[3] El *lease-back* es un tipo de contrato financiero en virtud del cual una empresa vende a otra los activos de su titularidad (bienes muebles o inmuebles) por una cantidad pactada, al

En la cuenta de resultados, los ingresos reflejan tanto la venta de productos financieros como la prestación de servicios. En el caso de los costes, los más importantes son los financieros, seguidos de los gastos de explotación, entre los que destacan los gastos de personal que son sumamente relevantes por tratarse de una actividad de mano de obra intensiva.

Como en cualquier otro tipo de empresa, el análisis del balance, de la cuenta de resultados y del estado de origen y aplicación de fondos de una entidad bancaria es la base, tanto para evaluar la implementación de su plan estratégico como para compararla con sus competidores. Identificar la política de activo y la política de *funding,* así como los principales componentes de la rentabilidad económica, son aspectos de la gestión bancaria que interesan a un amplio grupo de profesionales: clientes, auditores, supervisores, accionistas, prestamistas y gestores de las propias entidades.

9.2. EL BALANCE DE LAS ENTIDADES DE DEPÓSITO

El activo total del sector es utilizado como un indicador de tamaño, y su variación depende de la estrategia de crecimiento que haya sido definida en función del comportamiento de la economía, de las perspectivas del sector y de las capacidades y recursos con que pueda contar. En períodos de expansión, el sector bancario suele crecer, mientras que en épocas de recesión o de desaceleración económica tiende a ralentizarse o, incluso, a reducir su balance.

Entre 1963 y 2012 podemos destacar años con crecimientos superiores al 20 % y, otros en los que las tasas fueron relativamente bajas, no llegando a los dos dígitos. En una primera etapa, 1969-1982, con la excepción del año 1978, el activo de los bancos creció de forma significativa, registrando tasas superiores al 20 %. Entre 1985 y 2007, el sector creció a tasas moderadas, excepto en dos ocasiones, 1993 y 2005, en las que se registraron elevados crecimientos sólo comparables con los de los años setenta.

La crisis financiera y los problemas de liquidez que la caracterizaron fueron responsables de la nacionalización de algunas entidades, provocando, igualmente, un parón del crecimiento del sector bancario, «agobiado» por un excesivo apalancamiento y dependencia del mercado mayorista (véase figura 9.1). La contracción de la actividad económica desde el cuarto trimestre de 2011, las tensiones de los mercados financieros en algunos momentos y el deterioro de las perspectivas de crecimiento en el Área del Euro y en el resto del mundo tuvieron su reflejo en el balance de la banca, que prácticamente se estancó en 2012, y registró una reducción del 8,2 % en el último año.

---

mismo tiempo que firma un contrato de *leasing* por el cual se compromete a pagar cuotas periódicas por el uso del bien; al término del contrato, puede optar por una de las siguientes alternativas: compra del bien, previo pago de su valor residual, prórroga del contrato o devolución del bien.

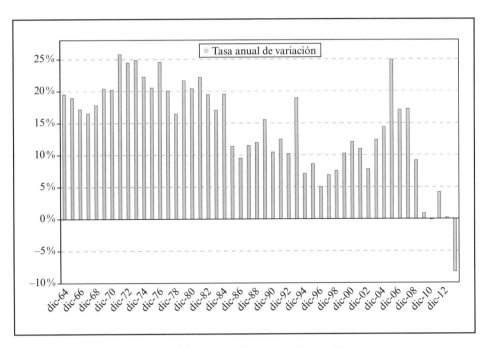

FUENTE: Boletín Estadístico del Banco de España y elaboración propia.

Figura 9.1. Tasa anual de crecimiento de las entidades de depósito (1963-2012).

En términos de análisis, el activo de las entidades de depósito refleja la inversión —a qué activos destinan sus recursos—, mientras el pasivo y los fondos propios representan la financiación —de dónde proceden los recursos—.

Según la figura 9.2, en el activo destaca, en 2012, con un peso del 60%, la cartera crediticia, que incluye los préstamos y créditos destinados tanto a particulares como a empresas. Ese porcentaje, si bien es elevado, dista bastante del 70% alcanzado en 2007.

El siguiente activo por importancia es la cartera de valores. Tanto la renta fija como la renta variable, pero sobre todo la primera, ganaron peso con respecto al total del activo a lo largo del período en análisis. En 2012, la suma de ambas carteras representaba un 21% del activo, mientras que en 2007 era de tan sólo el 15%. A efectos de su gestión y valoración, los activos financieros se clasifican en una de tres categorías: cartera de negociación, valorada a valor razonable con cambios en pérdidas y ganancias, activos financieros disponibles para la venta y cartera de inversión a vencimiento.

En el mismo período, la inversión en el sistema crediticio registró un descenso, pasando del 7,5%, en 2007, al 6,2%, en 2012, y el resto de los activos pasaron de un 6,7% a un 12,5%.

En definitiva, constatamos que la reducción del peso de la cartera crediticia fue compensada por un mayor protagonismo de la cartera de títulos y del resto de los ac-

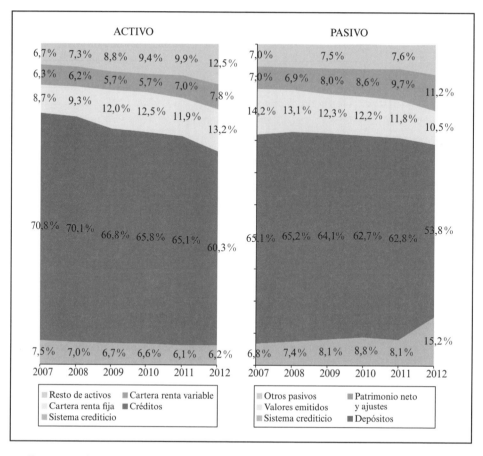

Fuente: Boletín Estadístico del Banco de España y elaboración propia.

Figura 9.2. La composición porcentual del balance de las entidades de depósitos (2007-2012).

tivos. Esta situación suscita algunas críticas basadas en el argumento de que la banca no está canalizando todos los recursos que podría hacia el sector real de la economía.

La crisis financiera es la principal responsable por la restricción de la oferta crediticia de la que tanto se quejan nuestras empresas, sobre todo las pymes, muy dependientes de la banca.

La importancia del crédito bancario para nuestra economía, con un 99,6 % de micro, pequeñas y medianas empresas, no sólo es necesario, sino indispensable para el crecimiento económico y la creación de empleo.

Un análisis retrospectivo de la evolución del saldo de la cartera crediticia evidencia elevados crecimientos a principio de los años noventa y entre 2005 y 2007. Desde entonces, la oferta de préstamos y créditos se contrajo, alcanzando, en diciembre de 2013, un nivel similar al de octubre de 2006 (véase figura 9.3). Entre 1990 y 2008, la tasa de variación anual fue siempre de dos dígitos, excepto en cuatro ocasiones. Ese crecimiento «excesivo» contrasta con la reducción de 11,7% registrada en 2013, que no tiene parangón con ninguna tasa de los últimos 50 años.

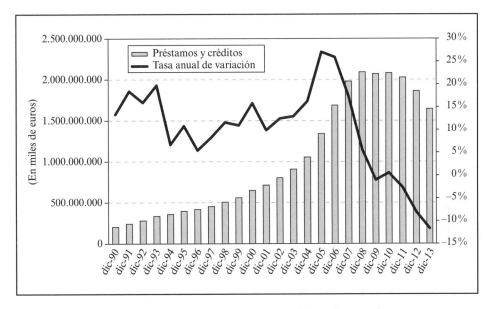

FUENTE: Boletín Estadístico del Banco de España y elaboración propia.

Figura 9.3. Evolución del saldo de los préstamos y créditos y de la tasa anual de variación (1990-2012).

En 2012, dentro del pasivo, los depósitos suponían un 53,8% del total de la financiación, seguidos de lejos por el sistema crediticio, el patrimonio neto, los valores emitidos y, finalmente, otros pasivos.

A pesar de ser la principal fuente de financiación bancaria, los depósitos perdieron parte de su protagonismo entre 2007 y 2012. En los primeros años de la crisis, interrumpieron su crecimiento y, a partir de 2011, surgieron los primeros retrocesos, que se acentuaron al año siguiente con una tasa anual de variación negativa y superior al 10% (véase figura 9.4).

Esta evolución estuvo íntimamente asociada a la menor capacidad de ahorro de las empresas no financieras y familias debido a la necesidad de desapalancamiento y al menor crecimiento de las rentas.

En el mismo período, constatamos una menor dependencia de la emisión de valores, que pasaron de representar un 14,2% a un 10,5% del activo total. La crisis de la deuda soberana y la consecuente dificultad de acceso a los mercados propiciaron un mayor recurso a la financiación del Banco Central Europeo y a operaciones de ampliación de capital.

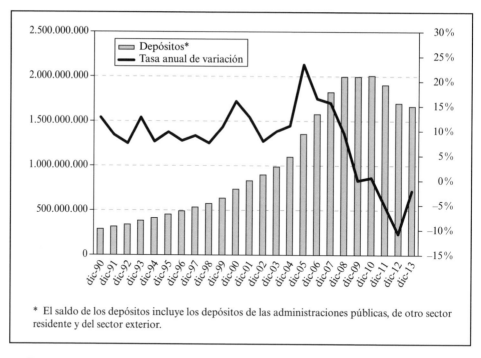

* El saldo de los depósitos incluye los depósitos de las administraciones públicas, de otro sector residente y del sector exterior.

FUENTE: Boletín Estadístico del Banco de España y elaboración propia.

Figura 9.4. Evolución del saldo de los depósitos y de la tasa anual de crecimiento (1990-2012).

En los últimos años, el Banco Central Europeo (BCE) ha actuado como fuente de liquidez de las entidades de crédito del Eurosistema, sobre todo en momentos cruciales como el de la crisis de la deuda soberana. Entre las medidas adoptadas, es de destacar el anuncio, por parte de Mario Draghi[4], el 8 de diciembre de 2011, de que ofrecería a los bancos de la Zona Euro financiación ilimitada a tres años a través de dos Operaciones Especiales de Financiación a Plazo Más Largo (OFPML) el 21 de diciembre de 2011 y el 29 de febrero de 2012. Al mismo tiempo, anunció que los bancos centrales del Eurosistema admitirían un conjunto de activos de garantía más amplio y rebajó a la mitad el coeficiente de reservas obligatorias a partir del 18 de enero de 2012. La banca española no desaprovechó esta oportunidad y, como se aprecia en la figura 9.5, el recurso a la financiación del BCE aumentó a partir de enero de 2012, alcanzando su máximo valor en agosto de ese mismo año. De hecho, en el período 2007-2012, el recurso a la financiación del sistema crediticio pasó de 6,8 % a 15,2 % del activo total (véase figura 9.2).

A pesar de las mayores facilidades de financiación, el recrudecimiento de las tensiones financieras en el área del euro unido a las dudas en torno a la economía espa-

---

[4] Fue nombrado Presidente del Banco Central Europeo en noviembre del 2011.

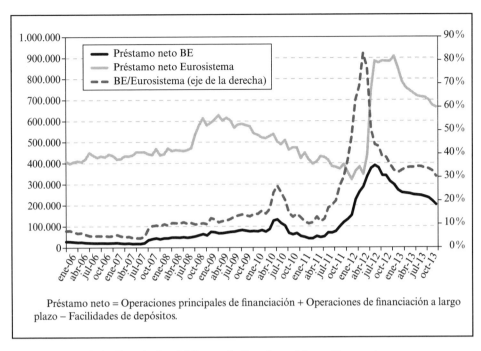

Préstamo neto = Operaciones principales de financiación + Operaciones de financiación a largo plazo − Facilidades de depósitos.

FUENTE: Boletín Económico del Banco de España y elaboración propia.

Figura 9.5. Evolución del recurso a la financiación del Banco Central Europeo (2006-2013).

ñola actuaron como catalizadores de la necesidad de recapitalización del sistema financiero y las autoridades españolas se vieron obligadas a solicitar asistencia financiera a la Unión Europea[5]. A raíz de esta petición, la Comisión Europea, en coordinación con el BCE, la Autoridad Bancaria Europea y el FMI, procedió a realizar una valoración independiente de la idoneidad de España, constituyendo lo que se ha venido en llamar «radiografía del sistema financiero español», lo que permitió recibir dicha asistencia cuyo resultado fue positivo.

El objetivo clave de la mencionada ayuda era restablecer y fortalecer la solidez de la banca española, lo que suponía determinar las necesidades de capital de cada banco mediante un análisis general de la calidad de sus activos y de una prueba de resistencia[6]. Como resultado de dicho ejercicio y de una valoración de los planes de recapitalización presentados por las entidades, los bancos españoles fueron clasificados en tres grupos:

---

[5] Las condiciones del rescate bancario están recogidas en el MOU *(Memorandum of Understanding),* firmado el 20 de julio de 2012. Véase apartado 3.6 del capítulo 3.

[6] La prueba de resistencia se aplicó a los 14 grupos bancarios que representaban el 90% del sistema bancario español.

i. El **Grupo 0** estaba formado por los bancos en los que no se detectó déficit de capital y no requerirían la adopción de ulteriores medidas (Banco Santander, BBVA, CaixaBank, Kutxa, Sabadell y Bankinter).

ii. El **Grupo 1** incluía los bancos que ya eran propiedad del Fondo de Reestructuración Ordenada Bancaria (FROB) (BFA/Bankia, Catalunya Caixa, NCG Banco y Banco de Valencia).

iii. El **Grupo 2** comprendía los bancos con déficit de capital, según la prueba de resistencia, que no podían afrontar dicho déficit de forma privada y sin ayuda estatal.

iv. Por último, el **Grupo 3** estaba integrado por los bancos con déficit de capital según la prueba de resistencia, que contaban con planes fiables de recapitalización y podían afrontar dicho déficit sin recurrir a la ayuda del Estado (Banco Popular).

La crisis financiera internacional y sus efectos en la liquidez y solvencia de algunas entidades fueron determinantes para que el sector bancario español se viera inmerso en un proceso de reestructuración y recapitalización destinado a mejorar la calidad de los activos y el posicionamiento de la banca ante los nuevos desafíos, marcados por la debilidad de la economía real y la creciente regulación, tanto en materia de provisiones como de necesidades adicionales de capital.

Es innegable el esfuerzo realizado por nuestros bancos en materia de solvencia. Prueba de ello, es el peso del patrimonio dentro del activo, que pasó del 7% en 2007 al 11,2% en 2012. Además, gracias al esfuerzo de reestructuración y ordenación protagonizado por nuestras entidades, España pudo cumplir con todas las condiciones que le habían sido impuestas, y, en enero de 2014, cerró formalmente la operación de rescate[7].

El peso de los préstamos y créditos en el activo y el de los depósitos en el pasivo caracterizan la estructura del balance de la banca y son un reflejo de su negocio básico, el denominado *bread and butter,* captación de depósitos y concesión de créditos. Sin embargo, a lo largo de los años, se han registrado importantes cambios que han supuesto un significativo desafío para el sector.

Entre 1980 y 1998, la inversión crediticia era inferior a la cartera de depósitos y el gap comercial de la banca presentaba un saldo negativo. En esas circunstancias, la liquidez no era un problema y el mercado interbancario funcionaba como fuente alternativa de inversión y financiación. A partir de 1999, el crecimiento de los créditos superó el de los depósitos de la clientela, generando una «brecha» que aumentaba año tras año, hasta alcanzar 372.542 millones de euros en diciembre de 2007 (véase figura 9.6).

---

[7] El rescate ascendió a 100.000 millones de euros, de los que se utilizaron 41.300 millones para recapitalizar varias entidades: las nacionalizadas (Bankia, Novagalicia Banco, Catalunya Banc y Banco de Valencia) y las no nacionalizadas Liberbank, Caja3, BMN y CEISS (la anterior Caja España-Duero).

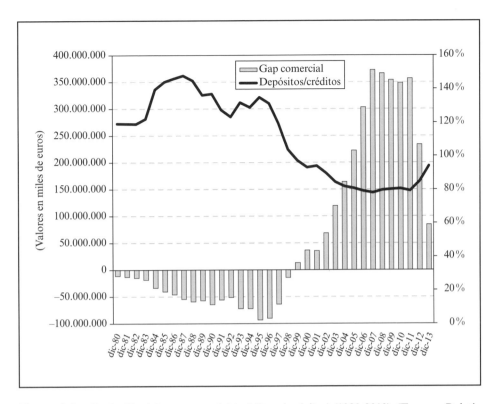

Figura 9.6. Evolución del gap comercial (créditos-depósitos) (1980-2013). (FUENTE: Boletín Estadístico del Banco de España y elaboración propia.)

Esta situación era el reflejo, por un lado, de la extraordinaria expansión de la financiación bancaria, que crecía a una tasa media anual de 17,8 %, y, por otro lado, de un crecimiento de los depósitos, que, siendo importante, era inferior al registrado por la inversión crediticia (excepto en 2001).

A su vez, el dinamismo de la oferta de crédito era impulsado por una coyuntura marcada por unos tipos de interés a la baja, después de la introducción del euro, unos criterios laxos en la concesión de crédito, unas favorables expectativas de rentabilidad y un fácil acceso a los mercados internacionales. De este modo, mientras el peso del crédito aumentaba en el activo, en el pasivo los depósitos perdían importancia debido a la caída del ahorro financiero neto y a la competencia de otros productos financieros alternativos, algunos de los cuales gozaban de un mejor tratamiento fiscal.

El desigual comportamiento de las dos partidas más importantes del balance —créditos y depósitos— contribuyó a que la banca utilizara en mayor medida la emisión de títulos, sobre todo de renta fija, y el mercado interbancario, aumentando así su dependencia hacia la financiación mayorista.

La crisis financiera[8] alteró el normal funcionamiento de los mercados, provocando una crisis de liquidez sin precedentes y obligando a los bancos a una mayor apelación a la financiación del BCE, como ya comentamos. Gradualmente, las entidades fueron ralentizando la actividad crediticia, al mismo tiempo que articulaban una captación agresiva de depósitos, lo que redundó en una reducción de la «brecha de financiación» hasta los 84.355 millones de euros, en diciembre de 2013, o sea, una reducción del 77,4% con respecto a su valor máximo.

9.2.1. La interrelación del activo rentable y el pasivo oneroso

La rentabilidad bancaria depende en gran medida del diferencial entre ingresos y costes financieros, que están condicionados, respectivamente, por la rentabilidad del activo y el coste del pasivo.

En aras de evaluar la capacidad de una entidad para generar resultados, es fundamental conocer su estructura de inversión/financiación. Con este enfoque, el análisis del balance y la reclasificación de sus principales partidas recobra importancia.

En el activo, distinguimos: el **activo rentable,** que genera ingresos financieros (inversión crediticia, cartera de valores y depósitos en otras entidades de crédito y en el Banco Central, en algunos casos), y el **activo no rentable,** que no contribuye al resultado, pero que integra las cuentas de periodificación y el inmovilizado (material e inmaterial) que aporta la infraestructura básica para desarrollar la actividad (edificios, oficinas, plataforma tecnológica, etc.).

En el pasivo destacamos el **pasivo oneroso,** representado principalmente por las deudas con clientes (cuentas corrientes, de ahorro y a plazo y cesiones temporales) y **otros pasivos onerosos** (empréstitos de obligaciones, emisiones de pagarés, cédulas hipotecarias, otros valores negociables, entidades de crédito, Banco Central, etc.). De este modo, los bancos captan recursos financieros con distinta procedencia:

1. De clientes particulares y empresas pequeñas y medianas (pymes), la llamada financiación minorista.
2. Del mercado, a través de la emisión de activos financieros.
3. Del mercado interbancario.

Independientemente de la fuente, todos estos recursos suponen costes que se trasladan a la cuenta de resultados, pero, al mismo tiempo, permiten financiar inversiones (sobre todo, la cartera crediticia) que generan ingresos.

---

[8] Como es bien conocido, la crisis financiera presentó sus primeros síntomas en agosto de 2007 con las hipotecas *subprime* y alcanzó su punto álgido con la quiebra del banco de inversión Lehman Brothers, en septiembre de 2008.

Finalmente, las entidades cuentan con un **pasivo no oneroso,** como son los recursos propios (capital, primas de emisión, reservas y ciertos híbridos que computan para el ratio de solvencia) cuyo coste no puede contabilizarse como gasto, como es el caso de los dividendos ordinarios y preferentes.

Esta clasificación permite comparar la inversión que las entidades destinan a activos rentables (inversión crediticia, cartera de valores, fondos públicos, interbancario, etcétera) con el volumen de financiación no onerosa (fundamentalmente, recursos propios y fondos de pensiones)[9]. Cuanto mayor sea la proporción del activo con rentabilidad y/o el porcentaje del pasivo no oneroso, mayor será la rentabilidad. Por consiguiente, la estructura de inversión/financiación será tanto más atractiva cuanto menor sea el ratio Pasivo oneroso/Activo rentable.

Un ejemplo puede aclarar los conceptos que acabamos de manejar. Supongamos que dos entidades, A y B, pueden invertir sus activos al 4 % anual y financiarse al 1,5 %. A pesar de que disfrutan de idénticas condiciones de inversión y financiación, sus balances presentan una diferente estructura:

Balance de A (valores en miles de millones de euros)				Balance de B (valores en miles de millones de euros)			
Activo		**Pasivo**		**Activo**		**Pasivo**	
A. rentable	93	P. oneroso	85	A. rentable	95	P. oneroso	90
A. no rentable	7	P. no oneroso	15	A. no rentable	5	P. no oneroso	10
	100		100		100		100

En estas condiciones, el margen de intereses en valor absoluto y como porcentaje del activo rentable sería, respectivamente, para cada banco el siguiente:

Entidad A: Margen de intereses = $(93 \cdot 0{,}04) - (85 \cdot 0{,}015) = 2{,}445$ mil millones de euros, o 2,63 % del activo rentable.

Entidad B: Margen de intereses = $(95 \cdot 0{,}04) - (90 \cdot 0{,}015) = 2{,}45$ mil millones de euros, o 2,58 % del activo rentable.

Como resultado de este sencillo análisis, podemos concluir que en igualdad de condiciones de mercado, la entidad A consigue un mayor margen de intereses por euro invertido. La explicación la encontramos en su estructura de financiación medida por el ratio: Pasivo oneroso/Activo rentable. En el caso de la entidad A, el ratio es del 91,4 %, y en el caso de la entidad B del 94,7 %. Cuanto menor es esta relación mayor será el porcentaje del activo rentable financiado por pasivo no oneroso y, consecuentemente, mayor será la rentabilidad.

---

[9] Considerar los recursos propios como financiación no onerosa no significa que no tengan coste, sino que no generan gastos financieros.

El ejemplo permite constatar que ambas entidades logran una rentabilidad por margen de intereses superior al *spread* que aplican de 2,5% (4% – 1,5%). Sin embargo, la entidad A es más rentable que la entidad B porque presenta una ventaja comparativa en términos de estructura de financiación.

En términos operativos, la entidad A puede ser más competitiva comercialmente que la entidad B. Un sencillo cálculo puede ilustrar la ventaja en precio de que A puede disfrutar.

Para obtener una rentabilidad por margen del 2,58% del activo rentable que tiene la entidad B, la entidad A debe generar un margen de intereses de 2,399 mil millones de euros, que puede lograr aplicando el activo al 3,95% o pagando al pasivo 1,55%. En otras palabras, puede competir en precio con la entidad B, tanto ofreciendo préstamos con tipos más bajos como pagando más por los depósitos:

Entidad A: Margen de intereses = (93 · Rentabilidad del activo) – (85 · 0,015) = 2,399 mil millones de euros:

Rentabilidad del activo = 3,95%

Entidad B: Margen de intereses = (93 · 0,04) – (85 · Coste del pasivo) = 2,399 mil millones de euros:

Coste del pasivo = 1,55%

En definitiva, en un mercado competitivo, la entidad que pueda financiar un mayor porcentaje del activo rentable con pasivo no oneroso puede ser más agresiva comercialmente aplicando un *spread* menor y manteniendo la misma rentabilidad que sus competidores.

9.3. ESTRUCTURA DE LA CUENTA DE RESULTADOS DE LAS ENTIDADES DE DEPÓSITOS

Si el balance de las entidades de depósitos presenta diferencias con respecto al de las sociedades no financieras, lo mismo sucede con la cuenta de resultados, cuya presentación debe seguir las recomendaciones del Banco de España para permitir comparaciones y análisis entre las distintas entidades.

En las tablas 9.1 y 9.2 se presenta, en cascada, la cuenta de resultados del sector bancario para los años 2011 y 2012, así como la variación registrada, tanto en valores absolutos como en porcentaje del activo total medio. Aunque la información en millones de euros es relevante para comparar magnitudes, los datos porcentuales son muy significativos porque permiten comparar los ingresos, los gastos, los márgenes y el resultado con el valor medio del balance. De esta forma, se facilita el análisis económico-financiero en la medida en que se estandarizan los valores, independientemente del tamaño de la entidad.

Las ventas de una sociedad no financiera corresponden a los productos financieros en una entidad de depósito. A partir de este estado financiero podemos comparar la capacidad para generar ingresos de nuestras entidades de depósitos con los costes que soportan. Si aquéllos son superiores a éstos, la actividad ha proporcionado un beneficio, si no, una pérdida.

TABLA 9.1

Cuenta de resultados (valores en millones de euros) (2011-2012)

Cuenta de resultados	2011	2012	Variación
Productos financieros	83.963	80.465	−3.498
Costes financieros	54.398	47.725	−6.673
Margen de intereses	29.565	32.740	3.175
Comisiones netas	11.750	11.275	−475
Rendimiento de instrumentos de capital	15.811	15.493	−318
Margen bruto	57.126	59.508	2.382
Gastos de explotación	28.464	26.951	−1.513
Dotaciones netas	1.805	6.422	4.617
Pérdidas por deterioro de activos financieros	22.668	82.547	59.879
Resultado de la actividad de explotación	4.189	−56.412	−60.601
Pérdidas por deterioro de otros activos	21.738	33.444	11.706
Otros resultados	113	2.724	2.611
Beneficio antes de impuestos	−17.436	−87.132	−69.696
Impuestos	−2.743	−13.441	−10.698
Dotaciones obras y fondos sociales	24	14	−10
Ganancia (o pérdida) neta del ejercicio	−14.717	−73.705	−58.988

FUENTE: Banco de España y elaboración propia.

La presentación de la cuenta de resultados de la banca sufre una nueva modificación, que consiste en incorporar al margen bruto los resultados de aseguradoras y sociedades participadas no financieras que consolidan por el método de puesta en equivalencia. Este cambio no modifica el resultado, pero sí el margen bruto, sobre todo el de las entidades con mayores participaciones industriales.

TABLA 9.2

Cuenta de resultados (valores en porcentajes sobre ATM*) (2011-2012)

Cuenta de resultados	2011	2012	Variación
Productos financieros	2,7%	2,4%	−0,2%
Costes financieros	1,7%	1,4%	−0,3%
Margen de intereses	0,9%	1,0%	0,1%
Comisiones netas	0,4%	0,3%	0,0%
Rendimiento de instrumentos de capital	0,5%	0,5%	0,0%
Margen bruto	1,8%	1,8%	0,0%
Gastos de explotación	0,9%	0,8%	−0,1%
Dotaciones netas	0,1%	0,2%	0,1%
Pérdidas por deterioro de activos financieros	0,7%	2,5%	1,8%
Resultado de la actividad de explotación	0,1%	−1,7%	−1,8%
Pérdidas por deterioro de otros activos	0,7%	1,0%	0,3%
Otros resultados	0,0%	0,1%	0,1%
Beneficio antes de impuestos	−0,6%	−2,6%	−2,1%
Impuestos	−0,1%	−0,4%	−0,3%
Dotaciones obras y fondos sociales	0,0%	0,0%	0,0%
Ganancia (o pérdida) neta del ejercicio	−0,5%	−2,2%	−1,8%

* Los ATM se calculan dividiendo entre trece el sumatorio de los activos totales a final de cada mes.

FUENTE: Banco de España y elaboración propia.

En términos de resultado neto, las entidades de depósito han registrado sucesivas bajadas de beneficios entre 2008 y 2010, a los que siguieron pérdidas históricas en 2011 y 2012 (véase figura 9.7). En el último ejercicio, la banca volvió a ganar dinero y las expectativas son positivas, admitiendo que el saneamiento del balance del sector ha terminado una vez completado el proceso de recapitalización y la venta de activos al SAREB[10].

Para comprender la volatilidad de los resultados bancarios de los últimos seis años es necesario comparar el margen de explotación con la necesidad de provisionar a la que se vio abocado el sector para hacer frente al deterioro de los activos financieros y al aumento de la morosidad debido a la recesión económica y al aumento del paro.

---

[10] SAREB, Sociedad de Gestión de Activos Procedentes de la Reestructuración Bancaria.

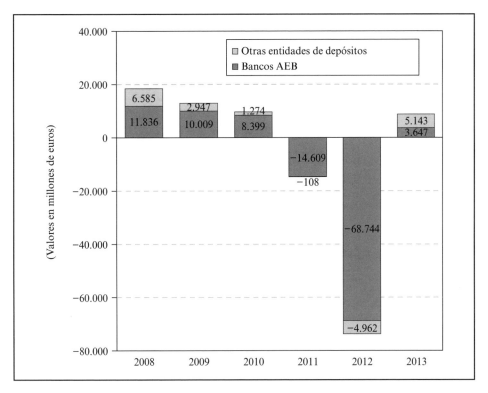

(FUENTE: AEB y Banco de España.)

Figura 9.7. Comportamiento del resultado neto de las entidades de depósitos (2008-2013).

Especialmente, los Reales Decretos Leyes de 2012 (RDL 2/2012 y RDL 18/2012) fueron muy exigentes, obligando al sector a provisionar cerca de 89.000 millones de euros en un momento en que el margen del negocio recurrente no superaba los 33.000 millones de euros (véase figura 9.8). Como consecuencia, las entidades de depósitos presentaron unas pérdidas significativas. En el último año, las menores necesidades de dotaciones y provisiones permitieron presentar beneficio a pesar de que el margen de explotación fue inferior al del año anterior (cerca de 29.000 millones de euros).

En definitiva, la rentabilidad del sector ha estado marcada por el estallido de la burbuja inmobiliaria y por la consecuente necesidad de sanear un balance con una elevada concentración en préstamos a los sectores más afectados por la crisis económica, construcción e inmobiliario. A esta situación se añadía un descenso de los márgenes de negocio, en particular del margen de intereses, presionado a la baja por el recorte del PIB, por la disminución del crédito y por un entorno financiero en el que predominaron los bajos tipos de interés.

La figura 9.9 evidencia una reducción de los distintos márgenes como porcentaje del activo total medio (ATM), aunque por razones distintas. Por ejemplo, el estrecha-

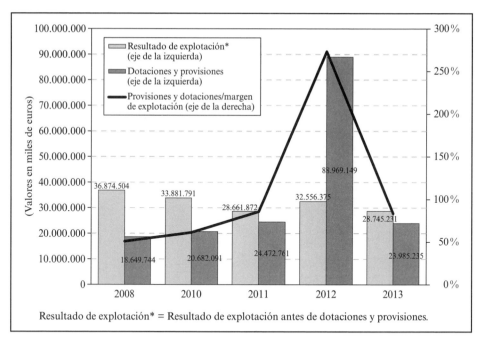

Fuente: Banco de España y elaboración propia.

Figura 9.8. Resultado de explotación y dotaciones y provisiones de las entidades de depósitos (2008-2013).

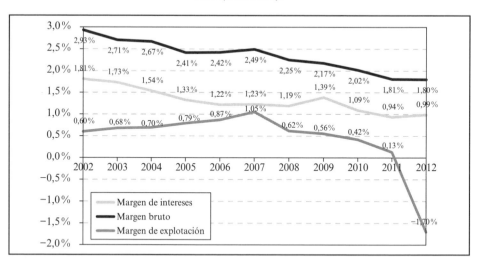

Fuente: Banco de España y elaboración propia.

Figura 9.9. Comportamiento de: margen de intereses, margen bruto y resultado de explotación como porcentaje del ATM (2002-2012).

miento del margen de intereses ha sido debido a los bajos tipos de interés y a la debilidad de la actividad económica. A su vez, en el caso del margen bruto, el descenso fue menos acusado, en algunos años, por el incremento de las comisiones y de los ingresos por operaciones financieras. Este comportamiento refleja una tendencia indiscutible del negocio bancario, que, progresivamente, ha desplazado su actividad de la tradicional intermediación financiera hacia la prestación de servicios, de ahí que la pérdida de peso del margen de intereses, del 61,7%, en 2012, hasta el 48,3%, en 2013, haya sido ocupada por el margen complementar, que subió del 38,3% hasta el 51,7% en el mismo período (véase figura 9.10).

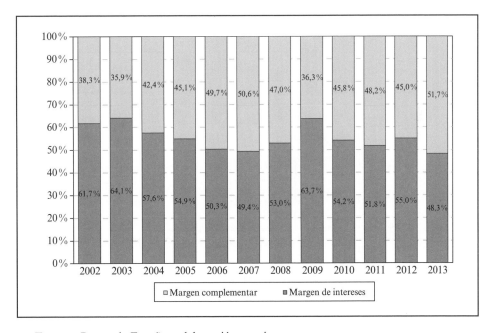

FUENTE: Banco de España y elaboración propia.

Figura 9.10. Importancia relativa del margen de intereses y del margen complementar (2002-2013).

En cuanto al resultado de explotación, la brusca caída registrada en 2012 fue debida al esfuerzo realizado por las entidades para cumplir con las exigencias de provisiones previstas en los dos Reales Decretos Leyes[11]. Además, los gastos de explotación siguieron subiendo hasta 2010 y la reducción registrada posteriormente no fue suficiente para impedir la bajada del resultado de explotación después de dotaciones y provisiones.

---

[11] RDL 2/2012 y RDL 18/2012, ya mencionados.

En un contexto de fuerte crecimiento de la financiación bancaria, las entidades de depósito españolas aumentaron sustancialmente su red de oficinas. En diez años, entre 1998 y 2008, el número de oficinas aumentó un 18,2 %, lo que contrastaba con la reducción observada en la UE. Si bien esa evolución puede ser entendida como una mejora en la calidad del servicio (cercanía al cliente), lo cierto es que constituye una importante fuente generadora de costes de explotación. En el momento en que la economía se empezó a resentir y la actividad a ralentizar, la necesidad de recortar gastos se convirtió en un objetivo prioritario. De hecho, en los últimos cinco años (2008-2013) se cerraron 12.135 oficinas más que las que se habían abierto en los veinte años anteriores (1988-2008) (véase figura 9.11).

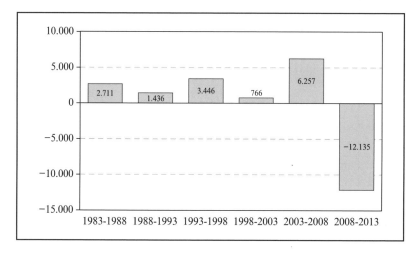

FUENTE: Banco de España y elaboración propia.

Figura 9.11. Variación en el número de oficinas de las entidades de depósitos (1983-2013).

Paralelamente al crecimiento de la red, se observó un aumento en el número de empleados que alcanzó su valor máximo en 2008. Desde entonces, la fuerza laboral sufrió un importante retroceso a través de ERE[12], despidos y jubilaciones (voluntarias e incentivadas), registrando un descenso del 21,4 % (véase figura 9.12).

Como resultado del proceso de racionalización de la red y ajuste de la plantilla, el número de empleados por oficina de nuestras entidades de depósito es, en media, de 6, el ratio más bajo de la UE (véase figura 9.13).

En términos de gastos de explotación, los más importantes después de los costes financieros, nuestras entidades de depósitos han realizado un importante esfuerzo de contención y después de reducción para contrarrestar el estrechamiento de los márgenes y el saneamiento de la cartera.

---

[12] ERE: expedientes de regulación de empleo.

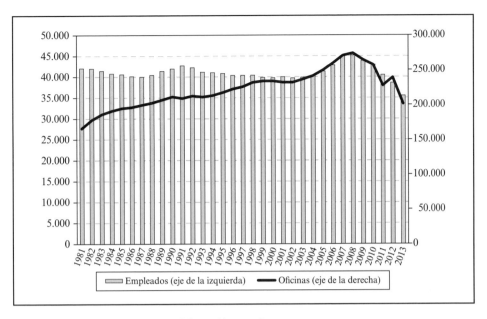

FUENTE: Banco de España y elaboración propia.

Figura 9.12. Evolución del número de empleados y de oficinas de las entidades de depósitos (1981-2013).

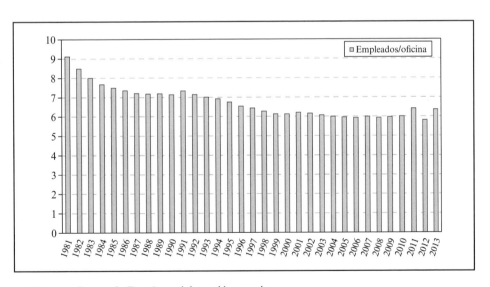

FUENTE: Banco de España y elaboración propia.

Figura 9.13. Evolución del ratio número de empleados por oficina de las entidades de depósitos (1981-2013).

La pérdida de rentabilidad que ha sufrido el sector exigió una reestructuración que se tradujo en una mayor concentración, fundamentalmente a través de la fusión de cajas de ahorros, en el cierre de oficinas y en el ajuste de la plantilla.

Si bien la eficiencia es un objetivo prioritario para la rentabilidad y la reducción de los gastos de explotación un medio para lograrla, no debemos olvidar el papel clave que desempeña la oficina en nuestro modelo de banca comercial. De hecho, es el origen de la relación con el cliente, determinante para fidelizarlo, y el punto de venta para el *cross-selling* de productos.

Cuando comparamos el ratio número de habitantes por oficina con el de otros países de nuestro entorno, puede parecer que nuestra red es excesiva. Sin embargo, en función de los ratios de productividad comercial, habitantes por empleado y negocio por empleado, nuestras oficinas están incluso por encima de las de otros países[13].

El cierre de oficinas reduce los gastos de explotación, y entre ellos los de personal. Sin embargo, como podemos comprobar en la figura 9.14, el peso de los gastos de personal con respecto a los gastos de explotación ha bajado desde el 67% en 1985 hasta el 56,4% en 2013. El desarrollo tecnológico y los nuevos sistemas de información no han sido ajenos a este comportamiento.

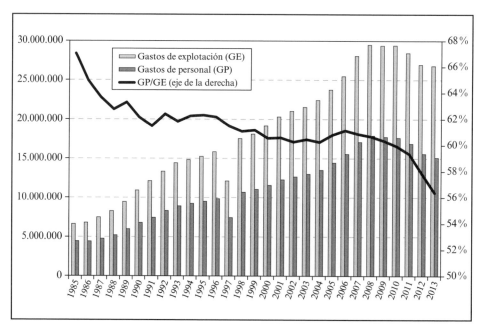

FUENTE: Banco de España y elaboración propia.

Figura 9.14. Evolución de los gastos de explotación y de los gastos de personal (1985-2013).

---

[13] Mateache, P., Rahnema, A. et al., (2012) «Las oficinas bancarias y el proceso de reestructuración en marcha», ATKearney-IESE.

9.4. LA CUENTA DE RESULTADOS DE LAS ENTIDADES DE DEPÓSITOS: UN MODELO DE ANÁLISIS ALTERNATIVO

Algunos autores proponen un análisis alternativo a la cuenta de resultados en cascada[14], que consiste en calcular el denominado margen operativo o *burden*. Según se puede desprender de la tabla 9.3, el *burden* es la parte de los costes no financieros (comisiones pagadas y gastos de explotación) que no son cubiertos por otros ingresos financieros (comisiones percibidas y resultados de operaciones financieras).

TABLA 9.3

Modelo alternativo de la cuenta de resultados

(1)	Productos financieros
(2)	Costes financieros
(3)	**Margen de intereses = (1) − (2)**
(4)	Otros ingresos financieros (comisiones + resultados financieros)
(5)	Otros gastos (gastos de explotación + dotaciones y pérdidas)
(6)	**Margen operativo o *burden* = (4) − (5)**

FUENTE: elaboración propia.

En los últimos años, la tendencia hacia una gradual y progresiva reducción del margen de intereses ha contribuido a que para un banco la diferencia entre tener beneficio o pérdida puede estar en su capacidad para generar comisiones y otros productos financieros y/o reducir los gastos de explotación. En tanto en cuanto estas medidas afectan directamente al denominado margen operativo o *burden,* se convierte en una variable crítica para la gestión bancaria.

Según este análisis, los bancos estarán en una posición tanto mejor cuanto mayor sea su margen de intereses y su margen operativo. Como la primera de estas dos variables depende de las condiciones del mercado y del nivel de competitividad del sector, los bancos más preparados para afrontar el actual entorno cambiante serán aquellos que tengan mayor capacidad para diversificar y/o reducir sus gastos de explotación.

Este tipo de análisis, además de diferenciar los distintos factores claves en la obtención del resultado, permite calcular el nivel de los productos financieros para el cual el margen de explotación después de dotaciones y provisiones es nulo. Este valor, conocido como «punto muerto», era para nuestras entidades de depósito, en 2011, de 77.969 millones de euros y de 130.455 millones de euros en 2012 (tabla 9.4). Este

---

[14] Graddy, D. B. y Spencer, A. H. (1990). *Managing Commercial Banks,* cap. 6, Prentice-Hall, Inc. Englewood Cliffs, Nueva Jersey.

aumento de los productos financieros necesarios para igualar los costes fue debido al deterioro del margen operativo a pesar de la favorable evolución de los costes financieros (reducción de 6.673 millones de euros). En 2012, la reducción de los gastos de explotación no fue suficiente para compensar el esfuerzo en dotaciones realizado por las entidades de depósito[15].

TABLA 9.4

Análisis del «punto muerto» de las entidades de depósitos
(valores en millones de euros)

	Análisis del punto muerto	2011	2012
(1)	Productos financieros	83.963	80.465
(2)	Costes financieros	54.398	47.725
(3)	**Margen de intereses**	**29.565**	**32.740**
(4)	Otros ingresos financieros (comisiones + resultados financieros)	27.561	26.768
(5)	Otros gastos (gastos de explotación + dotaciones y pérdidas)	51.132	109.498
(6)	**Margen operativo o *burden***	**−23.571**	**−82.730**
(7)	Punto muerto = (6) + (2)	77.969	130.455

FUENTE: elaboración propia.

9.5. EL ESTADO DE ORIGEN Y APLICACIÓN DE FONDOS DE LAS ENTIDADES DE DEPÓSITOS

El estado de origen y aplicación de fondos de las entidades de depósito permite conocer cómo se han financiado e invertido nuestras entidades en un determinado período. Los aumentos de las cuentas de pasivo y las reducciones de las cuentas de activo reflejan orígenes de fondos, mientras los aumentos de las cuentas de activo y las reducciones de las cuentas de pasivo indican el destino de los fondos.

En el ejercicio 2012, el sector se ha financiado básicamente con depósitos y recursos propios, al mismo tiempo que reducía su cartera de créditos liberando fondos. En cuanto a las inversiones, el principal destino ha sido la cartera de valores, básicamente deuda pública (véase figura 9.15). Este comportamiento de las entidades no ha

---

[15] El aumento de 52.486 millones de euros en el «punto muerto» corresponde a la diferencia entre el agravamiento del margen operativo y la reducción de los costes financieros, o sea: 59.159 millones de euros – 6.673 millones de euros.

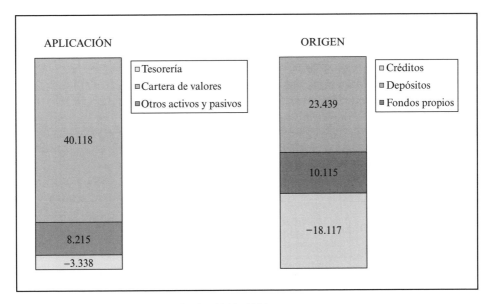

FUENTE: presentación de resultados 2012, AEB.

Figura 9.15. Origen y aplicación de fondos (2012) (valores en millones de euros).

contribuido a la financiación de la actividad empresarial, muy dependiente del crédito bancario y fundamental para apoyar la recuperación económica.

En España, con un tejido empresarial basado en la micro, pequeña y mediana empresa, el acceso al crédito bancario no sólo es necesario, sino indispensable para el crecimiento económico y la creación de empleo.

De forma recíproca, la falta de actividad y la revisión a la baja de las perspectivas macroeconómicas determinan una aversión al riesgo en las entidades financieras, actuando como un factor limitativo del crédito.

Es urgente que el crédito fluya, sobre todo para las pymes, que son el motor de nuestra economía. La figura 9.16 evidencia que en España, tal y como ocurre en Irlanda, la financiación del tejido empresarial es más dependiente de la banca que del mercado de capitales, lo que constituye un obstáculo para el crecimiento económico.

El análisis de los estados financieros, balance, cuenta de resultados y estado de origen y aplicación de fondos es básico para entender la base del modelo de negocio, detectar sus «fortalezas» y «debilidades» y definir estrategias que permitan aprovechar las oportunidades y prevenir las amenazas.

En definitiva, la fortaleza de una entidad de crédito se fundamenta en una estructura de inversión-financiación adecuada, unos márgenes de intermediación suficientes, unos costes ajustados y unos saneamientos realistas que permitan una generación de recursos recurrentes elevados y una capitalización adecuada.

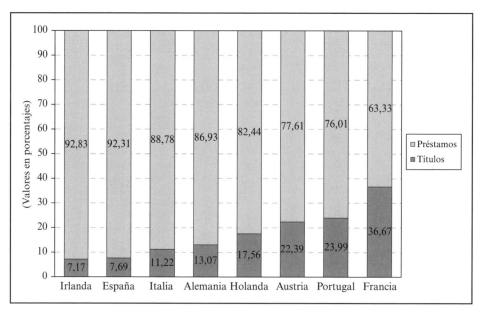

FUENTE: Global Financial Stability Report, abril de 2014, FMI, figura 1.34.

Figura 9.16. Estructura de la financiación empresarial por países (3.ᵉʳ trimestre de 2013).

9.6. COMPARACIÓN INTERNACIONAL DE ESTRUCTURAS DE BALANCE Y CUENTA DE RESULTADOS

El grado de desarrollo y el nivel de bancarización de las economías tiene su reflejo en la estructura del balance y de la cuenta de resultados de los bancos.

Las figuras 9.17 y 9.18 comparan, respectivamente, la estructura del activo y del pasivo de sectores bancarios de economías desarrolladas, tales como España, Portugal y Estados Unidos, y de economías emergentes en distintas áreas geográficas, como, por ejemplo, Angola y Brasil, donde destacan los créditos y los depósitos, pero con una importancia relativa que merece una valoración.

En Brasil y Angola, los créditos tienen un peso relativamente menor que en Portugal, España o Estados Unidos, mientras las inversiones en liquidez son porcentualmente más significativas. Esta política de activos es propia de economías en que el negocio bancario está en crecimiento y las alternativas de inversión son limitadas.

En lo que se refiere a la financiación, la banca de las economías emergentes se caracteriza por una mayor dependencia de los depósitos que las economías desarrolladas. Sin embargo, en este aspecto, la banca estadounidense constituye la excepción que confirma la regla. A pesar del desarrollo de su sistema financiero, las entidades de depósito presentan una estructura de *funding* similar a la de los países emergentes: elevada dependencia del ahorro captado vía depósitos.

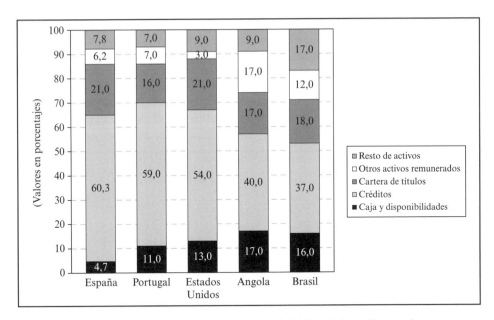

FUENTE: «Banca em Análise», Deloitte, octubre de 2013 y elaboración propia.

Figura 9.17. Estructura de activo: un análisis de *benchmarking* (datos a 31 de diciembre de 2012).

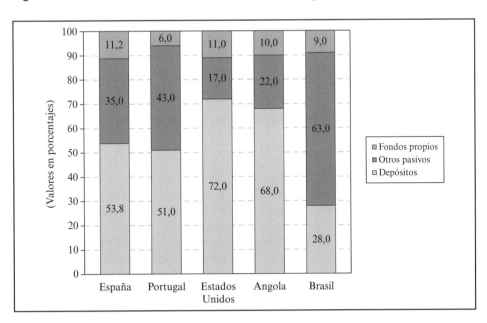

FUENTE: «Banca em Análise», Deloitte, octubre de 2013 y elaboración propia.

Figura 9.18. Estructura de pasivo: un análisis de *benchmarking* (datos a 31 de diciembre de 2012).

Los aspectos antes mencionados son propios de una estructura de inversión/financiación de las economías emergentes compatible con un ratio de transformación (créditos/depósitos) inferior a 100%. Por el contrario, las economías desarrolladas han convivido con valores del ratio cercanos, o hasta superiores, al 200%. De hecho, el problema de liquidez que irrumpió con la crisis financiera de 2008 fue más virulento para las economías que habían apalancado su crecimiento en la financiación mayorista, olvidándose que los depósitos son el recurso más estable.

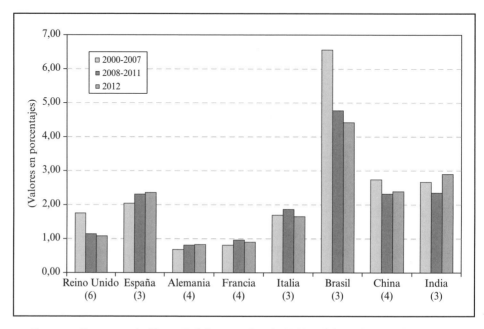

FUENTE: «Banca em Análise», Deloitte, octubre de 2013 y elaboración propia.

Figura 9.19. Evolución de la rentabilidad del margen de intereses en función del ATM: un análisis de *benchmarking* (datos a 31 de diciembre de 2012).

En lo que se refiere a la estructura de la cuenta de resultados, las diferencias entre la banca de las economías desarrolladas y la de las economías emergentes también es importante.

Siendo el margen de intereses determinante para la rentabilidad bancaria, nuestro análisis de *benchmarking* se ha focalizado en su evolución a lo largo de tres períodos: 2000-2007, 2008-2011 y 2012 (figura 9.19). A pesar de no disponer de información para un gran número de entidades en cada país, lo que puede sesgar las conclusiones, el margen de intereses con respecto a los ATM es mayor en las economías emergentes que en las desarrolladas. Brasil destaca entre los demás países, aunque revelando una tendencia a la baja, mientras China e India disfrutan de confortables márgenes que, unidos a un fuerte crecimiento de los préstamos, generaron notables aumentos de los beneficios.

224

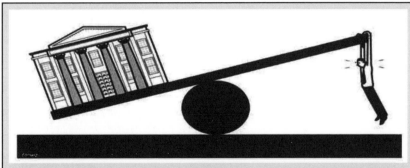

El crédito bancario: una asignatura pendiente

EN PRIMER PLANO

Altina Sebastián González

En España, con un tejido empresarial basado en la micro, pequeña y mediana empresa, el acceso al crédito bancario no sólo es necesario, sino que indispensable para el crecimiento económico y la creación de empleo. Sin embargo, a finales del año 2012, el saldo del crédito concedido al sector residente por las entidades de depósito era inferior al de marzo de 2007 y no superaba los 1,5 billones de euros. Este dato genera pesimismo y preocupación porque, si el crédito no fluye, las empresas no invierten, no crecen, no contratan y, algunas, no superan las tensiones de liquidez, entrando en concurso de acreedores o, peor todavía, en situación de quiebra.

Si, además, constatamos que nuestra economía no crece y que la tasa de paro supera ya el 27% de la población activa, el problema a que nos enfrentamos exige una solución más temprano que tarde.

Desde el inicio de la crisis financiera, la banca española ha venido reduciendo la financiación al sector productivo, con el consecuente impacto negativo en el sector real que es el que, verdaderamente, puede crear empleo. Los demás países de la eurozona pasaron por una situación similar entre 2008-2010, pero algunos de ellos ya empiezan a registrar tasas de crecimiento positivas. Otros, como Italia y Portugal, siguen con una política restrictiva de concesión de créditos. Por ejemplo, desde mayo del pasado año, los préstamos de la banca italiana destinados a las empresas han registrado tasas de crecimiento negativas. El último dato disponible se refiere al pasado mes de abril y arroja una reducción del orden del 3,7% en términos interanuales.

Las situaciones de reducción de la oferta de crédito no son desconocidas para la teoría económica que, como medida paliativa, propone la bajada de tipos de interés. De hecho, tanto el Banco Central Europeo (BCE), como la Reserva Federal han utilizado este mecanismo en diversas ocasiones. Por ejemplo, en 2003 el BCE bajó el tipo de interés en 50 puntos básicos y las empresas se beneficiaron de dicha bajada, obteniendo el crédito más barato. Posteriormente, entre 2005-2007 subió los tipos de interés del 2% al 4% y el coste de financiación empresarial aumentó del 4% al 6%.

> **El BCE debería inspirarse en el FLS que utiliza el Banco de Inglaterra desde julio de 2012**

Sin efecto

Desde 2008, debido a las señales de debilidad económica de la eurozona y a la crisis de la deuda soberana, el BCE volvió a la política expansionista, reduciendo el tipo de interés desde el 4,25% hasta el actual 0,5%. En esta ocasión, al contrario de lo esperado, el efecto pretendido no se ha verificado. A pesar de la bajada de los tipos, las empresas no disponen de más crédito, ni más barato.

El por qué los bancos no dan más préstamos y a tasas más bajas, atendiendo al tono acomodaticio de la política monetaria única, ha dado lugar a dos tipos de explicaciones: los que basan su argumento en las restricciones de la oferta de crédito y los que se apoyan en la falta de demanda. Por un lado, en los años anteriores a la crisis, los bancos de la eurozona concedieron 140 euros de créditos por cada 100 euros de depósitos captados. Por consiguiente, el ejercicio de su función de intermediación les generaba un *gap* de 40 euros, que financiaban en los mercados mayoristas. Con la crisis financiera, las restricciones de liquidez dificultaron y encarecieron la refinanciación de la banca. En un afán de compensar el endurecimiento de sus condiciones de acceso a nuevos recursos, los bancos endurecieron los criterios de concesión de nuevos préstamos y trasladaron a los clientes el aumento de su coste de financiación. O sea, pasaron a dar menos crédito y más caro.

La crisis de la deuda soberana, en la segunda mitad de 2011 y parte de 2012, afectó negativamente a la prima de riesgo y, como consecuencia, a las tasas de los préstamos. Por ejemplo, en España e Italia las empresas que necesitan crédito y que logran obtenerlo pagan tipos de interés que con creces exceden el 0,5% oficial del BCE.

Por otro lado, hay quien argumenta que el actual nivel de la oferta de crédito se debe a la falta de demanda y, esencialmente, de demanda solvente. De hecho, gran parte de las empresas presentan balances débiles, sobreendeudamiento y baja capacidad de generación de caja, no reuniendo las condiciones de potencial prestatario. A su vez, aquellas que podrían conseguir financiación no manifiestan interés en invertir debido a la contracción de la demanda interna y al elevado nivel de incertidumbre que se ha instalado, sobre todo en las economías periféricas de la eurozona.

Lo paradójico del momento que vivimos es que no deja satisfecho ni a los que necesitan el crédito ni a los que lo conceden. Particulares y empresas critican la restricción y coste del crédito bancario, que no financia ni estimula el crecimiento económico. Los bancos se quejan de la pérdida de rentabilidad y de las mayores exigencias de capital. La reducción de la cartera de crédito merma su principal fuente de ingresos y la necesidad de aumentar las dotaciones a provisiones debido al agravamiento de la morosidad penaliza la cuenta de resultados y, por ende, los recursos propios, que son, cada vez, más escasos y caros.

Independientemente de la causa, lo importante es la solución, y a corto plazo pasa por reactivar la concesión del crédito bancario a precios moderados. El BCE puede utilizar como modelo de inspiración el mecanismo que, desde julio de 2012, utiliza con éxito el Banco de Inglaterra, el llamado *Funding for Lending Scheme*. Es cierto que, en la época de expansión, los bancos cometieron excesos, pero debemos evitar que los "pecados" del pasado sean absueltos por una "penitencia" de (re)regulación.

Doctora en Negocios y Dirección de Empresas
Socia de Diagnóstico & Soluciones

Figura 9.20

CONCEPTOS CLAVE

- Activo rentable.
- *Burden*.
- Donaciones.
- Margen bruto.

- Margen explotación.
- Margen de intereses.
- Pasivo oneroso.

BIBLIOGRAFÍA

Annual Report (2013). «The road to a more resilient banking sector», Chapter V, Bank of International Settlements, n.º 83.

Banco de España (2008). «Evolución de la brecha crédito-depósitos y de su financiación durante la década actual», *Boletín Económico,* diciembre, pp. 60-68, Banco de España.

Boletín estadístico (varios números), Banco de España.

Graddy, D. y Spencer, A. (1990). «Managing Commercial Banks», Englewood Ciffs, Prentice-Hall, Inc. Nueva Jersey.

Mateache, P., Rahnema, A. et al., (2012). *Las oficinas bancarias y el proceso de reestructuración en marcha,* ATKearney-IESE.

Nieto, F. (2007). *The determinants of household credit in Spain,* Documento de Trabajo, (24.ª ed.), Ariel, Barcelona.

Parejo, J. A., Rodríguez Sáiz, L., st. Al. (2012). *Manual del sistema financiero español* (24.ª ed.), Ariel, Barcelona.

Sebastián, A. «El crédito bancario: una asignatura pendiente», *Expansión,* En Primer Plano, 10 de julio de 2013, p. 45.

10

Principales ratios y medidas de *performance*

10.1. INTRODUCCIÓN

En el actual contexto, caracterizado por una regulación exigente, una rentabilidad reducida, un uso creciente de canales de distribución alternativos, un nivel bajo de tipos de interés, una morosidad al alza y una demanda deprimida, contar con una información relevante y un *reporting* apropiado supone una ventaja competitiva.

Periódicamente, las entidades financieras presentan al mercado información económico-financiera bajo la forma de indicadores claves para dar a conocer su situación y posicionamiento en el sector.

Los *analistas financieros* siguen de cerca las presentaciones e informes publicados por los bancos cotizados para elaborar sus recomendaciones de compra, venta o mantenimiento de la acción. Para las *empresas de rating,* la información financiera constituye un elemento relevante para emitir la calificación crediticia. A su vez, los *accionistas, obligacionistas* y *depositantes* que han invertido sus ahorros en una entidad bancaria se interesan por la gestión de la misma, siguiendo la evolución de su comportamiento a lo largo del tiempo y con respecto a otras instituciones de idéntico tamaño, negocio y cobertura geográfica[1].

Los *Consejos de Administración,* como órganos de gobierno responsables por la definición de la estrategia corporativa, utilizan algunos ratios como objetivos a alcanzar. Su implementación exige que ejecutivos y demás empleados tomen sus decisiones orientadas por criterios basados en magnitudes calculadas a partir del balance y de la cuenta de resultados. A título de ejemplo, la figura 10.1 presenta los indicadores financieros que BNP Paribas tiene fijados dentro de su plan financiero estratégico 2014-2016.

Finalmente, las *autoridades supervisoras* desarrollan su función de promover el buen funcionamiento y la estabilidad del sistema financiero, garantizando la solvencia

---

[1] El conjunto de entidades que se utilizan para hacer el *benchmarking* en el análisis de la *performance* de un banco constituyen el denominado *peer group*.

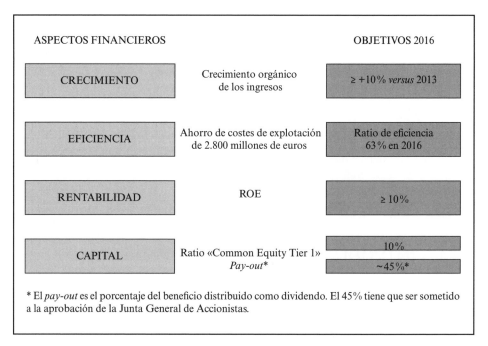

FUENTE: 2014-2016 Business Development Plan, BNP Paribas Investor day, París, 24 de marzo de 2014.

Figura 10.1. Los objetivos estratégicos de BNP Paribas 2014-2016.

de las entidades y el cumplimiento de la normativa que evite la posible quiebra de una entidad[2].

La importancia y utilidad de la información financiera es incuestionable y su preparación obedece a normas que son cada vez más sofisticadas y complejas para dar respuesta a los requisitos de transparencia que exigen los mercados de valores.

Mientras en el capítulo anterior nos dedicamos a analizar los estados financieros del sector bancario, en el presente capítulo vamos centrarnos en su interpretación a partir del análisis de ratios a lo largo del tiempo y con respecto a otras entidades y otros países. Por un lado, disponer de datos para un determinado horizonte temporal puede permitir distinguir las desviaciones de tipo coyuntural de las causadas por ineficiencias de la gestión y problemas de naturaleza estructural. Por otro lado, el comparar ciertos indicadores con los del sector o con los de un grupo de referencia, *peer*

---

[2] En España, todas las entidades autorizadas tienen la obligación de estar adheridas al Fondo de Garantía de Depósitos, que sirve para que, en caso de quiebra de la entidad u otro problema que le impida hacer frente a sus pagos y obligaciones, los depositantes o inversores puedan recuperar su dinero, hasta un límite de 100.000 euros por depositante y cuenta en cada entidad.

group, puede señalar la existencia de potenciales problemas y la necesidad de detectar sus causas.

10.2. LOS RATIOS: SU UTILIZACIÓN EN EL DIAGNÓSTICO Y ANÁLISIS DE LA *PERFORMANCE*

La interpretación de los estados financieros de cualquier entidad empieza con el análisis de ratios para evaluar aspectos de la gestión como la liquidez, la eficiencia, la calidad del crédito, la solvencia y la rentabilidad.

Un ratio es un cociente entre cuentas del balance, de la cuenta de resultados o de ambos. Su valor depende del numerador y del denominador y cambiará cuando por lo menos uno de ellos cambie. Para que tengan significado, tienen que ser calculados de forma consistente y comparados con valores de referencia *(benchmark)*.

Hay varias reglas que se aplican para calcular un ratio. En cuanto a la *primera regla,* no podemos olvidarnos de que el balance recoge el saldo de las distintas cuentas en un momento dado *(stocks),* mientras la cuenta de resultados se refiere a los flujos de ingresos y gastos durante un determinado período. De este modo, al relacionar valores de la cuenta de resultados con valores del balance, debemos trabajar con el promedio de los valores del balance para evitar relacionar un stock con un flujo. Por ejemplo, el ROE de la banca para el año 2014 se obtiene dividiendo el beneficio neto del año entre la media aritmética de los recursos propios de los 12 meses del año.

La *segunda regla* es que un ratio sólo es significativo cuando se compare con otros referidos a momentos diferentes para identificar una posible tendencia. Igualmente importante suele ser discernir si los cambios en el ratio son determinados por factores relacionados con el numerador o con el denominador.

La *tercera regla* aconseja comparar los ratios de una entidad con los de un grupo de control para evaluar la *performance* de la entidad con la media de un conjunto de entidades que deben cumplir unas ciertas condiciones: tamaño aproximado, operar en la misma zona geográfica, ofrecer los mismos productos y seguir una misma estrategia.

Finalmente, los ratios, al estar basados en datos contables, dependen de la fiabilidad de éstos. Si la entidad manipula los estados financieros, cualquier análisis que se haga no reflejará la situación real.

10.2.1. Ratios de liquidez

Los bancos deben disponer en todo el momento de los fondos necesarios para cumplir con sus obligaciones, tales como:

— Mantener las reservas mínimas impuestas por el Banco Central.
— Satisfacer la retirada de depósitos.
— Financiar la demanda de préstamos.

En otras palabras, entendemos que los bancos están obligados a mantener un cierto nivel de activos líquidos (reservas legales) y, además, necesitan liquidez para hacer frente a variaciones en su cartera, tanto de préstamos como de depósitos[3].

La dificultad en este tema está en determinar las medidas de liquidez más adecuadas dado el carácter dinámico del concepto. En la práctica, se suelen manejar conjuntamente dos enfoques. Por un lado, se utilizan algunos ratios con sus limitaciones y se estiman las necesidades de liquidez comparando el nivel de activos líquidos con el denominado gap de financiación, o sea, la diferencia entre el valor medio de las carteras de préstamos y de depósitos. Por otro lado, se evalúan las necesidades de liquidez como un problema de flujo de fondos y se elabora un mapa de orígenes y aplicaciones por plazos.

En este capítulo, vamos limitarnos a analizar los ratios más utilizados para medir la liquidez de una entidad o de todo el sector:

1. $\text{Ratio de reservas primarias} = \dfrac{\text{Caja y depósitos en bancos centrales}}{\text{Activo total}}$

2. $\text{Ratio de reservas secundarias} = \dfrac{\text{Cartera de títulos}}{\text{Activo total}}$

3. $\text{Ratio de transfomación} = \dfrac{\text{Créditos}}{\text{Depósitos}}$

En un análisis, podemos recurrir a uno o a los tres anteriores ratios. En el caso de los dos primeros, un mayor valor es indicativo de una mayor liquidez en la medida en que comparamos activos líquidos o títulos negociados en mercados secundarios con el total de los activos.

En el caso del ratio de transformación (3), que mide la capacidad de un banco de convertir depósitos en créditos, un valor más elevado es sinónimo de una menor liquidez porque se está comparando un pasivo altamente exigible con un activo poco líquido como son los préstamos[4].

En un análisis por países, Grecia se diferencia por tener el mayor ratio. Lo que es lo mismo, menos liquidez, mientras los sectores bancarios de Suecia y Estados Unidos se proclaman como los más líquidos (véase figura 10.2).

Como ya hemos referido en otras partes del libro, la crisis financiera fue desencadenada por las hipotecas *subprime,* pero tuvo su origen en un crecimiento rápido del crédito apoyado por la financiación mayorista. Como resultado, el ratio de transformación aumentó y los problemas surgieron cuando los bancos necesitaron renegociar los préstamos que habían contraído y el mercado no estaba dispuesto a hacerlo. La reacción del regulador no se hizo esperar, sobre todo en aquellos países que más se habían apalancado, y exigió una reducción del ratio, lo que puso un freno en la

---

[3] Los pánicos financieros que han llevado a la retirada masiva e inesperada de depósitos han sido la causa de algunas de las más sonadas crisis bancarias (por ejemplo, Northern Rock).

[4] Los préstamos pueden convertirse en activos líquidos a través de la titulización. Sin embargo, ese proceso no es inmediato.

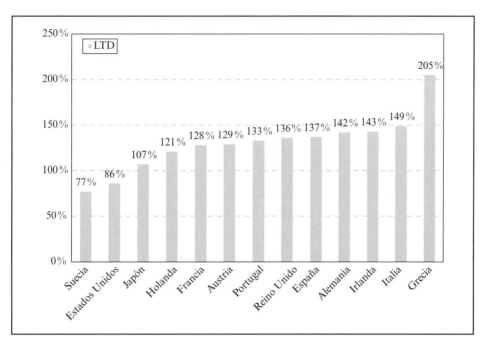

FUENTE: Global Financial Stability Report, FMI, abril 2013.

Figura 10.2. Ratio Créditos/depósitos (LTD) para distintos países (1.er trimestre de 2013).

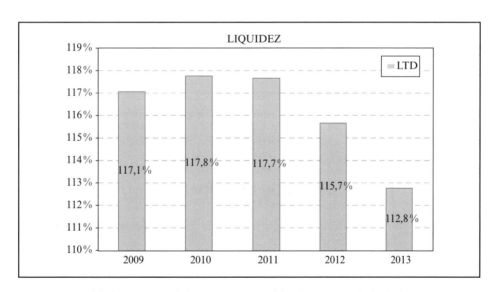

FUENTE: Risk Assessment of the European Banking System, EBA, junio 2014.

Figura 10.3. El ratio Créditos/depósitos (LTD) Zona Euro.

concesión de crédito y desató una guerra por los depósitos con el correspondiente aumento de los tipos de interés (figura 10.3).

En la Zona Euro, en los últimos cuatro años, el ratio créditos-depósitos presentó en media una reducción de 4,3 puntos porcentuales. Simultáneamente, y como consecuencia de una agresiva política comercial de pasivo, el peso de los depósitos dentro del total de las fuentes de financiación ajenas aumentó 7,1 puntos porcentuales (véase figura 10.4).

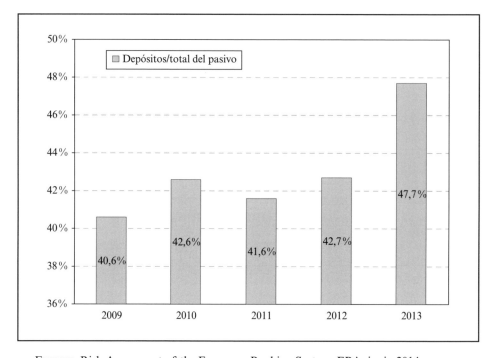

FUENTE: Risk Assessment of the European Banking System, EBA, junio 2014.

Figura 10.4. El ratio Depósitos/total del pasivo Zona Euro.

10.2.2. Ratio de eficiencia

El ratio de eficiencia es uno de los indicadores bancarios más importantes. Se calcula relacionando los gastos de explotación con el margen bruto. En otras palabras, refleja los gastos no financieros que una entidad tiene que asumir por cada 100 euros de margen que genera el negocio de intermediación y de prestación de servicios financieros. Cuanto menor sea su valor, más eficiente es el banco y, generalmente, el ratio es inferior a 1. Si así no fuera, el margen de explotación sería negativo y el banco registraría una pérdida en el desarrollo de su actividad recurrente:

$$\text{Ratio de eficiencia} = \frac{\text{Gastos de explotación}}{\text{Margen bruto}}$$

En 2013, las entidades de depósito en España presentaron un ratio de eficiencia del 48,2%, algo superior al del año anterior, pero inferior a los valores registrados entre 1992 y 2005, período en que llegó a superar el 60%.

Las variaciones registradas por el ratio se explican tanto por la reducción del numerador como por las variaciones del denominador. Sobre todo debido a la volatilidad de los tipos de interés y al creciente grado de la competencia, el estrechamiento del margen de intereses neutralizó, en algunos años, el efecto de la reducción de los gastos de explotación.

Alternativamente, se puede medir la eficiencia bancaria relacionando los gastos de explotación y el activo total medio. Como se refleja en la figura 10.5, nuestras entidades de depósito han realizado un evidente esfuerzo para mejorar su eficiencia a lo largo de los años. Prueba de ello es que mientras en 1992 los gastos de explotación absorbían más de un 3% de la inversión en el activo, en los años recientes ese porcentaje está alrededor del 1%.

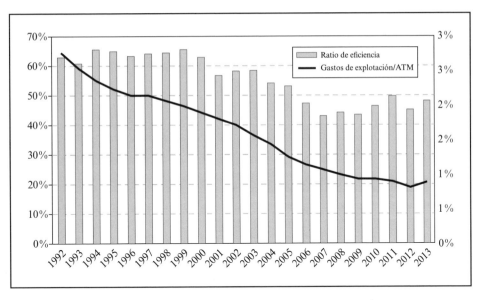

FUENTE: Boletín Estadístico del Banco de España y elaboración propia.

Figura 10.5. Evolución del ratio de eficiencia *cost-income ratio* (1992-2013).

En términos globales, a lo largo del período analizado, el sector bancario español ha mejorado su eficiencia en la medida en que la innovación tecnológica permitió liberar recursos humanos de las tareas de *back-office*. Sin embargo, la tendencia del *cost-income ratio* ha sido más irregular que la del ratio, que relaciona los gastos de explotación con el activo total medio. La explicación reside en el comportamiento del margen bruto.

En un análisis de *benchmarking* con los demás países de la Unión Europea (UE) que hacen parte del grupo de los 15, España ocupaba, en 2013, el segundo lugar por eficiencia después de Luxemburgo, subiendo un puesto con respecto al lugar que ocupaba en 2007. En el otro lado del espectro encontramos a Austria como el país con el sector bancario menos eficiente, mientras que antes de la crisis financiera ocupaba el noveno lugar.

Con la crisis financiera, el sector bancario de los 15 perdió eficiencia. En 2007, los valores del ratio variaban entre 40,1 % y 76,7 %; sin embargo, en 2013, esos mismos valores iban desde 50,7 % hasta 77,4 %. Mientras, el valor máximo sufrió poca variación y el valor mínimo aumentó más de 10 puntos porcentuales. Todos los países, con la excepción de Luxemburgo, Suecia, Italia y Holanda, presentaron, en 2007, ratios inferiores a los registrados en 2013 (véase la figura 10.6).

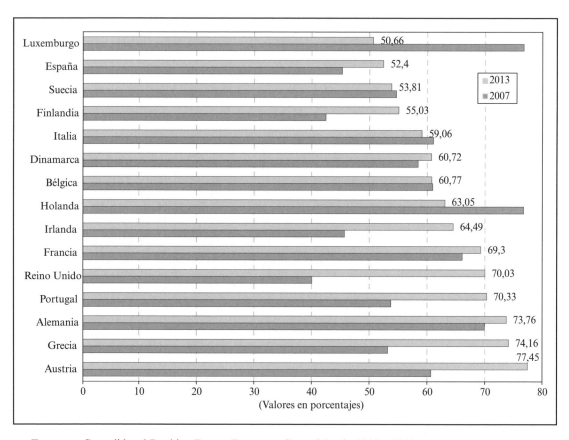

FUENTE: «Consolidated Banking Data», European Central Bank, 2008 y 2013.

Figura 10.6. Ratio de eficiencia de los 15 países de la UE, 2008 y 2013.

Esta misma evidencia es confirmada por la Autoridad Bancaria Europea *(European Banking Authority, EBA)* utilizando una muestra de bancos europeos y constatando que la eficiencia de la banca europea se deterioró 6,8 puntos porcentuales en los últimos cuatro años, pasando del 55,2% en 2009 al 63,3% en 2013 (figura 10.7).

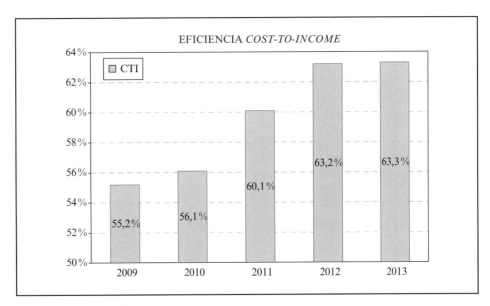

FUENTE: Risk Assessment of the European Banking System, EBA, junio 2014.

Figura 10.7. Evolución del ratio de eficiencia (2009-2013).

10.2.3. Calidad del crédito

La canalización del crédito hacia el sector real de la economía es una de las funciones básicas de la banca. Sin embargo, su volumen depende del ciclo económico y de la fortaleza del balance, tanto de las empresas no financieras como de los propios bancos.

En la Zona Euro, más en algunos países que en otros, subsisten los efectos de la crisis financiera plasmados tanto en una menor oferta crediticia como en una débil demanda por parte del tejido empresarial. De hecho, el activo bancario de la zona registró, desde mayo de 2012, una reducción del 11% en los países bajo estrés[5], y del 13,3% en los restantes (véase la figura 10.8). Este comportamiento contribuyó de forma decisiva para el desapalancamiento del sector, que en la época de expansión había crecido a tasas de dos dígitos, apoyándose en la financiación mayorista que

---

[5] Los países de la Zona Euro bajo estrés incluyen Chipre, Grecia, Italia, Portugal, España y Eslovenia.

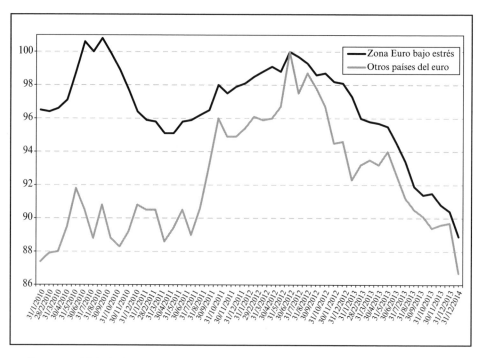

FUENTE: «Global Financial Stability Report», FMI, abril 2014, capítulo 1, figura 1.30.

Figura 10.8.   Activo del sector bancario de la Zona Euro (mayo 2012 = 100).

destaca por su menor estabilidad y mayor sensibilidad a los tipos de interés de mercado.

Un análisis por países distingue situaciones bien distintas: por un lado, Estados Unidos y Japón presentaron tasas de crecimiento del crédito francamente positivas, Francia y Holanda crecieron muy poco, y los restantes países exhibieron tasas negativas, revelando su incapacidad para sostener un crecimiento rentable. Entre estos últimos está España, cuyo crédito bancario cayó casi un 9%.

A lo largo de los años, el análisis del crecimiento del crédito bancario ha revelado una relación positiva con la actividad económica, así como una relación negativa entre esta última y la morosidad.

Generalmente, en épocas de bonanza, las entidades de crédito relajan sus estándares de riesgo. Al mismo tiempo, los particulares y las empresas son más proclives a abordar proyectos de inversión porque confían en que no van a tener dificultades para devolverlos. Si a esta ola de optimismo se le añade una fuerte competencia y una sólida situación de los bancos (presentando un confortable ratio de capital), reunimos los ingredientes necesarios para conceder crédito a quien puede no tener condiciones de devolverlo. La situación opuesta la encontramos en épocas de recesión, en las que el elevado volumen de impagados, la necesidad de hacer más dotaciones para provi-

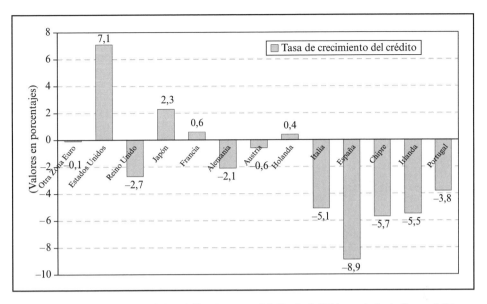

FUENTE: «Global Financial Stability Report», FMI, abril 2014, capítulo 1, figura 1.27.

Figura 10.9. Tasa de crecimiento del crédito.

siones y los menores niveles de capital reclaman una mayor prudencia a la hora de conceder crédito (figura 10.9).

De hecho, en épocas de expansión, el volumen de morosos disminuye, pero aumenta cuando la economía se frena, sobre todo si entra en fase de recesión. En este caso, el aumento de la tasa de paro que acompaña a las fases recesivas de la economía es otro factor que repercute negativamente sobre el volumen del crédito impagado.

Entre 2009 y noviembre del 2013, el saldo de morosos de los bancos de la Zona Euro se duplicó, alcanzando los 800 mil millones de euros al final del período. En términos comparativos, los países bajo estrés experimentaron un mayor deterioro de su cartera crediticia que los demás (véase la figura 10.10). Durante el período analizado, el saldo de los primeros pasó de 217 a 609 mil millones de euros, mientras que el de los segundos aumentó desde 172 a 232 mil millones de euros. Por tipo de crédito, las empresas presentaron mayores índices de incumplimiento que las familias.

Por países, constatamos que, en 2013, los conocidos como los PIIGS (Portugal, Irlanda, Italia, Grecia y España) registraron ratios de morosidad de dos dígitos, debido no sólo a una débil situación económica, sino también a un marco jurídico que no facilita y alarga los procesos de resolución de los activos problemáticos (figura 10.11).

La morosidad es el principal indicador del riesgo de crédito; sin embargo, debe ser analizado en conjunto con las provisiones y los *buffers*[6] de capital constituidos. Las primeras sirven para hacer frente a las pérdidas esperadas, mientras los segundos

---

[6] Los *buffers* están compuestos por capital y reservas.

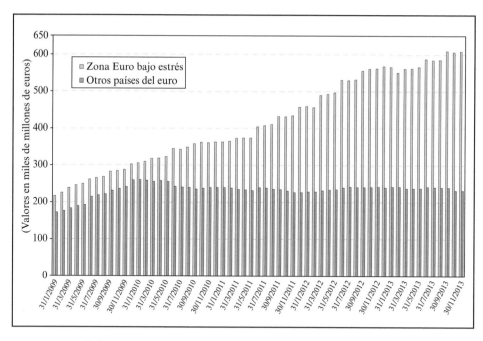

FUENTE: «Global Financial Stability Report», FMI, abril 2014, capítulo 1, figura 1.27.

Figura 10.10. Saldo de morosos en la Zona Euro (2009-2013).

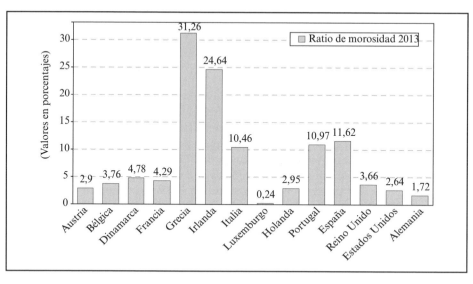

FUENTE: «Global Financial Stability Report», FMI, abril 2014, capítulo 1, figura 1.33.

Figura 10.11. Ratio de morosidad por países de la Zona Euro, 2013.

238

actúan como un colchón para absorber pérdidas no esperadas. En general, un aumento de los créditos dudosos viene acompañado de mayores dotaciones para provisiones, con el correspondiente impacto en la rentabilidad, y de refuerzos de capital.

La figura 10.12 pone de manifiesto las diferencias de rentabilidad entre los diferentes países, identificando los principales ingresos y gastos. En 2013, la banca comercial estadounidense se distinguió por ser la más rentable, mientras los países de la Zona Euro bajo estrés sufrieron pérdidas, en gran parte debido al aumento de las dotaciones para provisiones. En lo que se refiere a los ingresos, el margen de intereses, independientemente del país, destaca como el principal *driver* de la rentabilidad.

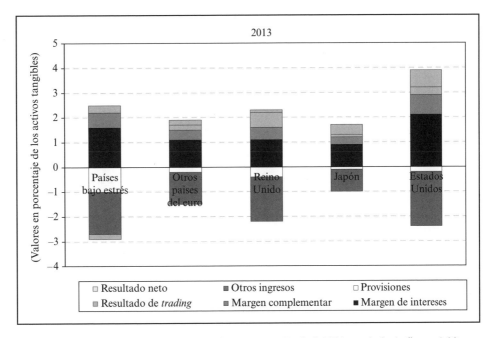

FUENTE: «Global Financial Stability Report», FMI, abril 2014, capítulo 1, figura 1.29.

Figura 10.12. Componentes del resultado neto por países[7], 2013.

Una de las lecciones de la crisis financiera ha sido poner de manifiesto que el capital de la banca era insuficiente. En este sentido, en diciembre de 2010, el Comité de Supervisión Bancaria de Basilea empezó a trabajar en el nuevo ratio —Basilea III—, más exigente que el anterior, que será de obligado cumplimiento en 2019, de ahí que el deterioro de la cartera crediticia haya exigido a la banca de algunos países un esfuerzo para estabilizar el ratio que relaciona los *buffers* con el saldo de los morosos (véase la figura 10.13). En general, todos los países analizados lograron estabilizar el

---

[7] Los datos están basados en una muestra significativa de bancos del país en cuestión.

ratio o aumentarlo, como en el caso de España. Sin embargo, en 2010, el ratio era mayor en todos los países, exceptuando Irlanda y España.

Recuperar la «salud financiera» del balance de los bancos y solucionar sus «activos problemáticos» es el gran desafío que, hoy por hoy, tienen los bancos de la Zona Euro bajo estrés para poder volver a canalizar el crédito para la economía, y así contribuir a financiar el crecimiento del PIB. Además, dentro de la Zona Euro, las empresas españolas son, conjuntamente con las italianas, las que más pagan por la financiación, pudiendo el diferencial ser superior a 400 puntos básicos por encima del Euribor (en torno al 0,5 %).

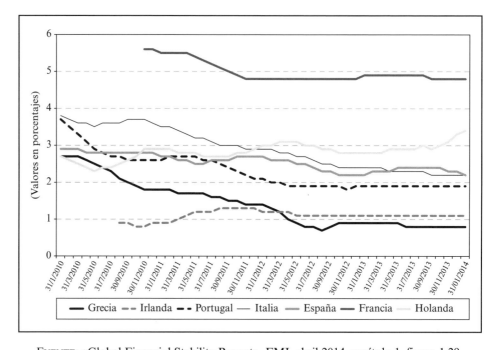

FUENTE: «Global Financial Stability Report», FMI, abril 2014, capítulo 1, figura 1.29.

Figura 10.13. Comportamiento de los *buffers* en relación a los morosos por países de la Zona Euro (2010-2014).

El escenario presentado no es optimista y sugiere que urgen medidas para sanear las carteras de crédito, reforzar el capital de los bancos, desarrollar fuentes alternativas de financiación para las empresas y terminar con la fragmentación financiera que todavía persiste a escala de la Zona Euro.

A pesar de que la morosidad puede ser una importante amenaza para la actividad bancaria por sus efectos en la rentabilidad y en la solvencia, los bancos necesitan prestar: el margen de intereses es su principal ingreso y la transformación de plazos su función prioritaria. Además de la dificultad que supone medir la calidad de la

240

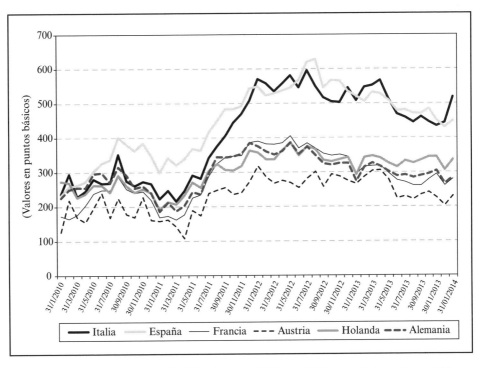

FUENTE: «Global Financial Stability Report», FMI, abril 2014, capítulo 1, figura 1.29.

Figura 10.14. Evolución por países de los *spreads* de los nuevos préstamos de 1-5 años.

cartera de crédito de una entidad a partir exclusivamente de sus estados financieros, hay algunos ratios de interés, como son:

1. $\text{Rentabilidad de la cartera} = \dfrac{\text{Intereses}}{\text{Total cartera crediticia}}$

2. $\text{Ratio de morosidad} = \dfrac{\text{Cartera de dudosos}}{\text{Cartera crediticia}}$

3. $\text{Ratio de cobertura} = \dfrac{\text{Provisiones}}{\text{Cartera de dudosos}}$

El ratio (1) es de fácil interpretación: a mayor valor, más rentable es la cartera, aunque, probablemente, también mayor el riesgo de la misma. El ratio (2) es utilizado como un indicador del riesgo de crédito asumido, y debe estar en consonancia con la rentabilidad y la estrategia del banco. Una mayor morosidad advierte de una cartera de crédito más arriesgada. Por último, el ratio (3) revela la naturaleza de la política de crédito: cuanto más conservadora sea, mayor será el ratio.

En cualquier caso, todo el análisis pasa por la interpretación conjunta de los distintos ratios calculados para un período o para varias entidades competidoras.

A escala de la Zona Euro, constatamos que la cartera crediticia se deterioró, pasando su ratio de morosidad de 5,1% a 6,8%. No obstante, este efecto fue contrarrestado por un aumento del ratio de cobertura, lo que supuso un refuerzo de las provisiones y una reducción de la rentabilidad.

De lo expuesto, se pone de manifiesto que el crecimiento económico, el crecimiento rápido del crédito y la tasa de morosidad están positivamente relacionados.

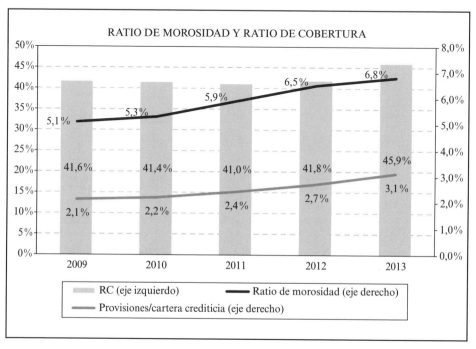

FUENTE: Risk Assessment of the European Banking System, EBA, junio 2014.

Figura 10.15. Evolución de los ratios de morosidad y cobertura (2009-2013).

10.2.4. Ratio de solvencia

El objetivo último del órgano regulador y supervisor es garantizar la estabilidad del sistema financiero. Con ese propósito, las entidades bancarias están obligadas a cumplir uno de los siguientes ratios, o ambos:

1. *Leverage ratio,* o ratio de apalancamiento $= \dfrac{\text{Recursos propios}}{\text{Activo total}}$

2. Ratio de capital basado en el riesgo $= \dfrac{\text{Recursos propios}}{\substack{\text{Activos ponderados por el riesgo} \\ \text{(APR)[8]}}}$

El primero relaciona los recursos propios con el activo y refleja la capacidad del banco para soportar potenciales pérdidas o inesperadas disminuciones en el valor de sus activos, sin que con eso sufran sus depositantes y demás acreedores.

El segundo fue implementado en los distintos países europeos, el 1 de enero de 1993, y obedece a dos directivas comunitarias (89/229 y 89/647) que se basan en las recomendaciones del Acuerdo de Basilea de 1988.

En esta materia, la Unión Europea, a través de las mencionadas directivas, redefinió el concepto de recursos propios, fijando el nivel mínimo para el ratio de solvencia y diferenciando los factores de ponderación a aplicar a los distintos activos en función de su nivel de riesgo.

En cuanto al numerador del ratio, el acuerdo de Basilea adoptó una definición amplia partiendo del principio de que en casos de crisis financiera, además del capital constituido, existen otros recursos que amplían la capacidad de los bancos de absorber pérdidas potenciales. Con este criterio es posible diferenciar dos tipos de recursos propios: el **capital primario (Tier 1),** constituido por el capital social, las primas de emisión, las acciones preferentes y las reservas, y el **capital secundario (Tier 2),** formado por las reservas de revalorización de activos, las provisiones generales, los instrumentos híbridos (obligaciones convertibles) y la deuda subordinada[9].

El segundo aspecto que merece ser mencionado es el valor mínimo que debe alcanzar este ratio, que es del 8 %. Sin embargo, hay que tener en cuenta que mientras el ratio de endeudamiento relaciona los recursos propios con el total del activo, el ratio de solvencia lo hace con respecto al activo total ponderado, que incluye también a los elementos fuera de balance (avales, garantías, cartas de crédito, etc.). Estos últimos conllevan implícitos riesgos que eventualmente pueden comprometer la base patrimonial y los recursos de los depositantes. Para el efecto, la directiva (89/647) antes mencionada fijaba los factores de ponderación[10], así como los factores de conversión que transformaban los activos fuera de balance en equivalentes de crédito de acuerdo a su nivel de riesgo.

A finales de los años noventa, el Comité de Supervisión Bancaria de Basilea empezó a trabajar en una versión más avanzada del ratio de capital —Basilea II—, que se asentaba sobre la base de tres pilares: *a)* requisitos mínimos de capital en función

---

[8] APR, en inglés, RWA: Risk-Weighted Assets.

[9] Las expresiones «Tier 1» y «Tier 2» son los términos anglosajones utilizados para reflejar el capital primario y el capital secundario, respectivamente.

[10] Las ponderaciones comúnmente utilizadas son: *a)* 0 para efectivo y obligaciones; *b)* 0,20 para obligaciones en tránsito e inversiones temporales; *c)* 0,5 para créditos hipotecarios; *d)* 1.00 para crédito e inversiones generales y sustitutos directos de crédito; *e)* 1.00 para activos fijos y otros activos, y *f)* de 0,50 a 1,00 para diferentes tipos de activos contingentes.

del riesgo de crédito, del riesgo de mercado y del riesgo operacional; *b*) un proceso de supervisión, y *c*) el uso de la disciplina de mercado.

Por último, la reciente crisis ha puesto de manifiesto que los niveles de capital en el sistema bancario eran insuficientes. Por un lado, la calidad del capital de las entidades se había deteriorado y, por otro lado, en muchos países la banca estaba excesivamente apalancada. Además, como hemos comentado (apartado 10.1 de este capítulo), muchas entidades tenían problemas de liquidez al no poder refinanciarse en los mercados.

Para abordar las lecciones aprendidas, y con el objeto de fortalecer la regulación, supervisión y gestión de riesgos del sector bancario, el Comité de Basilea ha desarrollado un conjunto de reformas, conocido como Basilea III, que incluye los siguientes elementos:

1. Aumento de la calidad y cantidad del capital.

2. Modifica el cálculo de los riesgos para determinadas exposiciones (por ejemplo, cartera de negociación, titulizaciones, exposiciones a vehículos fuera de balance, riesgo de contraparte, etc.) que la crisis ha probado que estaban mal capturados.

3. Obliga a constituir colchones de capital en momentos buenos del ciclo que pueden ser utilizados en períodos de estrés.

4. Introduce un ratio de apalancamiento como una medida complementaria al ratio de solvencia basado en riesgo, con el objetivo de contener el apalancamiento excesivo.

5. Aumenta el nivel de los requerimientos de capital para fortalecer la solvencia de las entidades y contribuir a una mayor estabilidad financiera.

6. Mejora las normas del proceso supervisor (pilar 2) y de la disciplina de mercado (pilar 3).

7. Introduce dos ratios de liquidez LCR y NSFR (véase el capítulo 12, apartado 12.4.1, «Indicadores del riesgo de liquidez»).

En relación a las distintas categorías de capital conviene destacar que además del Tier 1 (capital primario o de mayor calidad) y del Tier 2 (capital secundario) se va a distinguir, dentro del Tier 1, el *Common Equity* (acciones ordinarias, beneficios retenidos y respectivos ajustes) de los restantes elementos (instrumentos híbridos, como algunas participaciones preferentes). Los nuevos valores que debe asumir cada categoría de capital están reflejados en la tabla 10.1.

En un análisis temporal, constatamos que la banca española mejoró ambos ratios utilizados para medir la solvencia (véase la figura 10.16). En el caso de la banca europea, tanto el Tier 1 como el ratio total aumentaron entre 2009 y 2013. Sin embargo, el primer ratio registró un incremento (2,9 %) ligeramente superior al del segundo (2,7 %), lo que hace pensar que las entidades han preferido reforzar el capital de primera calidad (véase la figura 10.17).

TABLA 10.1

Los distintos componentes del ratio de Basilea III (valores en porcentaje)

Basilea III	Common equity	Tier 1	Tier 2	Total
Recursos propios mínimos	4,5	6	2	8
Colchón de conservación del capital	2,5			
Total	7	8,5	2	10,5
Colchón anticíclico de capital	0-2,5			10,5-13

FUENTE: elaboración propia.

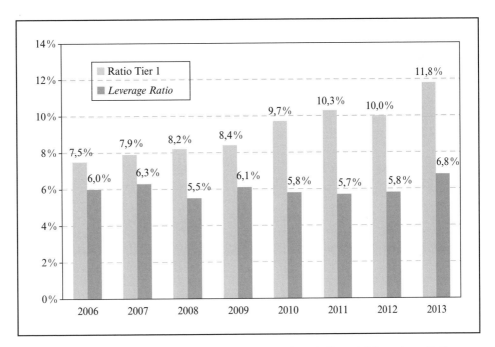

FUENTE: «Country Report», n.º 14/192, table 2, Selected Financial Soundness Indicators, FMI, julio 2014, p. 42.

Figura 10.16. Ratio de solvencia de la banca española (2006-2013).

Finalmente, haciendo uso de la relación (A) existente entre el ratio Tier 1, el ratio del *leverage* y el indicador de riesgo, constatamos que, en el caso de la banca española, el aumento del ratio Tier 1 es debido, por lo menos en parte, a una disminución del riesgo de los activos (véase la figura 10.18):

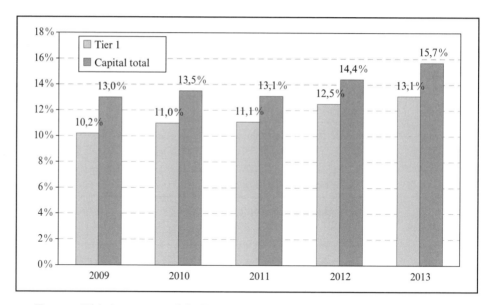

(FUENTE: Risk Assessment of the European Banking System, EBA, junio 2014.)

Figura 10.17. Ratio de solvencia de la banca europea (2009-2013).

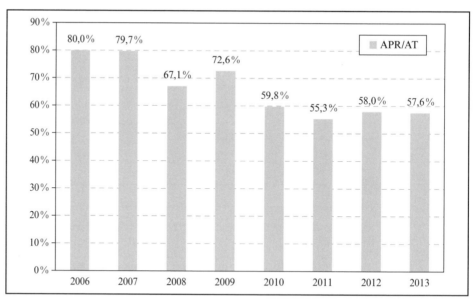

FUENTE: «Country Report», n.º 14/192, table 2, Selected Financial Soundness Indicators, FMI, julio 2014, p. 42 y elaboración propia.

Figura 10.18. Comportamiento del indicador de riesgo para la banca española.

$$\text{Relación (A)} = \frac{\text{Capital Tier 1}}{\text{APR}} = \frac{\text{Capital Tier 1}}{\text{Activo total}} : \frac{\text{APR}}{\text{Activo total}}$$

donde:

APR: activos ponderados por el riesgo.

$\dfrac{\text{Capital Tier 1}}{\text{APR}}$: ratio Tier 1.

$\dfrac{\text{Capital Tier 1}}{\text{Activo total}}$: *Leverage* ratio.

$\dfrac{\text{APR}}{\text{Activo total}}$: indicador de riesgo.

10.2.5. Ratios de rentabilidad

Tradicionalmente, las medidas de rentabilidad más utilizadas han sido: la rentabilidad sobre activos (ROA) y la rentabilidad sobre los recursos propios (ROE). Una y otra han servido de base para elaborar rankings que son útiles siempre que se conozcan sus limitaciones:

1. $\text{ROA} = \dfrac{\text{Beneficio neto}}{\text{Activo total}}$.

2. $\text{ROE} = \dfrac{\text{Beneficio neto}}{\text{Recursos propios}}$.

La figura 10.19 ilustra la pérdida de rentabilidad de la banca española después de la crisis financiera. Mientras en los años 2006 y 2007 la rentabilidad de los activos era alrededor del 1 % y la de los recursos propios superaba el 20 %, en los años recientes la primera rondaba el punto de equilibrio e incluso en el año 2012 presentó pérdidas. En términos de ROE, la reducción también ha sido notable, pero sus valores son más elevados.

Para comprender la evolución de las dos principales medidas de rentabilidad bancaria es necesario relacionarlas a través de la fórmula de Dupont[11], Ratio de Endeudamiento Básico (Activos totales / Recursos propios), como se aprecia a continuación:

$$\frac{\text{Resultado neto}}{\text{Recursos propios}} = \frac{\text{Resultado neto}}{\text{Activo total}} \cdot \frac{\text{Activo total}}{\text{Recursos propios}}$$

---

[11] Esta relación es conocida como la fórmula de Dupont por haber sido utilizada y difundida por la dirección financiera de la empresa química que lleva el mismo nombre.

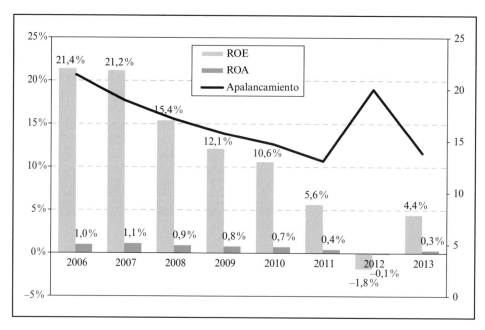

FUENTE: presentaciones de resultados de la AEB y elaboración propia.

Figura 10.19.   Ratios de rentabilidad de la banca española 2006-2013.

Es decir, el ROE es función de dos factores: (1) el ROA y (2) el *leverage* ratio, expresado en el número de veces que los recursos propios están contenidos en el activo.

$$ROE = ROA \cdot leverage \text{ ratio}$$

Según la expresión anterior, para el accionista, la rentabilidad es producto tanto de las condiciones operativas (medidas por el ROA) como del apalancamiento (medido por el *leverage*).

En la medida en que se mantenga el nivel de solvencia de una entidad, a mayor rentabilidad sobre activos corresponderá una mayor rentabilidad sobre recursos propios. De igual modo, para un mismo nivel de rentabilidad sobre activos, el ROE es tanto mayor cuanto más apalancada esté la entidad.

Según la figura 10.19, la banca española redujo su nivel de apalancamiento año tras años desde el 2006, excepto en el año 2012, en que alcanzó un nivel similar al que mantenía en el período pre-crisis.

El estrechamiento de los márgenes, debido sobre todo al bajo nivel de los tipos de interés, la necesidad de dotar provisiones para hacer frente al aumento de la morosidad y la dificultad en reducir de forma rápida los gastos de explotación son algunos de los factores que explican el deterioro de la rentabilidad que protagonizó nuestro sector bancario en los últimos años.

La rentabilidad de la banca europea también muestra signos de debilidad. En 2013, Irlanda, Italia, Portugal y Austria presentaron pérdidas, mientras la banca sueca y la de Luxemburgo fueron las más rentables en términos de ROA (véase la figura 10.20).

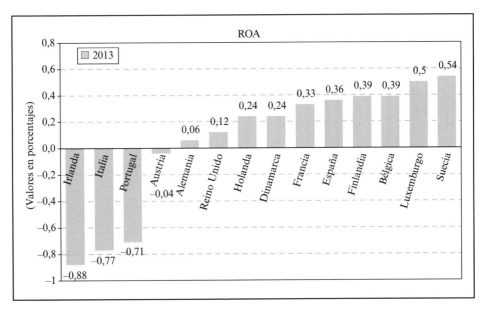

FUENTE: datos consolidados de la banca europea, Banco Central Europeo, 2012.

Figura 10.20. Ranking según la rentabilidad del activo de la banca europea 2013.

En lo que se refiere al ROE, los resultados son bastantes similares, con algunas diferencias en cuanto a la posición que ocupan en el ranking algunos países que, debido al apalancamiento, aparecen mejor posicionados por este indicador que según el ROA (véase la figura 10.21). Ése es el caso del sector bancario de Finlandia o el de Francia.

Los resultados sugieren que la banca europea tendrá que hacer importantes esfuerzos en materia de generación de ingresos, gestión de riesgos y control de gastos para poder recuperar la rentabilidad perdida.

10.3. LA RENTABILIDAD Y LA CREACIÓN DE VALOR

En Europa, a excepción del Reino Unido, la preocupación por crear valor para el accionista es relativamente reciente. Sin embargo, las empresas europeas se han adherido a la idea con relativa rapidez y cada vez son más las compañías que hacen de la creación de valor un objetivo estratégico.

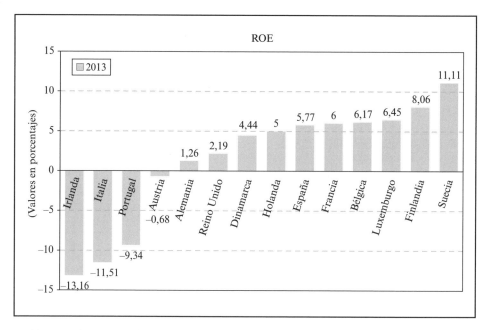

FUENTE: datos consolidados de la banca europea, Banco Central Europeo, 2012.

Figura 10.21. Ranking según la rentabilidad de los recursos propios de la banca europea 2013.

El creciente peso de los inversores institucionales en el accionariado de las empresas ha contribuido a que el concepto haya ganado rápidamente adeptos entre la Alta Dirección y los Consejos de Administración de las mismas. Adoptar una gestión orientada al valor supone, para cualquier empresa, plantearse un doble objetivo:

1. Crear valor para el accionista, de una forma real y sostenida.
2. Lograr que la gestión sea correctamente evaluada por los mercados de capitales.

Para el accionista individual, la creación de valor se aprecia de una forma concreta en el aumento del beneficio por acción y de la rentabilidad por dividendo. Además, la Alta Dirección de las empresas ha venido utilizando fórmulas adicionales para contentar, de una forma directa, a unos accionistas cada vez más exigentes. Entre los mecanismos que se emplean con mayor frecuencia para mejorar la rentabilidad y las relaciones con el accionariado destacan los siguientes: dividendos en efectivo, *scrip dividend*[12], compra de acciones propias *(buy-back)*, amortizaciones de capital, ofertas

---

[12] El *scrip dividend* se refiere al pago del dividendo en acciones.

públicas de adquisición (OPAS), ampliaciones de capital a la par y reducción del nominal, entre otros.

El objetivo de estas medidas es rescatar al pequeño accionista del papel secundario que habitualmente ha venido desempeñando, relegado siempre a un segundo plano en favor de los intereses de un pequeño número de grandes inversores que asumían el control de las decisiones. En la actualidad, estamos asistiendo a numerosos cambios en esta línea, ya que las empresas se están dando cuenta de que una amplia base accionarial es una garantía de cierta estabilidad, tanto en la cotización de las acciones como en los propios equipos directivos.

CONCEPTOS CLAVE

- Activos ponderados por el riesgo.
- Basilea III.
- Creación de valor.
- Eficiencia.
- *Leverage*.

- Margen complementario.
- Morosidad.
- *Scrip divideud*.
- Tier 1.
- Tier 2.

BIBLIOGRAFÍA

BCBS (2009). «Enhancements to the Basel III framework», julio.

BIS (2010). The Basel Committee's response to the financial crisis: Report to the G20, octubre.

Comunicado de prensa: «El grupo de gobernadores y jefes de supervisión anuncia mayores requerimientos de capital internacionales», 12 de octubre.

López, J. y Sebastián, A. (2008). *Gestión bancaria* (3.ª ed.), McGraw-Hill, Madrid.

Rodríguez de Codes, E. (2010). «Las nuevas medidas de Basilea III en materia de capital», *Revista de Estabilidad Financiera,* n.º 19, Banco de España, pp. 9-19.

11 La gestión del riesgo en la banca

Todo en la vida consiste en gestionar el riesgo, no en eliminarlo.

WALTER WRISTON, *ex-chairman* de Citicorp.

11.1. INTRODUCCIÓN

La frase del que fue consejero delegado y *chairman* de Citicorp (después Citigroup) entre 1967 y 1984 pone de manifiesto que lo importante es la gestión del riesgo, no su eliminación. Tal como Robert Kiyosaki dice en su libro, *Padre rico, padre pobre,* pocas personas se vuelven ricas sin asumir riesgos, y la evidencia empírica sostiene que tampoco hay bancos que ganen dinero de forma continuada sin gestionar el riesgo.

Debido a su propia naturaleza y función, los bancos han asumido desde siempre distintos tipos de riesgos: crédito, liquidez, tipos de interés y tipos de cambio operacional, reputacional, estratégico y legal, entre otros. Sin embargo, lo que podría parecer un viejo y conocido problema presenta nuevos matices porque los resultados ya no son los de antes y los cambios regulatorios plantean nuevos desafíos.

Aceptar y asumir riesgos es algo inherente al ejercicio de la actividad financiera y está asociado a la incertidumbre, es decir, a la probabilidad de obtener un beneficio o de sufrir una pérdida. En la banca, más que en cualquier otra actividad, la gestión del riesgo se ha convertido en un objetivo estratégico, de ahí que su principal responsable, el director de riesgos *(Chief Risk Officer, CRO),* deba reportar al consejero delegado *(Chief Executive Officer, CEO).* Lo importante es que el primero adopte la visión estratégica corporativa, y el segundo tome sus decisiones teniendo en cuenta el riesgo. La integración entre las dos funciones (véase figura 11.1) es necesaria e indispensable, y se basa en tres premisas:

— El CRO depende del CEO.
— Los riesgos tolerados están alineados con la estrategia corporativa.

— La política de precios *(pricing)* de los productos y servicios se fija de acuerdo con el riesgo asumido.

Una función tan importante para cualquier entidad financiera no puede relegarse a un segundo plano o abandonarse a la «suerte» de los mercados. Prueba de ello es que algunos de los casos recientes de quiebras bancarias ilustran las nefastas consecuencias de una deficiente gestión del riesgo, sobre todo debido a un inadecuado sistema de control.

FUENTE: elaboración propia.

Figura 11.1. Estrategia y riesgo: la integración necesaria.

11.2. LA GESTIÓN DEL RIESGO

La globalización y la innovación e integración de los mercados proporcionaron a las entidades financieras nuevas oportunidades de negocio. Sin embargo, la crisis financiera internacional reveló ciertas deficiencias de gestión que los reguladores quieren solventar exigiendo más capital, al tiempo que los accionistas esperan obtener una adecuada rentabilidad por el capital que han invertido.

Conscientes de que una gestión de riesgo de «calidad» constituye una clara ventaja competitiva y una oportunidad, las instituciones financieras han dedicado esfuerzos y recursos importantes en el desarrollo de modelos organizativos y de herramientas capaces de potenciar la gestión de los diferentes tipos de riesgos.

Lograr un equilibrio entre la presión de la regulación y la creación de valor para los *stakeholders*[1] constituye el principal desafío para los órganos de gobierno y los

---

[1] Según el enfoque tradicional, las empresas persiguen la maximización de la riqueza para el accionista. Sin embargo, en una concepción más moderna, la empresa busca la creación de valor social, o sea, además del interés económico, procura aumentar el bienestar de sus empleados, clientes, proveedores y comunidad en la que opera. Según este nuevo enfoque, el foco

principales ejecutivos de los bancos, que, a su vez, están expuestos a un conjunto de factores del entorno que no controlan. Por ejemplo, ciertas variables macroeconómicas, como los tipos de interés, la tasa de paro o el crecimiento del PIB, condicionan los precios de los productos financieros, el coste de la financiación, la demanda de crédito, la morosidad, etc.

Dos veces al año, el Fondo Monetario Internacional (FMI) publica el «Global Financial Stability Report», donde recoge la evolución de los principales riesgos del entorno. En su último informe (octubre de 2013) destaca como más importantes los riesgos monetarios y financieros, los macroeconómicos y los de crédito (véase figura 11.2). Sin embargo, mientras los riesgos macroeconómicos y los de crédito tuvieron una evolución favorable en el último año, no puede decirse lo mismo de los riesgos monetarios y financieros. Éstos se han visto agravados por el comunicado de la Reserva Federal, anunciando la reducción gradual del programa de compra de Bonos del Tesoro[2], y por la tenue recuperación económica de la Zona Euro. El simple anuncio de una posible retirada de los estímulos monetarios en Estados Unidos afectó a las economías emergentes, que registraron un deterioro en relación al informe anterior, al mismo tiempo que sus previsiones de crecimiento empeoraban y sus primas de riesgo aumentaban.

Finalmente, el riesgo de mercado y liquidez también reaccionó de forma negativa a la decisión de abandono de la política monetaria de expansión cuantitativa *(quantitative easing)*, que dio lugar a aumentos de las *yields* de los títulos y, consecuentemente, a la bajada en los precios de los activos.

En conjunto, el comportamiento de los distintos tipos de riesgo configuraron un escenario más propenso para el inversor, que manifiesta un mayor apetito al riesgo que hace un año, aunque es más adverso a invertir que en abril de 2013.

A pesar de que están expuestos a diferentes tipos de riesgo, los bancos prestan más atención a unos que a otros, en función de la coyuntura. A través de una encuesta dirigida a banqueros, reguladores y observadores, el Center for the Study of Financial Innovation (CFSI) de la consultora Price Waterhouse Coopers elabora cada dos años un informe, conocido como el «Banking Banana Skins», que clasifica por relevancia (de más a menos) los distintos tipos de riesgo. En su último trabajo (véase tabla 11.1)[3], el entorno macroeconómico es considerado como el riesgo más importante al que se enfrentan las entidades financieras, seguido del riesgo de liquidez y el de crédito.

---

gira en torno a los *stakeholders,* esto es, aquellas personas o grupos que son capaces de influir en la marcha de la empresa —accionistas, empleados, clientes, proveedores, medios de comunicación, ONG, agencias reguladoras, competidores—, o cuyos intereses pueden ser afectados por la misma —grupos ecologistas, asociaciones comerciales, grupos de presión, organizaciones coyunturales y el gobierno, entre otros—.

[2] Esta medida pondría fin al enorme impulso monetario que han supuesto las sucesivas rondas de expansión cuantitativa *(quantitative easing)*, que han permitido a la economía estadounidense recuperar la senda del crecimiento tras la crisis financiera internacional (2008-2009).

[3] Entre las personas que participaron en la encuesta del Banking Banana Skin 2012, un 69 % eran banqueros, un 3 % reguladores y un 28 % observadores.

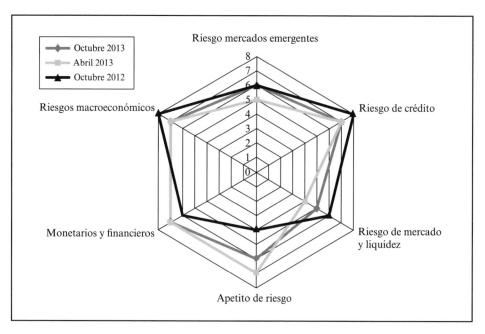

FUENTE: «Global Financial Stability Report», FMI, octubre de 2013.

Figura 11.2. Mapa de la estabilidad financiera global.

TABLA 11.1

Ranking de los distintos tipos de riesgo en 2012

Posición actual	Tipo de riesgo	Posición año anterior
1	Macroeconómico	4
2	Liquidez	2
3	Crédito	5
4	Acceso a capital	6
5	Regulación	1
6	Rentabilidad	3
7	Interferencia política	1
8	Derivados	7
9	Gobierno corporativo	12
10	Calidad de la gestión de riesgo	8

FUENTE: CSFI, Price Waterhouse Coopers, «Banking Banana Skins», 2012.

Los cambios que desde el 2008 han sufrido los mercados y las entidades han desplazado el énfasis de la gestión hacia algunos tipos de riesgo que hasta entonces, habían estado relegados a un segundo plano. Por ejemplo, el riesgo de crédito, que durante mucho tiempo fue la «pesadilla» de los banqueros, cedió su protagonismo a la regulación, a la liquidez y ahora a los factores macroeconómicos.

Independientemente del tipo de riesgo, el proceso de gestión supone cinco etapas: *a*) identificar; *b*) medir; *c*) definir una política; *d*) controlar, y *e*) revisar (véase figura 11.3). En un contexto marcado por bajos tipos de interés, creciente competencia y elevadas provisiones, los márgenes de la banca se han estrechado y los resultados menguado, haciendo más difícil recuperar cualquier tipo de pérdida y convirtiendo la gestión del riesgo en un eje fundamental de la estrategia.

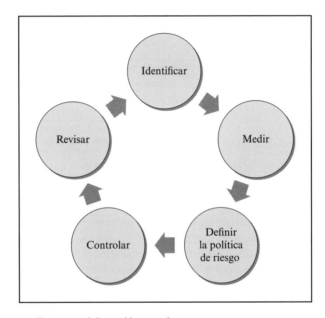

FUENTE: elaboración propia.

Figura 11.3.   El ciclo de gestión del riesgo.

Durante mucho tiempo, el énfasis de la gestión bancaria ha estado en el diseño y la implementación de un sistema de medición para los distintos tipos de riesgo. Poco a poco, los avances tecnológicos han permitido perfeccionar dichos sistemas y, en el momento actual, podemos decir que *el mayor problema está en el control y seguimiento de las posiciones asumidas*.

Hay un número suficiente de ejemplos que ponen de relieve cómo un control y una supervisión del riesgo inadecuados pueden llevar a la quiebra de una entidad financiera, provocar una fusión y hacer inviable un plan estratégico, así como desencadenar una larga lista de graves incidencias que en nada contribuyen a los resultados de la empresa. En otras palabras, podíamos preguntarnos: ¿para qué sirven los últimos avances en sistemas de medición del riesgo de mercado si un *trader* puede con una posición llevar a la quiebra en cuestión de pocas semanas a una entidad con más de un siglo de existencia?[4]

En nuestros días, el mercado ofrece herramientas, más o menos sofisticadas, para medir y cuantificar los distintos riesgos. Sin embargo, la decisión de qué hacer sigue estando en los órganos de gobierno, que pueden optar por: **evitar** el riesgo, por ser excesivo, o **aceptarlo,** por estar dentro del nivel de riesgo tolerado. Entre una opción y otra está la posibilidad de **transferirlo** o de **reducirlo** a través de una operación de cobertura (véase figura 11.4).

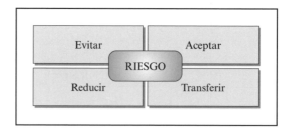

FUENTE: elaboración propia.

Figura 11.4. Matriz de opciones frente a un riesgo identificado y cuantificado.

En definitiva, el problema es el de siempre, conciliar la rentabilidad y el riesgo, incluyendo ambas variables en el proceso de toma de decisión. De ese modo, el precio de los productos incluirá una prima de riesgo suficiente para garantizar una rentabilidad adecuada al nivel de riesgo asumido.

La utilización de sistemas avanzados, la aplicación de principios básicos de gestión del riesgo y disponer de equipos de trabajo con conocimiento y experiencia son los pilares básicos para obtener de forma recurrente resultados económicos y crear valor para el accionista.

11.3. ASPECTOS ORGANIZATIVOS DE LA GESTIÓN DEL RIESGO

Si para algunos el inicio de la crisis actual estuvo asociado a la liberalización financiera, su desarrollo se debió a fallos en la gestión de los riesgos, fundamentalmente: *a*) deficiencias en los modelos cuantitativos; *b*) debilidades en las estructuras de gobierno, y *c*) defectos en los procesos de toma de decisiones y de control de los riesgos.

---

[4] La quiebra de Barings constituye un ejemplo de cómo un fallo en el control terminó con un banco con más de un siglo de existencia.

En los últimos años, los supervisores a escala nacional y las instituciones internacionales (por ejemplo, el Comité de Supervisores Bancarios de Basilea) han adoptado un conjunto de iniciativas destinadas a promover la estabilidad financiera global que se tradujeron en cambios regulatorios relevantes. La más importante de todas, por su alcance e implicaciones, es la regulación del capital y de la liquidez —Basilea III—, que tiene por finalidad mejorar la gestión de los principales riesgos bancarios: crédito, mercado, operacional y liquidez.

Para algunos autores, la regulación no es la causa, pero tampoco es la solución[5]. Sin embargo, conciliar las exigencias de los reguladores con las expectativas de los accionistas es el desafío más importante para los que ocupan un puesto de dirección en un banco.

En este contexto, las entidades financieras han sido pioneras en: *a*) adoptar las mejores prácticas de buen gobierno; *b*) introducir el riesgo en la toma de decisiones a todos los niveles, y *c*) mejorar el control.

11.3.1. El buen gobierno, la disciplina del riesgo y la función de control

Los cambios del entorno, tanto a nivel financiero como económico, fueron determinantes para exigir al **consejo de administración** una mayor involucración y responsabilidad en la dirección y gestión de los bancos. En este sentido, el consejo es el órgano que fija los *objetivos estratégicos,* aprueba las *políticas* coherentes con la estrategia, fija los límites de riesgo tolerados y establece los *sistemas de control* adecuados.

La alta dirección, a su vez, con eficacia, objetividad e independencia debe fijar los planes de acción, implementar el proceso de gestión del riesgo, supervisar las decisiones de la actividad diaria del negocio y asegurar el cumplimiento de los objetivos y de las políticas aprobadas por el consejo de administración. En definitiva, es la responsable de la implementación de la estrategia en los distintos niveles del banco.

Por último, las decisiones que se toman deben mantener la exposición de la entidad dentro de los límites tolerados, buscar un *pay-off* adecuado al riesgo asumido y mantener el capital regulatorio exigido. Sólo de este modo se puede alinear la presión regulatoria con los intereses de los *stakeholders*.

La amplitud de las facultades que las leyes y estatutos recomiendan al consejo de administración, así como su función fundamental de supervisión y control, justifican la existencia y funcionamiento de comisiones delegadas del consejo que servirán de apoyo en materias especialmente relevantes. Ésos son los casos de la comisión ejecutiva, la comisión de riesgos, la comisión de auditoría y cumplimiento y la comisión de nombramientos y retribuciones.

---

[5] Andrés Betancor, «Crisis financiera, ¿más regulación o mejor regulación?».

En lo que se refiere a los principios básicos de gestión del riesgo, éstos pueden resumirse en cinco:

1. El consejo de administración y la comisión de riesgo son los responsables últimos por la gestión y supervisión del riesgo.
2. La cultura de riesgo debe estar presente en todas las unidades de negocio y en todas las funciones.
3. El nivel máximo de riesgo tolerado es un criterio a incluir en cualquier proceso de toma de decisiones.
4. La especificación de funciones y la atribución de responsabilidades —quién debe ser informado y quién debe ser consultado— son esenciales para definir la estructura organizativa.
5. La información para la toma de decisiones debe ser de calidad y estar disponible.

El segundo aspecto que merece nuestra atención es la subordinación de las áreas de negocio y de las distintas funciones a los límites de riesgo previamente fijados. Sólo así es posible alinear los requisitos del regulador con las expectativas de los *stakeholders*.

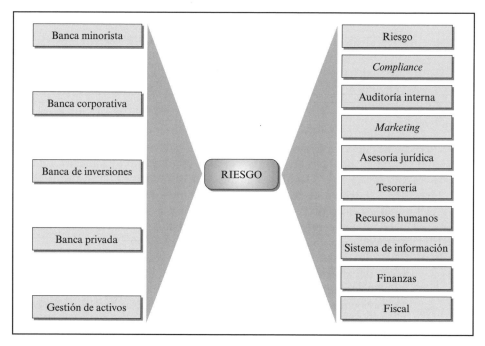

FUENTE: «Aligning risk and the pursuit of shareholder value, Risk Transformation in Financial Institutions», Deloitte 2013, p. 8.

Figura 11.5. Compartir la responsabilidad por la gestión del riesgo.

La «filosofía» más difundida entre las entidades financieras defiende que la responsabilidad por la gestión del riesgo es de todos[6] (véase figura 11.5). En esta línea, la remuneración debe estar asociada a métricas de *performance* operacional ligadas a los objetivos estratégicos y ajustadas al riesgo.

En lo que se refiere a los riesgos prioritarios para la gestión, el estudio anual que la consultora Ernest Young realiza en colaboración con el Institute of International Finance destaca los de *compliance,* crédito y reputacional (figura 11.6).

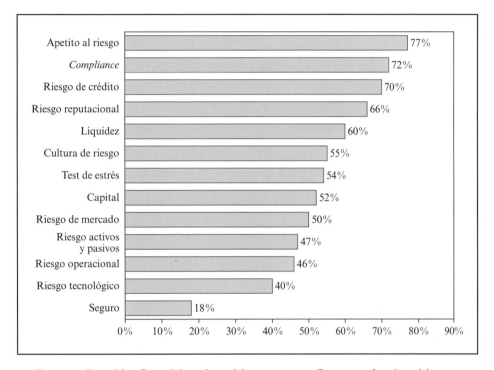

FUENTE: «Remaking financial services: risk management five years after the crisis, a survey of major financial institutions». Ernest Young, figura 21, p. 28.

Figura 11.6. Importancia relativa de los riesgos.

Por último, el control y seguimiento del riesgo es responsabilidad del CRO, que tiene la obligación de implementar, a nivel de todo el banco, las decisiones del consejo. Su visión debe ser global e integradora de los diferentes riesgos a que está expuesta la entidad y en el ejercicio de sus funciones debe supervisar las unidades de negocio para que operen dentro de los niveles de tolerancia de riesgo fijados y alcancen los objetivos de rentabilidad (ROE) esperados.

---

[6] «Risk management is everyone's business» es la mejor expresión para reflejar hasta qué punto se extiende la disciplina del riesgo.

La presente crisis financiera no sólo es duradera, sino que ha desencadenado reformas a nivel de regulación y supervisión, así como cambios en el modelo de negocio de las entidades y en su estructura de gobierno.

Dentro de los actuales cambios regulatorios, las necesidades de capital y la gestión del riesgo se han erigido como los «baluartes» de futuras crisis financieras. Sin embargo, los reguladores no pueden olvidarse de la rentabilidad porque los bancos han de ser sostenibles en el tiempo, atraer a los inversores y estar a la altura de las necesidades de los clientes[7]. El *quid* de la cuestión está en no caer en la sobrerregulación, que por perseguir la solvencia de las entidades se olvida de las expectativas de los accionistas.

11.4. LOS DISTINTOS TIPOS DE RIESGO

11.4.1. Riesgo de crédito

Uno de los tipos de riesgo con mayor impacto en una entidad bancaria es sin duda el denominado **riesgo de crédito,** esto es, la probabilidad de que un prestatario (cliente activo) no devuelva el principal de su préstamo o crédito y/o no pague los intereses de acuerdo con lo estipulado en el contrato. En ese caso, se produce una pérdida financiera derivada del incumplimiento integral o puntual de las obligaciones contraídas por la contraparte o terceros en los términos del respectivo contrato.

La cartera crediticia es el activo más importante de la banca y constituye su principal fuente de ingresos, pero también, en algunos casos, puede ser la causa determinante de una quiebra bancaria. Esta aparente paradoja se produce porque un préstamo puede aportar tanto intereses y comisiones a la cuenta de resultados como ocasionar serios problemas de liquidez en caso de impago. Además, ante préstamos que presentan problemas de pago, la autoridad monetaria exige a las instituciones que constituyan provisiones cuyas dotaciones[8] se contabilizan como un gasto, reduciendo el resultado de la entidad.

A lo largo de los años, las dificultades que han experimentado las instituciones financieras se han debido a motivos de índole diversa. Sin embargo, la causa principal de los problemas bancarios de mayor gravedad sigue estando directamente relacionada con la relajación de los estándares crediticios aplicados a prestatarios y contrapartes. Esta evidencia hace que la aplicación de unas buenas prácticas en materia de riesgo de crédito se haya convertido en el «talón de Aquiles» de la gestión bancaria.

---

[7] Discurso de Emilio Botín, presidente del Banco Santander, en la inauguración de la Sexta Conferencia Bancaria Internacional que organiza el grupo Santander en su ciudad financiera de Boadilla del Monte.

[8] Dotaciones (pérdidas por deterioro de activos): flujo del período con cargo a pérdidas y ganancias cuyo fin es corregir la valoración de activos individuales, o de masas de activos determinadas, o prevenir pagos o cargas contingentes con carácter específico (cobertura específica), o servir para pérdidas ya incurridas pendientes de asignar a operaciones concretas (cobertura genérica).

Aspectos como la creación de una atmósfera adecuada respecto al riesgo de crédito, la existencia de un cuidadoso proceso de concesión de créditos, el mantenimiento apropiado de un proceso de administración, medición y seguimiento de los créditos y la aplicación de controles sobre el riesgo de crédito son reconocidos como críticos y decisivos para cualquier entidad.

Generalmente, en épocas de bonanza las entidades de crédito relajan sus estándares de riesgo. Al mismo tiempo, los particulares y las empresas son más proclives a abordar proyectos de inversión porque confían en que no van a tener dificultades para devolverlos. Si a esta ola de optimismo se le añade una fuerte competencia y una sólida situación de los bancos (presentando un confortable ratio de capital), reunimos los ingredientes necesarios para conceder crédito a quien puede no tener condiciones de devolverlo. La situación opuesta la encontramos en épocas de recesión, en las que el elevado volumen de impagados, la necesidad de hacer más dotaciones para provisiones y los menores niveles de capital reclaman una mayor prudencia a la hora de conceder crédito.

En España, la evolución del crédito bancario concedido y del PIB en el período 1995-2012 confirma no sólo la existencia de una correlación positiva entre estas dos variables, sino también un mayor crecimiento del crédito con respecto a la actividad económica. Entre 1995 y 2008, mientras la economía española registraba tasas de crecimiento superiores al 2%, el crédito bancario crecía a tasas muy superiores, alcanzando un 27,5%, en 2005. A partir de entonces, la tasa de crecimiento del crédito se desaceleró hasta que, a partir de 2009, se volvió negativa, señalando el inicio de un nuevo ciclo marcado por la contracción de la financiación destinada a la economía real. De hecho, en el mes de julio de 2013, el saldo del crédito bancario destinado a empresas y familias era de 1.435 millones de euros, valor todavía ligeramente inferior al de diciembre del 2006 (véase figura 11.7).

La restricción de la oferta crediticia no se transmitió con idéntica intensidad a todos los sectores económicos. Como podemos observar en la figura 11.8, las empresas de construcción y promoción han sido las más afectadas, registrando una caída acumulada del crédito del 44,1% entre diciembre de 2008 y julio de 2013. En el mismo período, los hogares apenas sufrieron una reducción del 9,9%.

Al mismo tiempo que la economía entraba en recesión, la tasa de morosidad del crédito bancario repuntaba, llegando hasta el 12% el pasado mes de julio, la tasa más alta registrada desde que disponemos de información (véase figura 11.9).

Si detallamos el análisis por sectores, las empresas presentan una tasa de morosidad superior a la de las familias, y entre las primeras destacan las inmobiliarias. Estos datos son reflejo de dos realidades, y la probabilidad de incumplimiento presenta una elevada correlación con el PIB, aumentando en épocas de recesión y disminuyendo en períodos de expansión: el elevado endeudamiento de las empresas actuó como una palanca de la morosidad. Utilizando el ratio Deuda/EBITDA como un indicador de la probabilidad de devolución de los créditos, constatamos un agravamiento del mismo prácticamente en todos los países a partir de 2007. No obstante, mientras Francia, Alemania e Italia lo han logrado controlar en niveles entre 2 y 3,5, en España y Portugal el ratio aumentó rápidamente, llegando la deuda a representar 5 y 6 veces el

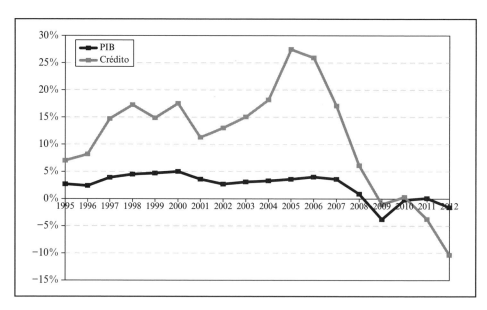

FUENTE: Instituto Nacional de Estadística y Boletín Estadístico del Banco de España (varios números).

Figura 11.7. Tasa anual de crecimiento del crédito y del PIB (1995-2012).

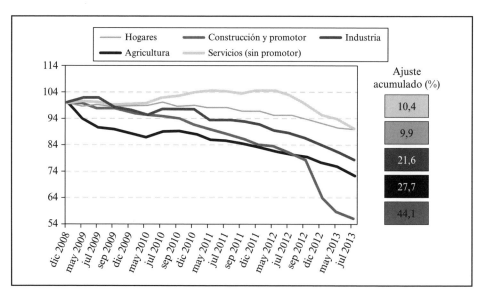

FUENTE: «Taller de Banca: la transformación del Sector Bancario Español», Analistas Financieros Internacionales, Madrid, 16 de octubre de 2013. AFI.

Figura 11.8. Caída acumulada del crédito por segmentos (índice base 100 = diciembre de 2008).

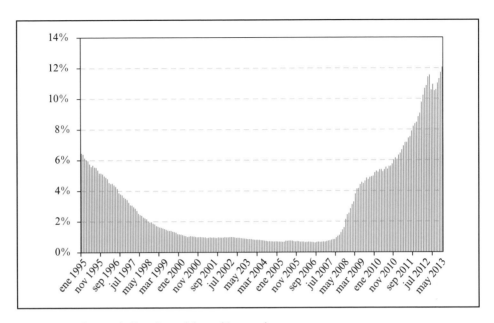

FUENTE: Banco de España y elaboración propia.

Figura 11.9. Tasa de morosidad del sector bancario.

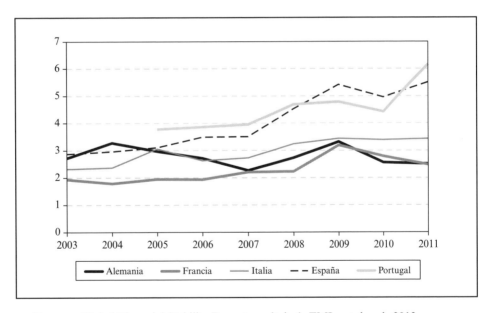

FUENTE: Global Financial Stability Report, capítulo 1, FMI, octubre de 2013.

Figura 11.10. Evolución del ratio Deuda/EBITDA por países.

EBITDA. En otras palabras, las empresas de la Península Ibérica necesitarán entre 5 y 6 años para devolver sus créditos, suponiendo que logren mantener los niveles actuales de *cash-flow* operativo (véase figura 11.10).

Si bien, el nivel de riesgo a que se expone una entidad depende del estado general de la economía, lo cierto es que la experiencia y profesionalidad de los equipos directivos que intervienen en el proceso de concesión de crédito es decisiva para mantener el riesgo dentro de límites aceptables.

11.4.2. Riesgo-país

El «riesgo país» se refiere a la posibilidad de que, en los momentos previamente establecidos para ello, un estado se vea imposibilitado o incapacitado de pagar los intereses y/o devolver el principal de sus deudas a sus acreedores. Cada país, de acuerdo con sus condiciones económicas, sociales, políticas o incluso naturales y geográficas, genera un nivel de riesgo específico para las inversiones que se realizan en él.

En definitiva, este tipo de riesgo de crédito mide la probabilidad de que una nación determinada entre en moratoria de pagos o *default;* puede asumir tres posibles designaciones:

1. **Riesgo soberano:** es aquel que poseen los acreedores de títulos de deuda pública, e indica la probabilidad de que una entidad soberana no cumpla con sus pagos de deuda por razones económicas y financieras.
2. **Riesgo de transferencia:** es el de los acreedores extranjeros de un país que experimenta una incapacidad general para hacer frente a sus deudas por carecer de la divisa o divisas en que estén denominadas sus deudas como consecuencia de la situación económica en la que se encuentra.
3. **Riesgo genérico:** está relacionado con el éxito o fracaso del sector empresarial debido a: inestabilidad política, conflictos sociales, devaluaciones o recesiones que se susciten en un país.

11.4.3. Riesgo de liquidez

En su actividad diaria, los bancos necesitan liquidez para hacer frente a la retirada de depósitos y satisfacer la demanda de préstamos de sus clientes. En esta acepción, la liquidez se refiere a la capacidad de un banco de disponer en cada momento de los fondos necesarios, mientras el riesgo de liquidez refleja la posible pérdida en que puede incurrir una entidad que se ve obligada a vender activos o contraer pasivos en condiciones desfavorables.

La crisis financiera internacional puso de relieve que la liquidez no es ilimitada y que los riesgos se propagan rápidamente. Después de un período de franca expansión, en el que los balances bancarios crecieron, apalancándose en la financiación mayorista, las entidades se encontraron con restricciones de crédito en los mercados de capitales invadidos por el pánico[9], lo que contribuyó a que recuperasen el interés por la financiación estable (depósitos) y por los activos líquidos.

En los últimos años, la banca europea ha vivido períodos de fuertes tensiones monetarias que han sido superadas fruto de las medidas de política monetaria, tanto convencionales como no convencionales, adoptadas por el Banco Central Europeo. Entre las primeras, destacamos las sucesivas bajadas de tipo de interés de las operaciones principales de financiación. Entre las segundas, consideradas como extraordinarias y complementarias de las primeras, distinguimos: *a*) la política de plena adjudicación a tipo de interés fijo; *b*) la oferta de operaciones con vencimientos a plazos más largos de lo habitual antes de la crisis; *c*) la ampliación de activos de garantía elegibles; *d*) la reducción del coeficiente de reservas del 2 % al 1 %, y *e*) el Programa de Adquisiciones de Bonos Garantizados y el Programa para los Mercados de Valores (SMP, en sus siglas en inglés).

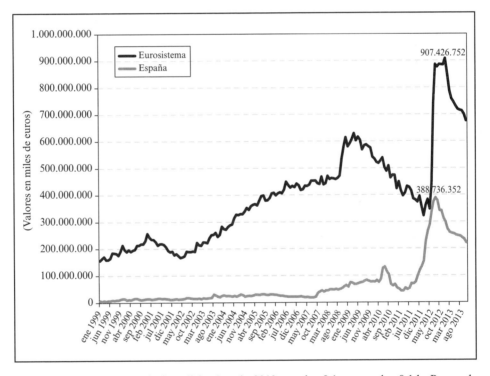

FUENTE: Boletín Económico, diciembre de 2013, cuadro 8.1.a y cuadro 8.1.b, Banco de España.

Figura 11.11. Evolución de la deuda de las entidades del Eurosistema y de las españolas con el BCE (enero de 1999 a agosto de 2013).

---

[9] Los famosos *animal spirits* de Keynes.

Como ilustra la figura 11.11, las necesidades de financiación de la banca del Eurosistema aumentaron a partir de octubre de 2008 (después de la quiebra de Lehman Brothers) y se mantuvieron por encima de los 500.000 millones de euros hasta agosto de 2010. A partir de entonces, iniciaron un proceso de reducción hasta julio de 2012, fecha en que volvieron a sufrir un importante incremento, alcanzando la cifra máxima de 907.426 millones de euros en enero de 2013. Recordemos que España solicitó el rescate bancario en junio de 2012 mientras Chipre solicitaba ayuda financiera a la Unión Europea. Ambos sucesos contribuyeron a presionar las primas de riesgo, sobre todo en los países periféricos, restaurando el temor de una posible ruptura de la Unión Económica y Monetaria. Esta situación dificultó la financiación del déficit exterior de las economías afectadas redundando en una mayor apelación de la banca al Eurosistema.

En el caso de las entidades españolas, la deuda con el Banco Central Europeo viene reduciéndose desde el mes de agosto de 2012, fecha en que alcanzó su valor máximo, 388.736 millones de euros (véase figura 11.11). Sin embargo, las dificultades de nuestros bancos para financiarse en el mercado interbancario son todavía significativas en la medida en que el recurso a la institución que preside Mario Draghi sigue siendo muy superior a los valores registrados antes de octubre de 2008, que no superaban los 50.000 millones de euros.

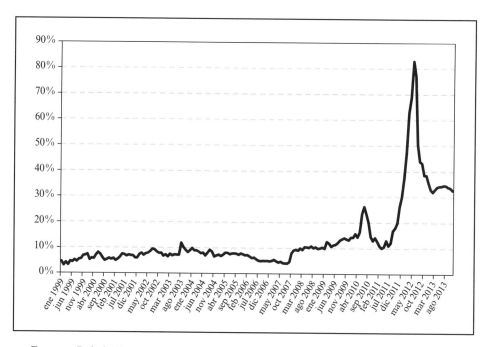

FUENTE: Boletín Económico, diciembre de 2013, cuadro 8.1.a y cuadro 8.1.b, Banco de España y elaboración propia.

Figura 11.12. Porcentaje de la financiación del Eurosistema destinado a las entidades españolas (enero de 1999 a agosto de 2013).

En términos porcentuales, la deuda de las entidades españolas alcanzó su valor máximo con respecto al total de la financiación del Eurosistema en mayo de 2012 (véase figura 11.12).

Dicha situación obligó a España a solicitar, el 9 de junio de 2012, un rescate bancario de hasta 100.000 millones de euros. A diferencia de Irlanda, Grecia, Portugal y Chipre, cuyos respectivos rescates fueron para la totalidad de sus economías (rescate-país), en nuestro caso, el préstamo se destinó únicamente a sanear determinadas entidades bancarias.

El 14 de noviembre de 2013, los ministros de economía de la Eurozona acordaron poner fin al rescate bancario para España, que empezará en 2022 a devolver la parte del préstamo que utilizó (41.300 millones de euros).

Tanto la situación de liquidez, como la estructura de financiación del sector bancario español han mejorado debido al aumento de los depósitos bancarios y a que las entidades están recuperando el acceso a los mercados de financiación.

En una entidad, la gestión de la liquidez tiene como objetivo evitar tener que recurrir a fondos onerosos para poder atender a compromisos de pago. De este modo, se asegura la financiación de la actividad recurrente en condiciones óptimas de plazo y coste.

Para lograr mantener un nivel adecuado de liquidez en el corto y en el largo plazo es necesario disponer de una política bien definida y apoyada en un modelo organizativo sólido que implique a la alta dirección en la toma de las decisiones.

En la mayoría de las entidades, las decisiones relativas a la liquidez son tomadas a nivel del Comité de Activos y Pasivos *(ALCO, Asset Liability Committee)* en coordinación con la alta dirección y obedeciendo a la estrategia de la entidad (véase figura 11.13).

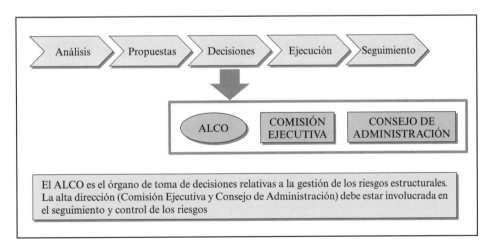

Fuente: elaboración propia.

Figura 11.13.   Modelo organizativo de gestión del riesgo de liquidez.

La preocupación del Comité de Basilea por reforzar la gestión de la liquidez es manifiesta y se traduce en un marco de principios y métricas, entre las que se encuentran los ratios de liquidez de corto y largo plazo[10]. Este enfoque pretende establecer patrones homogéneos para todas las entidades y las obliga a mantener activos de mayor liquidez en el balance con el consecuente impacto en la rentabilidad y, previsiblemente, en la financiación destinada a la economía.

11.4.4. Riesgo de mercado

El riesgo de mercado se refiere a la posibilidad de que una entidad financiera sufra una pérdida en un determinado momento debido a movimientos inesperados y adversos en los tipos de interés, tipos de cambio o precios de *commodities*. El riesgo de mercado de un producto financiero puede ser determinado por más de uno de estos factores. Por ejemplo, tener una posición en bonos denominados en divisas expone el banco simultáneamente al riesgo de tipos de interés y de cambio. Aunque muchos bancos se expongan al riesgo de cambio a través de operaciones de *trading* en divisas, el riesgo de tipos de interés es de lejos el más importante dentro de la categoría de riesgo de mercado.

La volatilidad de los tipos de interés reclama una mayor atención hacia la gestión de un tipo de riesgo que, no siendo el más importante al que se expone la actividad bancaria, ha adquirido protagonismo en los últimos años reclamando una mayor atención por parte de las autoridades supervisoras.

TABLA 11.2

Volatilidad de los tipos de interés en tres áreas geográficas (1990-2013)

Tipos de interés de largo plazo	Estados Unidos	Reino Unido	Zona Euro
Desviación estándar	1,62	2,15	2,12
Media	4,91	5,49	5,40
Coeficiente de variación	0,33	0,39	0,39
Tipos de interés de corto plazo	**Estados Unidos**	**Reino Unido**	**Zona Euro**
Desviación estándar	2,32	3,38	3,20
Media	3,68	5,33	4,40
Coeficiente de variación	0,63	0,63	0,73

FUENTE: estadísticas de la OCDE y elaboración propia.

---

[10] Véase el capítulo 12, donde se tratan en mayor detalle los ratios de liquidez.

La tabla 11.2 evidencia que en el período 1990-2013 los tipos de interés del Reino Unido y de la Eurozona han registrado, independientemente del plazo, mayores fluctuaciones que los de Estados Unidos. Para analizar la volatilidad, hemos calculado dos medidas estadísticas: la desviación estándar y el coeficiente de variación. Con la información disponible, también podemos decir que la volatilidad de los tipos de interés a corto es bastante superior a la de los tipos de interés a largo (figura 11.14).

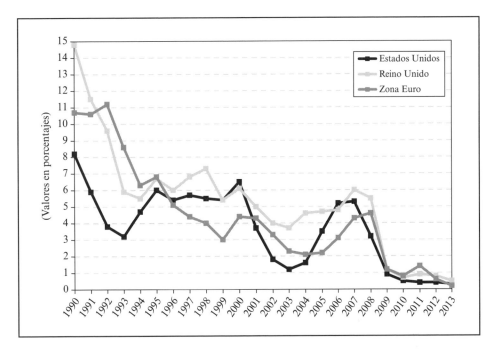

FUENTE: estadísticas de la OCDE.

Figura 11.14. Evolución de los tipos de interés a corto plazo (1990-2013).

En un análisis temporal, constatamos una bajada de los tipos de interés a corto plazo y una mayor volatilidad en el período 2001-2013 con respecto al período anterior (1990-2000).

En el caso de los tipos de interés a largo plazo (véase figura 11.15), también verificamos una reducción de los mismos a lo largo del período, pero, en términos de volatilidad, no podemos generalizar. De hecho, en la Zona Euro, en el período 2001-2013, la volatilidad fue inferior a la del período anterior.

En un banco, cuya función principal es la intermediación financiera con transformación de plazos —captación de depósitos a corto y concesión de préstamos a largo—, el nivel, la estructura temporal y la volatilidad de los tipos de interés tienen un impacto directo en los resultados.

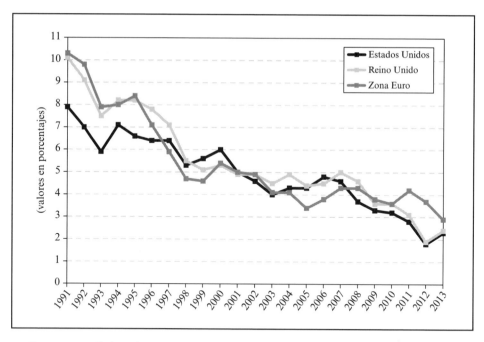

FUENTE: estadísticas de la OCDE.

Figura 11.15. Evolución de los tipos de interés a largo plazo (1990-2013).

La figura 11.16 presenta el comportamiento de los tipos de interés, para diferentes plazos y en momentos distintos, entre 2008 y 2013. En cualquiera de los años, la configuración creciente de la curva refleja que los tipos de interés a largo eran en ese momento más altos que los tipos de interés a corto. Ésa es la forma más usual y la que ofrece a los bancos la oportunidad de ganar dinero a través del *mismatch* de plazos (depósitos a corto y préstamos a largo). Sin embargo, hay ocasiones en que la fluctuación de los tipos hace que la curva se invierta (decreciente), dando lugar a tipos de interés a corto más elevados que los tipos de interés a largo. En ese caso, los bancos perderán dinero, a no ser que cambien de estrategia: capten a largo y presten a corto.

Comparando las distintas curvas, identificamos que desde el 31 de diciembre de 2008 la curva se ha desplazado hacia abajo año tras año, excepto la referida al 31 de diciembre de 2013, que advierte de una subida en relación al año anterior, excepto para plazos muy cortos.

Especular con la curva puede proporcionar elevados beneficios a corto plazo. Sin embargo, también puede suponer importantes pérdidas a largo plazo que compensen las ganancias de corto plazo. Supongamos que un banco pide prestado a una semana al 3 % para financiar un préstamo a 1 año al 6 %. El banco consigue, por lo menos en un principio, un *spread* del 3 %. Pero, en la medida en que los tipos de interés a corto suban, sus costes de refinanciación del préstamo aumentarán con la consecuente re-

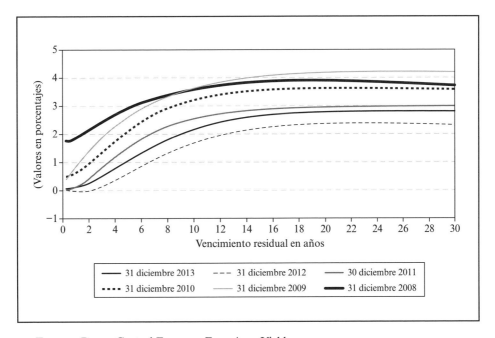

FUENTE: Banco Central Europeo, Euro Area Yield.

Figura 11.16. Evolución de la estructura temporal de los tipos de interés (2008-2013).

ducción del *spread,* que se volverá negativo cuando el interés de los fondos suba por encima del 6%.

El riesgo de interés para un banco puede definirse como el riesgo de incurrir en pérdidas debido a modificaciones en los tipos de interés de mercado, ya sea porque estas variaciones afecten al margen de intereses de la entidad bancaria o porque afecten al valor patrimonial de sus recursos propios.

A su vez, un banco se expone al riesgo de tipo de cambio siempre que sus posiciones de activo en una determinada divisa no se compensen con posiciones pasivas en la misma divisa y para el mismo vencimiento, de ahí que una posición larga o compradora en una divisa extranjera que no esté cubierta por una posición corta o vendedora producirá una pérdida en caso de que dicha divisa se deprecie frente a la divisa base.

Entre las posiciones afectadas por este riesgo están las inversiones en filiales en monedas no euro, así como préstamos, valores y derivados denominados en moneda extranjera.

Este tipo de riesgo viene ganando importancia debido a la creciente internacionalización de la banca y, por consiguiente, a la presencia de un mayor porcentaje del balance expreso en divisas. Además, la liberalización del movimiento de capitales ha contribuido al aumento de los flujos transfronterizos y del mercado de cambios que es hoy uno de los mayores mercados financieros del mundo.

11.4.4.1. *Riesgo de interés estructural*

La exposición de una entidad a variaciones en los tipos de interés de mercado constituye un riesgo inherente al desarrollo de la actividad bancaria que al mismo tiempo se convierte en una oportunidad para la creación de valor económico. Este tipo de riesgo se traduce en variaciones tanto en el margen de intereses como en el valor patrimonial ante variaciones de los tipos de interés.

La gestión del riesgo de interés estructural persigue un doble objetivo:

1. Reducir el impacto de las variaciones de los tipos de interés sobre el margen de intereses.
2. Proteger el valor económico del banco ante cambios en los tipos de interés.

La principal fuente del riesgo de interés estructural está en la diferencia en los plazos de vencimiento y de revisión de las distintas masas de balance. Además, los cambios en la pendiente y forma de la estructura temporal de los tipos de interés y el riesgo de base debido a la imperfecta correlación entre las variaciones de los tipos de interés de los diferentes instrumentos son otro de los factores responsables por este tipo de riesgo.

En el caso de gestión de balance, es el Comité de Activos y Pasivos el que gestiona las distintas partidas del balance para mantener dichas sensibilidades dentro del rango objetivo, mientras que las carteras direccionales son responsabilidad del tesorero.

Las medidas utilizadas en estas actividades son el *gap* de tipos de interés, el VaR y el análisis de escenarios.

11.4.4.2. *Riesgo de mercado*

Este tipo de riesgo tiene que ver con la cartera de negociación *(trading book)* y se refiere a los cambios que pueden sufrir los activos financieros debido a variaciones en los tipos de interés, tipos de cambio, precios de materias primas, *spreads* de crédito o precio de las acciones.

11.4.5. Riesgo tecnológico

La innovación tecnológica y su peso dentro de la actividad bancaria ha contribuido a que las instituciones financieras dependan hoy más que nunca de la tecnología y que se expongan a tremendas pérdidas en caso de posibles fallos del sistema.

La reducción del margen de intereses debido al aumento de la competencia ha convertido los costes de transformación (gastos de personal y gastos generales) en un objetivo a controlar para mejorar el ratio de eficiencia, clave en la gestión bancaria.

Por eso, las decisiones a nivel tecnológico que tomen las entidades condicionan gran parte de los costes de transformación y pueden ser decisivas para la generación y comercialización de futuros productos. Concretamente, la plataforma tecnológica es un elemento imprescindible para realizar un efectivo *cross-selling*.

11.4.6. Riesgo operacional

En banca, este tipo de riesgo está relacionado con errores cometidos al dar instrucciones de pago o al liquidar transacciones. En la mayoría de los casos, la raíz del problema está en fallos ocurridos en el proceso de seguimiento y control de las posiciones asumidas.

Muchas de las quiebras bancarias pueden atribuirse, por lo menos en parte, a un inadecuado fallo del control interno. Una de dos, o la gestión falló y no fue capaz de supervisar adecuadamente a los empleados que exponían el banco a pérdidas, o las políticas fueron mal definidas, conduciendo a los bancos inadvertidamente a la quiebra.

11.4.7. Riesgo reputacional

El riesgo reputacional está asociado a los cambios de percepción que de la entidad tienen los distintos grupos de interés, los denominados *stakeholders* (clientes, accionistas, empleados, etc.). En el normal desarrollo de la actividad bancaria, el riesgo de crédito, de mercado y, sobre todo, el operacional pueden ocasionar riesgo reputacional y, por consiguiente, un impacto adverso en los resultados.

Algunos de los mayores escándalos internacionales ocurridos en el mundo empresarial han puesto de manifiesto la creciente importancia de este tipo de riesgo.

11.4.8. Riesgo legal

Este tipo de riesgo supone la realización de una pérdida debido a que una operación no puede ejecutarse por: incapacidad de una de la partes para cumplir los compromisos asumidos, no existir una formalización clara o no ajustarse al marco legal establecido.

11.4.9. Riesgo de los productos derivados

En poco más de una década, los derivados han dejado de ser un producto para expertos en ingeniería financiera y se han convertido en instrumentos con un peso cada vez mayor en el activo y en la cuenta de resultados de la banca. Su estrepitoso crecimiento ha venido suscitando miedos, declaraciones y medidas reguladoras con un único fin, el de evitar que se llegue a situaciones de crisis del sistema como las ocurridas con la deuda del Tercer Mundo y con la «debacle» del mercado inmobiliario, que sigue dejando huellas en muchas entidades financieras.

11.4.9.1. *La banca y los productos derivados*

Las entidades financieras pueden participar en el mercado de derivados actuando como *intermediarios por cuenta de sus clientes* y/o *por cuenta propia*. Su involucración en la negociación de este tipo de productos ha aumentado en los últimos años, sobre todo en lo que se refiere a los contratos de tipos de interés (*swaps* de tipos de interés y *forwards*), que se utilizan para operaciones de cobertura, especulación y arbitraje.

En cuanto a los ingresos obtenidos con estas operaciones, podemos distinguir tres tipos: comisiones de transacción, *spreads* y resultados de negociación. Cuando actúa como *broker,* el banco suele aplicar una *comisión* implícita, que consiste en entregar al vendedor del contrato una cantidad menor que la pagada por el comprador. De la misma forma, cuando actúa como contrapartida, puede ofrecer pagar algo menos y recibir algo más de lo que pagan y reciben los usuarios finales. Finalmente, cuando su función es la de «creador de mercado»[11] (contrapartida de una posición compradora o vendedora), sus ingresos pueden resultar de potenciales beneficios de oportunidades de arbitraje.

Tanto la actividad de «creador de mercado» como la propia actividad bancaria tradicional generan exposiciones a riesgos financieros que los bancos pueden querer cubrir. Por ejemplo, una entidad que actúa como creador de mercado de *swaps* de tipos de interés, también puede hacerlo como usuario final e intentar entrar en un *swap* para cerrar una posición que tenga abierta.

11.4.9.2. *Las distintas caras del riesgo de los productos derivados*

A lo largo de los años, importantes representantes del mundo financiero han divulgado sus opiniones advirtiendo del peligro que el uso de los productos derivados podía representar para la banca, debido a su complejidad y rápido crecimiento. Por ejemplo, en 1992, en un discurso pronunciado en la New York Bankers Association, el entonces presidente del Bank of New York decía que la actividad alrededor de estos nuevos instrumentos daría lugar a nuevas preocupaciones. En 1993, Warren Buffet señalaba la posibilidad de que se produjera una reacción en cadena en los mercados financieros a escala global.

La evaluación de la potencial exposición en derivados es un nuevo desafío. Con un préstamo, la exposición máxima del banco al riesgo de crédito es el saldo en deuda del préstamo más los costes legales asociados a la gestión del impagado. En con-

---

[11] Lo que en inglés se denomina *market maker.*

trapartida, la mayoría de los contratos sobre derivados no tienen valor neto cuando se firman, pero su valor —y por eso la posible pérdida para el banco— puede fluctuar significativamente a lo largo de la vida del contrato.

En el momento de la negociación de un futuro o de un *swap* no hay cualquier transacción (el dinero no cambia de manos) porque el contrato simplemente compromete a las partes a intercambiar en el futuro activos con el mismo valor actual neto. Sin embargo, en la medida en que el tiempo pasa, el valor del derivado (futuro o *swap*) cambia en función de los cambios en los mercados financieros. Por consiguiente, las posibles ganancias o pérdidas no están limitadas, sino que dependen de la evolución del precio del subyacente en el mercado.

Además, la utilización de derivados expone las partes al denominado riesgo de liquidación (o riesgo de contrapartida), o sea, a una posible pérdida debido a que una de las partes paga fondos o entrega activos antes de recibir los activos o el pago por parte de su contrapartida.

Relacionado con este tipo de riesgo está el de liquidación o valoración, que resulta del hecho de que muchos contratos de derivados son liquidados en unos términos que dependen de los precios de los activos subyacentes en la fecha de liquidación (vencimiento). Por ejemplo, el valor liquidativo de un contrato puede depender de la cotización media del LIBOR al vencimiento. De igual modo, el valor liquidativo de un futuro sobre el bono del tesoro estadounidense depende del precio del bono entregable más barato en la fecha de vencimiento, como especifica el contrato de futuros. El precio de estos activos puede variar de forma anómala y, consecuentemente, afectar negativamente al valor de liquidación del contrato, de ahí la preocupación por mantener una valoración rigurosa de la posición en derivados, lo que supone en algunos casos recurrir a modelos matemáticos. Si, por una parte, el desarrollo y perfeccionamiento de dichos modelos ha sido una de las áreas más activas de la investigación académica de las recientes décadas, por otra parte, todos esos modelos tienen en común basarse en hipótesis sobre las condiciones de mercado del subyacente, que no siempre se cumplen.

El problema de la valoración está ampliamente reconocido como un riesgo importante en el mercado de derivados; por eso, tanto los inversores como los reguladores están dedicando muchos recursos para mejorarlo.

Por último, la novedad de estos instrumentos hace que presenten algunas características que la legislación vigente no contempla que pueden desembocar en situaciones de incumplimiento debido a que una de las partes no puede legalmente asumir sus compromisos.

A pesar de lo mucho que se habla sobre el peligro del uso de los derivados, debido a su novedad y a cierto desconocimiento que hay sobre los mismos, los más familiarizados con el tema defienden que hay que distinguir entre dos tipos de riesgos: los «tradicionales», con los cuales los bancos están familiarizados, y los «nuevos», que ponen ciertos desafíos a la banca. Concretamente, los crecientes complejidad, diversidad y volumen que están alcanzando, potenciado todo ello por un rápido avance en la tecnología y en los sistemas de información y comunicación, suponen nuevas reglas de juego.

Con respecto a la utilización y gestión de estos productos, el Grupo de los Treinta publicó una serie de recomendaciones en 1993. En la introducción del informe, Paul Volcker (presidente del G-30) ponía énfasis en la responsabilidad de la alta dirección de las entidades financieras en «entender, medir y gestionar» los riesgos implícitos en estos problemas. Concretamente, podía leerse lo siguiente:

> «Los *dealers*/usuarios finales deben utilizar los productos derivados de acuerdo con las políticas globales de gestión de riesgo y de capital establecidos por los Consejos de Administración. Las políticas deben estar definidas claramente —incluyendo el propósito de las transacciones— y deben revisarse cada vez que se produzca un cambio en las circunstancias del negocio o del mercado. La Alta Dirección debe aprobar los procedimientos y controles de la implantación de la política y la dirección a todos los niveles debe asegurar su cumplimiento».

11.5. RIESGO DE SOLVENCIA: LOS ACUERDOS DE CAPITAL

En la banca, tal como en cualquier empresa no financiera, los recursos propios cumplen tres funciones: *a*) son una fuente de financiación; *b*) deben ser capaces de absorber las pérdidas no esperadas, y *c*) hacen de proteger a los obligacionistas y demás acreedores en caso de quiebra y liquidación de la entidad.

Al contrario de las sociedades no financieras, los bancos presentan mayores niveles de endeudamiento pero, en contrapartida, están obligados a mantener un nivel de capital mínimo por regulación. El riesgo de que la quiebra de un banco pueda arrastrar a otros en cadena, el denominado riesgo sistémico, aconseja a los supervisores que fijen un nivel mínimo de recursos propios en función del activo total (*LR, Leverage Ratio*) y/o del activo ponderado por el riesgo (*RBCR, Risk-Based Capital Ratios*).

Hasta finales de los años ochenta, cada país tenía una normativa propia en materia de recursos propios, lo que generaba grandes diferencias en el área internacional, donde competían bancos con niveles de solvencia muy distintos. La libre circulación a los movimientos de capitales y la creciente globalización de los mercados reclamaban una homogeneización legislativa en esta materia para poner en pie de igualdad a los bancos independientemente del país de su procedencia.

La preocupación por mantener la estabilidad del sistema financiero mundial, proteger a los inversores y depositantes y eliminar posibles fuentes de desigualdad entre los bancos a escala internacional propició la aparición de una normativa específica en materia de adecuación de los recursos propios de una institución a su nivel de riesgo. En esta materia, desde 1988, el Comité de Supervisión Bancaria de Basilea[12] viene

---

[12] La denominación en inglés es BCBS, Basel Committee on Bank Supervision, constituido por los gobernadores de los bancos centrales de trece países.

recomendando y proponiendo principios que, aun no siendo jurídicamente vinculantes, los supervisores nacionales adoptan, creando así una convergencia internacional.

A lo largo de los años, las exigencias en materia de requerimientos de capital se han traducido en tres acuerdos —Basilea I, Basilea II y Basilea III[13]— orientados a:

1. Mejorar la capacidad del sector bancario para afrontar perturbaciones ocasionadas por tensiones financieras o económicas de cualquier tipo.
2. Perfeccionar la gestión de riesgos y el buen gobierno en los bancos.
3. Reforzar la transparencia y divulgación de la información.

11.5.1. Capital regulatorio y capital económico

Como acabamos de ver, la legislación, tanto a escala internacional como comunitaria, fija los niveles mínimos al capital que debe mantener un banco en función de su nivel de riesgo. Ése es el **capital regulatorio,** o sea, el calculado de acuerdo con los principios definidos por la directiva europea y el supervisor nacional. Sin embargo, en la práctica, las entidades procuran calcular el capital adecuado que los accionistas exigirían en ausencia de regulación, el denominado **capital económico.**

Los dos conceptos no tienen por qué coincidir. Mientras el capital regulatorio cubre, sobre todo, los riesgos de crédito, mercado y operacional, el capital económico considera todos los riesgos significativos de la actividad. Éstos incluyen tanto los anteriores como el efecto diversificación, el modelo de gobierno y el riesgo de posiciones fuera de balance y actividades de titulización.

11.6. *EUROPEAN BANKING AUTHORITY (EBA):* EVALUACIÓN DEL RIESGO DEL SECTOR BANCARIO EUROPEO

Semestralmente, la Autoridad Bancaria Europea (EBA en inglés) publica una evaluación de los riesgos del sector bancario europeo. La tabla 11.3 recoge, de forma resumida, los principales riesgos bancarios, los factores que los determinan, la importancia de los mismos y su tendencia.

En primer lugar, nos llama la atención que de los once aspectos analizados, seis son considerados de elevado riesgo y dos de ellos, el riesgo de crédito y la rentabilidad, pueden agravarse.

Las perspectivas económicas poco alentadoras de algunos países, con bajas tasas de crecimiento de la actividad y elevado paro, tienen un importante impacto negativo sobre la calidad de la cartera crediticia y sobre los resultados a través de la constitución de provisiones adicionales. Además, el entorno de bajos tipos de interés presiona el margen de intermediación, principalmente en aquellos bancos que están más ex-

---

[13] Véase el capítulo 12 para un mayor detalle sobre estos acuerdos.

puestos al negocio hipotecario con tasas indexadas al Euribor en tendencia bajista. A su vez, los costes de financiación, lejos de bajar, se han incrementado debido a la necesidad de aumentar el capital y de captar depósitos en sustitución de la financiación mayorista.

TABLA 11.3

Principales riesgos del sector bancario europeo

	Riesgo bancario	*Drivers* de riesgo	Nivel de riesgo	Tendencia
Capital	Riesgo de crédito.	Calidad de los activos.	Elevado	↑
	Riesgo de mercado	Volatilidad.	Medio	↔
	Riesgo operacional.	Reducción indiscriminada de costes.	Medio	↔
	Concentración de riesgos.	Tipos de interés.	Medio	↔
	Riesgo reputacional y legal.		Medio	↑
	Rentabilidad.	Márgenes, calidad de los activos, provisiones y cambios en el modelo de negocio.	Elevado	↑
Liquidez	Acceso a financiación distribución de plazos.	Confianza del mercado.	Medio	↑
	Estructura de financiación.	Endeudamiento.	Elevado	↔
Entorno	Entorno regulador.		Elevado	↔
	Fragmentación.		Elevado	↔
	Riesgo soberano.		Elevado	↔

FUENTE: Risk Assessment of the European Banking System, Euopean Banking Authority, julio de 2013, p. 7.

En un entorno económico débil y con un sector en proceso de desapalancamiento lograr una rentabilidad adecuada constituye un desafío y puede hacer peligrar los niveles de capital.

A pesar de la aprobación de la CRD IV y de la publicación de la CRR/CRD, todavía hay más reformas reguladoras en fase de discusión actuando como un factor de inestabilidad que preocupan a los mercados.

La evidente fragmentación financiera y el denominado *loop* riesgo soberano/banca pesa negativamente sobre algunos países, sobre todo en los periféricos, que soportan mayores costes de financiación y dificultades de acceso a los mercados, creando desigualdades competitivas dentro de lo que debería ser un Mercado Único Financiero. La creación de la Unión Bancaria es necesaria y urgente.

Finalmente, aunque no menos importante, es necesario recuperar la confianza del cliente. El uso y abuso de malas prácticas en la comercialización de productos, en la manipulación de tasas o en la concesión de préstamos han deteriorado la reputación de las entidades bancarias, que asumen un papel fundamental en la financiación del sector real de la economía y, por ende, en el crecimiento económico.

CONCEPTOS CLAVE

- ALCO.
- Capital económico.
- Capital regulatorio.
- EBITDA.
- Estructura temporal de los tipos de interés.
- Exposición.
- Gobierno corporativo.
- Provisiones específicas.
- Provisiones genéricas.
- Riesgo-país.

BIBLIOGRAFÍA

Bessis, J. (2002). *Risk management in banking,* John Wiley & Sons Inc., Nueva York.

Caruana, J. (2004). «Estrategias de gestión ante un contexto de profundos cambios en los modelos de negocio», Conferencia de Clausura del XI Encuentro del sector financiero, 28 de abril.

Dobson, R. (1997). «Switzerland Takes a Tumble», *Euromoney,* marzo, pp 164-169.

Federal Reserve Bank of New York, Annual Report 1998, pp. 15-23.

Franco, S. (1997). «La banca considera que ha alcanzado niveles adecuados de control de riesgos», *Expansión,* 20 de junio.

Gil, G. (2004). «Transparencia y disciplina de mercado: gobierno corporativo», Jornadas empresariales, Centro Cultural de Caixanova, noviembre.

González-Páramo, J. (2012). «De la crisis sub-prime a la crisis soberana: el papel del BCE», Encuentro Financiero Bankia-El País, 5 de marzo.

Koch, T. y MacDonald, S. (2000). *Bank management,* Dryden Press, Fort Worth.

López Pascual, J. (1996). *El rating y las agencias de calificación,* Dykinson, Madrid

Millaruelo, A. y Río, A. (2013). «Las medidas de política monetaria no convencionales del BCE a lo largo de la crisis», Boletín Económico, enero, Banco de España, pp. 89-99.

Parsley, M. (1996). «Risk Management's Final Frontier», *Euromoney,* septiembre, pp. 74-79.

Raff, D. (2000). «Risk management in an age of Change», Financial Institutions Center-The Wharton School, University of Pennsylvannia.

Santomero, A. (2000). «Commercial bank risk management: an analysis of the process, Financial Institutions Center-The Wharton School, University of Pennsylvannia.

Santos, J. (2000). *Bank capital regulation in contemporary theory: a review of the literature,* BIS, Basilea.

Sebastián González, A. (1996). «Revolución de las medidas de rentabilidad», *Anuario de Finanzas,* pp. 98-99, Ediciones Negocios. Madrid.

Shirreff, D. (1996). «The Fear that Dares to Speak its Name», *Euromoney,* septiembre, pp. 66-72.

Shirreff, D. (2000). «Basel's big exam», *Euromoney,* mayo, pp. 64-65.

Torassa, S. (1996). «Riesgo sistémico en el mayor mercado financiero mundial», *Anuario de Finanzas,* pp. 150-151, Ediciones Negocios. Madrid.

12

Indicadores y modelos de medición del riesgo bancario

12.1. INTRODUCCIÓN

En un momento como el actual, en el que los márgenes son estrechos, la diferencia entre obtener un beneficio o una pérdida puede estar en la gestión prudente y eficaz de los riesgos.

En un contexto de bajos tipos de interés, reducida actividad económica, elevada competencia y creciente regulación, las entidades deben dedicar esfuerzos a desarrollar metodologías e implementar prácticas que ayuden a mejorar los procesos de decisión basados en el análisis y cuantificación de los riesgos.

En el capítulo anterior hemos descrito los principales riesgos bancarios así como el modelo organizativo que sigue las mejores prácticas internacionales. En el presente capítulo vamos ocuparnos de algunas de las métricas utilizadas por el sector, que permiten adaptar la gestión del modelo de negocio a los límites aprobados por los máximos órganos de gobierno en función de la tolerancia al riesgo acordado.

A pesar de que los sistemas de medición son imprescindibles en la gestión de cualquier tipo de riesgo, su utilización sólo se justifica cuando previamente se haya definido el límite considerado como aceptable, que refleja el impacto máximo anual en resultados que pueden derivarse de las posiciones de riesgo existentes. Como es natural, los límites de riesgo son revisados periódicamente porque la institución puede variar su política y/o puede que determinados factores exijan que se reconsideren los niveles tenidos como soportables anteriormente. Por ejemplo, la crisis del Golfo propició una reducción de los límites admisibles en toda la gama de riesgos.

12.2. SISTEMAS DE MEDICIÓN DEL RIESGO DE CRÉDITO

La clasificación de los clientes, según el riesgo que suponen para el banco, es la siguiente:

1. Clientes que tienen asignado un analista de crédito (clientes carterizados), o sea, los clientes de banca mayorista y las empresas de banca minorista cuyo

nivel de riesgo está por encima de un umbral establecido por cada unidad. La gestión de riesgo se realiza mediante un análisis experto complementado con herramientas de apoyo a la decisión.

2. Clientes que no tienen asignado un analista de riesgo (clientes no carterizados), como el caso de los riesgos con particulares, autónomos y empresas de banca minorista no carterizadas. La gestión de estos riesgos se basa en modelos internos de valoración y decisión automática, complementados, cuando es necesario, con el juicio experto de equipos de analistas.

12.2.1. Etapas y modelos del análisis de riesgos

Dentro del proceso de análisis de una solicitud de crédito hay varias etapas, que resumimos en la figura 12.1. A pesar de que todas son relevantes para la toma de decisión, vamos centrarnos en las métricas del riesgo de crédito, que sirven de base para fijar las condiciones de la operación en términos de precio, plazo y garantías exigidas, en el caso de que se acepte la propuesta.

De los modelos que se utilizan, el más conocido es el clásico de las cinco C debido a los cinco aspectos que se estudian en relación a cada petición de crédito, que en inglés empiezan por la letra c:

— **Carácter** *(character):* integridad u honradez del prestatario. Se trata del factor más importante a la hora de determinar el nivel de riesgo de una operación. En el caso de personas jurídicas, suele hacer referencia a la integridad del equipo directivo. Es la variable más difícil de evaluar cuantitativamente, debiendo estimarse a través de juicio subjetivo mediante contactos y entrevistas con el cliente, informes de agencias y proveedores, de otras entidades bancarias, etc.

— **Capacidad** *(capacity):* se refiere a la capacidad de generación de fondos para hacer frente a la devolución de la deuda. En el caso de personas físicas, la capacidad se analiza a través de declaraciones del Impuesto de la Renta de las Personas Físicas, nóminas, etc.; en el caso de personas jurídicas, a través de estados financieros históricos y previsionales.

— **Capital** *(capital):* es sinónimo de patrimonio y, en el caso de las personas físicas, se mide por las declaraciones juradas de bienes, declaraciones del impuesto sobre el patrimonio, Registro de la Propiedad, etc. En el caso de personas jurídicas se analiza el balance de situación, valorándolo a precios de mercado o acudiendo al consejo de peritos especializados.

— **Garantía** *(collateral):* aunque no debe considerarse como el factor a partir del cual decidir la concesión de la operación, es necesaria en muchos casos la exigencia de garantías que avalen la devolución del crédito.

— **Condiciones** *(conditions):* se trata de la situación del entorno del prestatario, que puede afectar a su capacidad de pago.

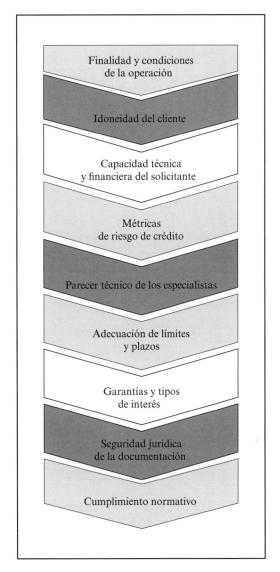

Figura 12.1. Etapas del análisis de una solicitud de crédito.

En la práctica, existe una gran variedad de modelos de análisis de riesgos (figura 12.2), aunque la mayoría se encuadra en alguno de los sistemas o enfoques siguientes: modelo de valoración automática de riesgos *(credit scoring),* modelo relacional y modelo económico-financiero.

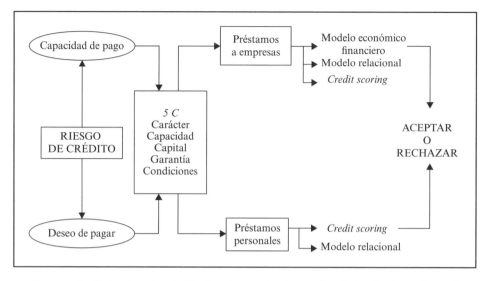

FUENTE: Instituto Superior de Técnicas Bancarias, Manual Práctico de Operaciones Bancarias, n.º 2, p. 51, *Cuadernos de Cinco Días*.

Figura 12.2. Modelos de medición del riesgo de crédito.

12.2.1.1. *El credit scoring*

El *credit scoring* es un sistema de calificación de créditos que intenta automatizar la toma de decisiones en cuanto a conceder o no una determinada operación de riesgo, normalmente un crédito. La virtud de este sistema es la de acortar el tiempo de análisis además de simplificarlo, lo que contribuye a mejorar el nivel de servicios proporcionados a la clientela. Por ejemplo, mediante la aplicación de un sistema *credit scoring* y su posible consulta, el cliente podrá conocer la respuesta que dará el banco a su petición sin necesidad de acudir a una entrevista personal o acordar una cita con antelación.

Este modelo puede aplicarse tanto a personas físicas como jurídicas, siendo lo normal utilizarlo para créditos personales o al consumo, establecimiento de límites a tarjetas de crédito, créditos a pymes, etc. Su éxito depende fundamentalmente de la calidad del algoritmo utilizado y de la existencia de un sistema eficiente de contrastación de datos.

Entre las muchas expresiones que se utilizan, comentaremos el denominado Índice de Altman[1], muy utilizado en Estados Unidos pero no trasladable a España:

$$Z = 0{,}012 \ FM/A + 0{,}014 \ BR/A + 0{,}033 \ BAI/A + 0{,}6 \ FP/D + V/A$$

---

[1] Edward Altman es un experto en riesgo de solvencia empresarial.

Los coeficientes que acompañan a las relaciones se han obtenido de la práctica y la experiencia.

Los ratios o relaciones que forman parte de la ecuación son los siguientes:

FM/A: Fondo de maniobra/Activo = Ratio de liquidez.
BR/A: Beneficio retenido/Activo = Ratio de autofinanciación.
BAI/A: Beneficio antes de impuestos/Activo = Ratio de rentabilidad económica.
FP/D: Fondos propios/Deuda = Ratio de endeudamiento.
V/A: Ventas/Activo = Ratio de rotación.

En cualquier caso, dependiendo de la solución obtenida, la respuesta es automática, existiendo los siguientes rangos:

$Z < 1,8$: indicador de empresa en quiebra.
$1,8 < Z < 2,67$: empresa con peligro de problemas financieros (riesgo de crédito).
$Z > 2,67$: empresa sin problemas financieros.
$Z > 3$: situación financiera excelente, con escasa probabilidad de problemas financieros en el corto y en el medio plazos.

En el caso de las personas físicas, lógicamente no se aplicarían ratios sino variables socioeconómicas, como pueden ser: edad, estado civil, nivel de ingresos, profesión, categoría laboral, finalidad del crédito, saldo medio mantenido durante cierto período, etc.

12.2.1.2. *Modelo relacional*

El modelo relacional se basa en el análisis exhaustivo de la información que obra en poder de la entidad derivada de las relaciones previas con el cliente. Por ello, sólo es posible su aplicación con clientes antiguos.

No tiene una metodología estructurada, sino que, a través de las relaciones históricas de la entidad con el cliente y partiendo de una serie de hipótesis discriminantes, pretende alcanzar una respuesta adecuada al nivel de riesgo deseado.

En el caso de un cliente que sólo operara a través de una entidad, es decir, una vinculación total, y con un elevado grado de cobros y pagos por cuenta bancaria, dicha entidad dispondría de una valiosísima información que, prácticamente, evitaría pedirle información económico-financiera adicional para evaluar su riesgo. Normalmente, esto no es posible, pues la mayor parte de las personas físicas y la práctica totalidad de las empresas diversifican sus relaciones con las entidades financieras.

Además, las relaciones o ratios que se calculan en el método relacional constituyen piezas clave para el seguimiento del riesgo y el análisis de la rentabilidad global del cliente.

El mejor o peor resultado que se obtenga con este modelo dependerá del funcionamiento adecuado del Centro de Proceso de Datos y de la formación del personal.

Su principal limitación resulta de que sólo puede aplicarse a clientes que previamente hayan tenido relaciones con la entidad.

12.2.1.3. *Modelo económico-financiero*

Se trata del método más adecuado para operaciones de elevado importe. Se basa en el análisis de los estados financieros de la empresa a través de ratios que indiquen las tendencias y su situación respecto a otras empresas del mismo sector. Obviamente, en este caso, el éxito del modelo depende de la calidad de la información contable obtenida, además de la formación del personal.

También se estudia, y es una parte muy importante, el encajado de la financiación sobre la proyección de resultados y flujos de tesorería del cliente para conocer la capacidad de pago futura.

Este tipo de análisis es fundamental para la financiación de compras apalancadas de empresas (*Leveraged Buy Out, LBO,* y *Management Buy Out, MBO*), donde la mayor parte responde a crédito bancario.

12.2.2. La exposición al riesgo de crédito

La exposición al riesgo de crédito de una entidad corresponde al saldo de la cartera crediticia, que puede descomponerse por: tipo de préstamo, plazo, titular (particular y/o empresas) y, en el caso de las empresas, por sector y tamaño. A mayor exposición, mayor riesgo.

Tal como comentamos en el capítulo 11, en los últimos años, la baja actividad económica marcada por tasas de crecimiento del PIB bajas, e incluso negativas, ha contribuido a un aumento de la morosidad y a una restricción de la actividad crediticia. La banca se volvió más exigente a la hora de conceder créditos[2] porque la probabilidad de impago aumentó[3], al mismo tiempo que el regulador exigía más provisiones y los niveles de capital en relación a las nuevas exigencias regulatorias reclamaban una mayor prudencia en la concesión de nuevo crédito.

A su vez, la morosidad está íntimamente asociada a lo que se califica como moroso, o sea, a todo el crédito cuyo deudor presenta un retraso de tres meses en el pago de las cantidades a entregar (principal y/o intereses). Este concepto no debe confundirse con el crédito fallido, que es el considerado como incobrable por la entidad.

---

[2] La banca redujo su oferta crediticia y el coste de los préstamos aumentó. En términos de saldo vivo del crédito, en octubre de 2013 estábamos en los niveles de noviembre de 2006.

[3] Véase figura 11.9 (capítulo 11), que describe el comportamiento de la morosidad de las entidades de depósito.

12.2.3. Indicadores de riesgo de crédito

El saldo de los dudosos es un indicador del riesgo de crédito, sobre todo cuando está relacionado con la exposición al riesgo, o sea, con el saldo de la cartera crediticia. La evolución de ambas variables refleja un crecimiento ininterrumpido de la primera, desde enero de 2008, y una reducción de la segunda a partir de julio de 2009 (véase figura 12.3). Como consecuencia, el índice de morosidad alcanzó, en octubre de 2013, la cifra de 13,1%, nunca registrada anteriormente, que indica que de cada 100 euros invertidos, 13,1 euros no fueron devueltos por los clientes al vencimiento del contrato.

Explicar o justificar tan elevado valor exige mencionar varias causas: baja actividad económica, elevada tasa de paro, desconfianza en la economía, crisis de la deuda soberana, créditos «mal concedidos» durante el período de expansión, estallido de la burbuja inmobiliaria, revisión de las carteras de créditos refinanciados a pedido del Banco de España, etc. Si bien, por su magnitud, esta situación es insólita, lo cierto es que viene a confirmar la evidencia empírica de que los riesgos tienden a materializarse en las fases de desaceleración, aunque los errores de la política de crédito se suelen cometer en las fases expansivas del ciclo, cuando el optimismo reinante lleva a relajar las exigencias de las políticas crediticias practicadas por las entidades.

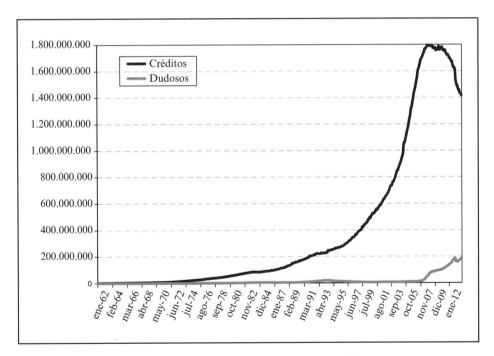

FUENTE: Banco de España, Boletín Estadístico, diciembre de 2013.

Figura 12.3. Evolución del crédito y de los dudosos (1962-2013).

De acuerdo con un estudio de Saurina y Jiménez (2006), un crecimiento rápido de las carteras crediticias está positivamente asociado a un aumento posterior de los índices de morosidad. Concretamente, un aumento de un 1 % en la tasa de variación del crédito supone a largo plazo un aumento de la tasa de morosidad de 0,7 %[4].

Además, según los mismos autores, un aumento del 1 % en la tasa de variación del PIB (por ejemplo, si el PIB pasa del 2 % al 3 %) contribuye a una disminución de, aproximadamente, un 30,1 % en el índice de morosidad (pasa de 3,94 % a 2,75 %). A su vez, un aumento de 100 puntos básicos en los tipos de interés supone un aumento del 21,6 % en el índice de morosidad.

Aunque el aumento de la morosidad siempre es un indicador negativo, conviene subrayar que, en los últimos meses, su agravamiento se debe más a una reducción de la cartera que a un aumento de los dudosos (véase figura 12.4).

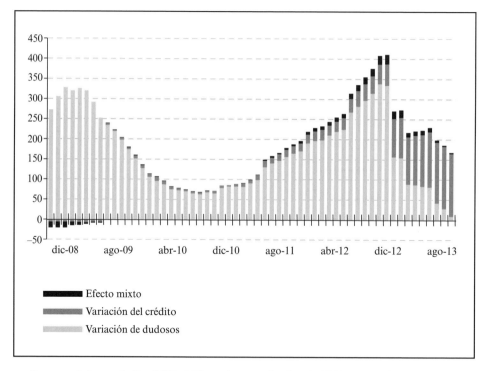

Fuente: Informe de Estabilidad Financiera, noviembre de 2013, Banco de España.

Figura 12.4. Descomposición factorial de la variación interanual de la ratio de dudosos.

---

[4] Los préstamos concedidos durante un período de expansión tienen una mayor probabilidad de incumplimiento futuro (pasados dos, tres o cuatro años desde su concesión).

También es importante aclarar que un aumento de la morosidad no afecta directamente a la solvencia de las entidades, porque, para mitigar las pérdidas esperadas derivadas del incumplimiento de los créditos concedidos, los bancos constituyen provisiones destinadas a cubrir las pérdidas ya incurridas o, también, a hacer frente a pérdidas inherentes. En el caso de España, el supervisor obligó a constituir dos tipos de provisiones con distinta función: las provisiones genéricas y las específicas. Las primeras se dotan en función del volumen de financiación concedida y de la composición de la misma sobre la base de unos baremos fijados por el supervisor. Las segundas se constituyen para riesgos concretos.

Como podemos observar en la figura 12.5, desde junio de 2009 las provisiones específicas superaron a las genéricas debido al aumento de la morosidad y a la necesidad de utilizar estas últimas para cubrir los impagados.

Si comparamos las Provisiones Totales (genéricas más específicas) con los dudosos de la banca (véase figura 12.6), constatamos que, entre diciembre de 1981 y octubre de 2013, hubo tres períodos (diciembre 1981-mayo 1987; julio 1990-mayo 1997 y julio 2008-octubre 2013) en los que las provisiones totales fueron insuficientes para hacer frente a los impagados reconocidos. En otras palabras, el ratio de cobertura —la relación entre el nivel de provisiones y los créditos dudosos— era inferior al 100 %, o sea, que las provisiones constituidas no cubrían la totalidad de los impagados (véase figura 12.7).

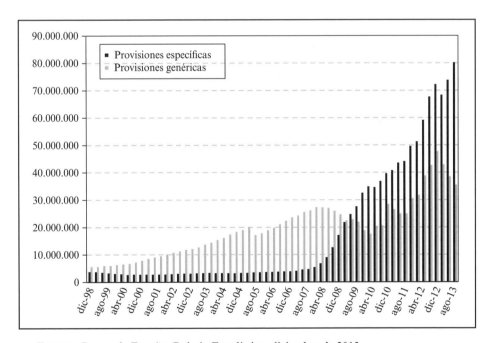

FUENTE: Banco de España, Boletín Estadístico, diciembre de 2013.

Figura 12.5. Provisiones genéricas y específicas en el sector bancario español (1998 a septiembre de 2013).

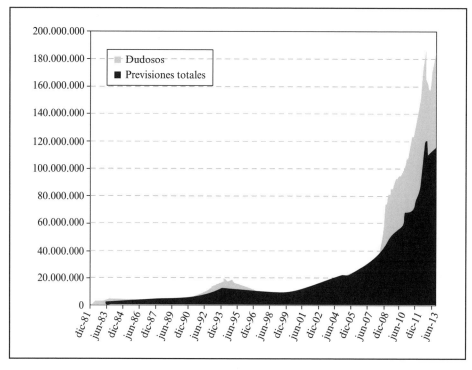

FUENTE: Banco de España, Boletín Estadístico, diciembre de 2013.

Figura 12.6. Comportamiento de las provisiones totales y de la cartera de dudosos.

En contrapartida, entre junio de 1997 y junio de 2008 el ratio se mantuvo por encima del 100%, llegando a alcanzar la cifra récord de 368%. Esos elevados valores rivalizaban con la baja morosidad que disfrutaba el sector durante la fase expansiva de nuestra economía.

12.3. EL *RATING* COMO INDICADOR DEL RIESGO-PAÍS

El riesgo exterior, o de no recuperación de inversiones fuera del país de origen, no se distingue conceptualmente del riesgo de crédito. Sin embargo, presenta características específicas que exigen un tratamiento por separado. En este sentido, a través de la circular 34/1984, el Banco de España dictó normas sobre la calificación del riesgo-país y sobre el nivel de las provisiones a realizar. Posteriormente, esta normativa fue cambiando para ajustarse a la evolución de los correspondientes riesgos.

Las agencias de calificación de riesgos más grandes y reconocidas del mundo son: FitchRatings, Moody's Investor Service y Standard & Poor's, y su función es evaluar el riesgo crediticio de los distintos países.

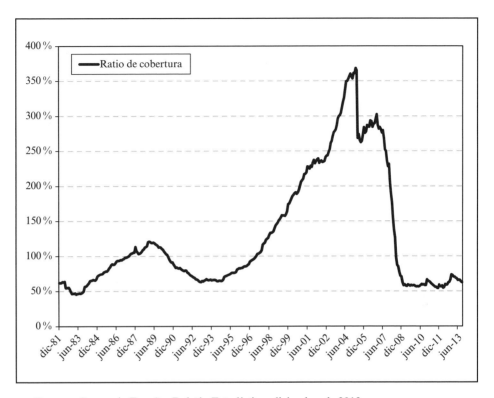

FUENTE: Banco de España, Boletín Estadístico, diciembre de 2013.

Figura 12.7. Ratio de cobertura.

Según los modelos de evaluación de estas agencias, los países del mundo se dividen en dos grandes grupos: los que poseen grado especulativo y los que poseen grado de inversión. A su vez, dentro de cada uno de estos dos grandes grupos, encontramos diferentes «notas». Como es posible observar en la tabla 12.1, las calificaciones de las tres agencias no coinciden. Por ejemplo, para las agencias Fitch y Standard & Poor's, la nota más baja posible en el grado especulativo es D, y en el caso de Moody's, C. Dentro del grado de inversión, la nota más baja es, para Standard & Poor's, BBB; para Fitch, BBB, y para Moody's, Baa1.

Los *ratings* de los países son indicativos del coste que tienen que pagar cuando buscan financiación en los mercados de deuda pública. De hecho, los países con menos riesgo, o sea, mejor *rating,* pueden ofrecer menos rentabilidad a los inversores que compran su deuda pública. En otras palabras, estos países pueden financiarse en los mercados a tasas más bajas.

Un concepto muy cercano al de riesgo país es el de la prima de riesgo, definido como el sobreprecio que paga un país para financiarse en los mercados, en comparación con otro tomado como *benchmark*. En la Zona Euro, el país que se adopta como

TABLA 12.1

Las «notas» de las agencias de rating más reconocidas

Moody's	S&P	Fitch	Breve definición
Grado inversión-elevada credibilidad			
Aaa	AAA	AAA	Máxima seguridad.
Aa1 Aa2 Aa3	AA+ AA AA–	AA+ AA AA–	Calidad elevada.
A1 A2 A3	A+ A A–	A+ A A–	Calidad media superior.
Baa1 Baa2 Baa3	BBB+ BBB BBB–	BBB+ BBB BBB–	Calidad media inferior.
Especulativa-baja credibilidad			
Ba1 Ba2 Ba3	BB+ BB BB–	BB+ BB BB–	Calidad inferior, especulativa.
B1 B2 B3	B+ B B–	B+ B B–	Altamente especulativa.
Predominantemente especulativa-elevado riesgo o en quiebra			
	CCC+ CCC	CCC	Elevado riesgo.
Caa	CC C	CC C	Probablemente en estado de quiebra.
Ca C		DDD DD	En quiebra.
	D	D	

FUENTE: elaboración propia.

referencia es Alemania, y la prima de riesgo de un determinado país corresponde a la diferencia entre la rentabilidad de su bono a diez años y la del bono a diez años alemán *(bund)*. Cuanto mayor sea el riesgo que el mercado perciba en un determinado país, mayor será la prima de riesgo, es decir, la rentabilidad exigida por los inversores para adquirir su deuda pública. En cierto modo, funciona como un indicador de la confianza en la solidez de la economía.

294

Una prima de riesgo negativa es sinónimo de una rentabilidad de la deuda pública del país en cuestión inferior a la de Alemania. Ése era el caso, por ejemplo, de Suecia en junio de 2007, en noviembre de 2011 y enero de 2012. En el otro extremo, encontramos primas de riesgo positivas que aumentaron considerablemente a lo largo del período, reflejando los importantes problemas económicos de algunos países europeos. La columna «variación» de la tabla 12.2 refleja el cambio registrado por la prima de riesgo de cada país en el período observado (2007-2014). Por orden decreciente, constatamos que Grecia, Portugal, España, Italia e Irlanda, los denominados «PIIGS», fueron más penalizados por la crisis financiera. El caso más llamativo es, sin duda, el de Grecia, que pasó de una prima de riesgo de 22 puntos básicos en junio de 2007 a 616 puntos básicos en enero de 2014, después de alcanzar los 2.556 puntos básicos en noviembre de 2011.

TABLA 12.2

Comportamiento de la prima de riesgo de trece países de la Unión Europea

Países	14-jun-07	14-jun-10	14-jun-11	22-nov-11	5-ene-12	4-ene-13	2-ene-14	Variación
Austria	−18	53	41	152	172	40	33	51
Bélgica	7	84	113	291	276	74	61	54
Dinamarca	8	11	−2	8	−15	6	5	−3
Finlandia	4	29	30	68	45	22	19	15
Francia	4	47	45	155	151	59	48	44
Grecia	22	587	1.457	2.556	3.238	976	638	616
Irlanda	3	281	844	653	645	276	148	145
Italia	21	146	177	491	527	272	202	181
Holanda	4	28	28	61	40	19	29	25
Portugal	17	275	774	941	1.143	479	393	376
España	4	214	246	470	385	351	203	199
Suecia	−20	−10	9	−25	−17	17	57	77
Reino Unido	82	93	28	31	15	58	109	27

FUENTE: *Financial Times* (varias ediciones) y elaboración propia.

Basándose en la interacción de la actividad económica y el sector bancario, S&P posiciona en una matriz un conjunto de países (véase figura 12.8). El eje horizontal representa el riesgo sectorial y cuanto más a la derecha esté un país, mayor es el riesgo de su sector bancario. A su vez, el eje vertical refleja el riesgo económico y cuanto más arriba esté un país, mayor es su riesgo. España tiene relativamente más riesgo económico que bancario, y en Europa, el país mejor posicionado por su estabilidad económica y bancaria es Suiza.

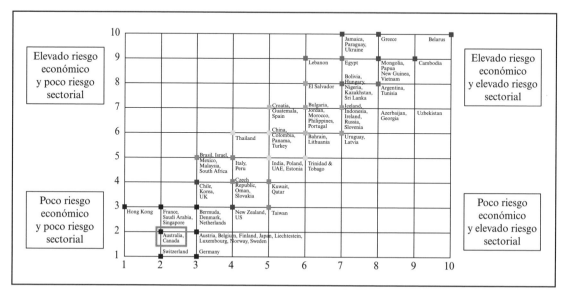

FUENTE: Banking Industry Country Risk Assessment Update, Standard & Poors, febrero de 2013.

Figura 12.8. Matriz de riesgo económico-riesgo sectorial por países.

12.4. SISTEMA DE MEDICIÓN DEL RIESGO DE LIQUIDEZ

La herramienta más tradicional en este caso es el denominado perfil de liquidez, que refleja para diversos intervalos temporales —un día, una semana, un mes, etc.— las diferencias entre activos y pasivos que vencen dentro de esos mismos intervalos temporales.

La diferencia obtenida reflejaría la cuantía de fondos disponibles, o de fondos adicionales necesarios, en cada uno de los períodos, bajo la hipótesis de un cumplimiento de los plazos de vencimiento contractuales.

La principal desventaja de esta herramienta es que sólo es válida para plazos muy cortos porque no tiene en cuenta las nuevas incorporaciones al balance, los vencimientos de las mismas y la generación de *cash-flow*. Además, hay que establecer cómo tratar a los pasivos y activos sin vencimiento explícito, fijar qué porcentaje de los pasivos a la vista se considera que se mantiene en el tiempo y considerar que muchas demandas de financiación a corto serán renovadas por el cliente.

Una de las lecciones que podemos extraer de la crisis financiera es, sin duda, la importancia del riesgo de liquidez.

12.4.1. Indicadores del riesgo de liquidez

Los indicadores tradicionales de liquidez son:

1. El gap comercial o de liquidez = Préstamos y créditos – Depósitos.

2. El *Ratio Loans to Deposits* $= \dfrac{\text{Préstamos y créditos}}{\text{Depósitos}}$.

3. El índice de liquidez $= \displaystyle\sum_{t=1}^{n} W_i \cdot \dfrac{PV_i}{PM_i}$.

donde:

W_i: peso del activo dentro de la cartera.
PV: precio de venta inmediata.
PM: precio de mercado en condiciones normales.

Cuanto menor es el índice, mayor será el riesgo de liquidez.

Una de las novedades que introduce Basilea III es la obligatoriedad de cumplir con dos ratios de liquidez:

1. El ratio de cobertura de liquidez a corto plazo, es decir, el *Liquidity Coverage Ratio, LCR:*

$$LCR = \frac{\text{Inventario de activos de alta liquidez}}{\text{Total de salidas netas en efectivo durante los próximos 30 días}} \geq 100\%.$$

Este ratio busca reforzar la liquidez a corto plazo, exigiendo a los bancos que tengan activos líquidos suficientes para hacer frente a posibles salidas netas de efectivo durante 30 días naturales y en condiciones de estrés. Cuanto mayor sea el ratio, mayor será la liquidez del banco. El supervisor exigirá reportes mensuales y su aplicación será progresiva desde el 1 de enero de 2015 hasta el 1 de enero de 2019 (véase tabla 12.3).

2. El ratio de liquidez estructural, o *Net Stable Funding Ratio, NSFR:*

$$NSFR = \frac{\text{Cantidad disponible de financiación estable}}{\text{Cantidad necesaria de financiación estable}} \geq 100\%.$$

Mientras el ratio anterior mide la liquidez de corto plazo, éste evalúa la de medio y largo plazo a través de la relación entre las fuentes de financiación estables y la estructura del activo. Lo que el regulador persigue es que los bancos financien sus activos con fondos estables. A mayor ratio, mayor liquidez. El reporte deberá ser trimestral y su aplicación es de obligado cumplimiento a partir del 1 de enero del 2019.

TABLA 12.3

Calendario de implementación de los ratios de liquidez

Ratios de liquidez	1 de enero de 2015	1 de enero de 2016	1 de enero de 2017	1 de enero de 2018	1 de enero de 2019
LCR	60%	70%	80%	90%	100%
NSFR				Mínimo	

La European Banking Authority (EBA) analiza semestralmente el grado de cumplimiento de los nuevos requerimientos incorporados en Basilea III. Para el efecto, utiliza una muestra de 170 bancos, 42 pertenecientes al Grupo 1, cuyas entidades se caracterizan por tener un capital Tier 1 superior a 3.000 millones de euros y una actividad diversificada internacionalmente; los 128 restantes son parte del grupo 2. Con datos de diciembre de 2012, los bancos del grupo 1 y del grupo 2 presentan, en media, un ratio *LCR* de 109% y 128%, respectivamente (figura 12.9). La evolución ha sido positiva, presentando los bancos del grupo 2 un mejor comportamiento (ya cumplían con el ratio en junio del 2012) que los del grupo 1.

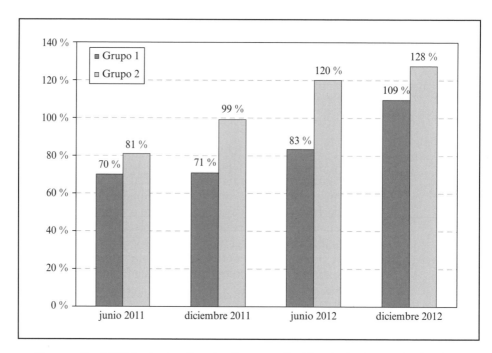

FUENTE: Basel III Monitoring Exercise, European Banking Authority, septiembre de 2013.

Figura 12.9. Evolución del LCR de los bancos del grupo 1 y del grupo 2.

A pesar de que, en media, los bancos de la muestra ya cumplen con el ratio de cobertura de liquidez a corto plazo, lo cierto es que, dentro de cada grupo, la dispersión es considerable y un 16 % de los bancos necesita tomar acciones adicionales para poder presentar un ratio del 60 % el 1 de enero de 2015. Según las estimaciones de la EBA, el déficit de activos líquidos asciende a 225.000 millones de euros, o sea, el 0,1 % del total de los activos de la muestra, que alcanza los 31,3 billones de euros.

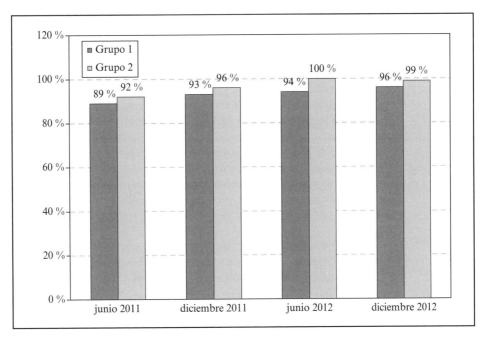

FUENTE: Basel III Monitoring Exercise, European Banking Authority, septiembre de 2013.

Figura 12.10. Evolución del NSFR de los bancos del grupo 1 y del grupo 2.

El comportamiento de los bancos de la muestra en relación al perfil de liquidez a medio y largo plazo revela una gradual pero insuficiente mejoría a lo largo del período. A 31 de diciembre de 2012, la insuficiencia de fondos estables alcanza los 959.000 millones de euros, mientras que seis meses antes era de 1.230.000 millones de euros. Aproximadamente el 50 % de los bancos necesita tomar medidas para, el 1 de enero del 2018, alcanzar el valor mínimo requerido, que es del 100 %.

12.5. SISTEMAS DE MEDICIÓN DEL RIESGO DE MERCADO

Bajo el nombre de riesgo de mercado se incluye tanto el riesgo de tipos de interés como el de tipos de cambio. Por la importancia relativa del primero con respecto al segundo, dedicaremos la mayor parte de este apartado a los distintos modelos y sistemas de medición del riesgo de tipos de interés.

12.5.1. El riesgo de tipo de interés: el *gap* como medida de la sensibilidad del balance

Con el sistema de medición del *gap,* los activos y pasivos se clasifican en sensibles o no sensibles para un determinado intervalo temporal. Un activo o un pasivo se considera sensible a las variaciones de los tipos de interés si los flujos que genera varían en la misma dirección que los tipos de interés del mercado a corto plazo. Los activos y pasivos no sensibles, por el contrario, están contratados a tipo fijo o bien no son susceptibles de variación en el período de referencia, o representan partidas del balance no ligadas a ningún tipo de interés (inmovilizado, recursos propios, cuentas diversas, etc).

La sensibilidad o no sensibilidad de un activo o pasivo depende del intervalo de tiempo considerado. Por ejemplo, un depósito a 90 días es considerado no sensible para una análisis del *gap* a tres meses, pero sensible para cualquier *gap* superior a dicho plazo. Los ejemplos más representativos de cada una de estas categorías son:

— Activos sensibles: préstamos a tipo variable, referenciados a preferenciales, EURIBOR, LIBOR, etc., la cartera de valores a corto plazo, los fondos invertidos en el interbancario y el descuento bancario.

— Pasivos sensibles: fondos adquiridos en el interbancario, cuentas financieras con revisión de tipos, obligaciones a tipo variable y certificados de depósito a corto plazo.

— Activos no sensibles: préstamos a tipo de interés fijo, inmovilizado, inversiones a largo plazo, inversiones en filiales y cuentas diversas.

— Pasivos no sensibles: recursos propios, certificados de depósito a largo plazo, empréstitos a tipo fijo, provisiones y cuentas corrientes normales.

Esta lista no tiene carácter exhaustivo e incluye productos que por su propia naturaleza pueden incluirse en uno u otro concepto. Además, hay que resaltar que dentro de la categoría de sensible se consideran aquellos productos que, aunque su naturaleza sea fija, tienen su vencimiento dentro del período relevante para el estudio. Por ejemplo, la parte amortizada de un préstamo a tasa fija es un activo sensible, ya que se sobreentiende que estos recursos quedan libres y habrán de ser reinvertidos a los nuevos tipos vigentes.

En otras palabras, los productos con tipo de interés fijo se distribuyen según sus vencimientos o bien según su tabla de amortizaciones, y los productos contratados a tipo de interés variable se integrarán en el intervalo de tiempo en que se produzca la primera renovación de condiciones.

Por su naturaleza, hay algunas partidas que son difíciles de clasificar. Éste es el caso de los depósitos a la vista[5], los cuales constituyen en la práctica un núcleo estable de recursos, aunque su saldo puede ser objeto de disposición en cualquier momento. Un enfoque muy utilizado considera las cuentas corrientes y las libretas de ahorro a tipos de remuneración estándar como no sensibles, por considerar que el mantenimiento del saldo obedece a motivos de operativa diaria. Sin embargo, las mismas cuentas pero de alta remuneración suelen clasificarse como sensibles a un mes, dada su rápida actualización en períodos de alza de los tipos de interés.

12.5.1.1. *El modelo básico*

El *gap* se define como la diferencia entre el volumen de los activos sensibles (ASI) y el de los pasivos sensibles (PSI) a las variaciones de tipos de interés en un período determinado de tiempo (por ejemplo, hasta un mes, entre un mes y tres meses, entre tres y seis meses, entre seis meses y un año y a más de un año):

$$GAP = ASI - PSI$$

Como medida alternativa, también se utiliza el denominado ratio de sensibilidad (RS), que se calcula dividiendo los activos sensibles entre los pasivos sensibles:

$$RS = ASI/PSI$$

Un *gap* negativo significa que los pasivos sensibles son superiores a los activos sensibles, o sea, que una parte de los activos no sensibles es financiada por pasivos sensibles. En otras palabras, la entidad bancaria en cuestión presenta una posición de sensibilidad pasiva porque el volumen de pasivo sujeto a variaciones en los tipos de interés es superior al volumen del activo. En estas condiciones, si los tipos de interés disminuyen, el banco se beneficiará de ello, mientras que si se incrementan, su margen disminuirá. *Grosso modo,* podemos decir que para un *gap* negativo de 1.000 millones de euros un incremento o disminución del 1% en los tipos de interés, producirá, respectivamente, una reducción o un aumento de 10 millones de euros en el margen de intereses de la entidad.

A su vez, un *gap* positivo indica que los activos sensibles son superiores a los pasivos sensibles o que parte de los activos sensibles se financian con pasivos no sensibles. En este caso, la entidad presenta una posición de sensibilidad activa, lo que implica un aumento del margen cuando los tipos de interés aumentan, y su disminución cuando los tipos de interés disminuyen, debido a que sus activos se reprecian o

---

[5] Los depósitos a la vista, las cuentas de alta remuneración, los depósitos en activos del mercado monetario y las cuentas de ahorro tienen en común su relativa estabilidad y no tener un vencimiento expreso (pueden retirarse en cualquier momento). En el mundo anglosajón, estos depósitos son conocidos como *core deposits*.

vencen antes que sus pasivos. Usando un ejemplo, un *gap* positivo de 1.000 millones de euros determinaría un aumento o disminución de 10 millones de euros en el margen de intereses de la entidad según los tipos de interés aumentasen o disminuyesen un 1%.

En términos generales, podemos cuantificar el efecto de una variación de los tipos de interés en el margen financiero de una entidad bancaria a través de la siguiente expresión:

$$\Delta MI = Gap \text{ acumulado} \cdot \Delta i$$

donde:

MI: margen de intereses o de intermediación.
i: tipos de interés.

Alternativamente, en vez del *gap,* podemos calcular el ratio de sensibilidad dividiendo los activos sensibles entre los pasivos sensibles. En este caso, el valor del ratio puede ser mayor, igual o menor que 1. Entre los dos indicadores hay una evidente relación: un *gap* positivo equivale a un ratio superior a 1, un *gap* nulo a un ratio igual a 1 y un *gap* negativo a un ratio inferior a 1. Por consiguiente, una posición de equilibrio vendrá expresada por un ratio igual a 1.

A título de ejemplo, presentamos los balances de dos bancos (banco A y banco B) con sus activos y pasivos clasificados en sensibles y no sensibles. El *gap* del banco A, en relación al activo total, es de −7,9%, y el del banco B de +24,2%. Mientras el primero está expuesto a una posible subida de los tipos de interés, el segundo lo está a una posible bajada, al tener un mayor volumen de activos sensibles que de pasivos sensibles. Además de presentar distinta sensibilidad a los tipos de interés, el banco A mantiene una mayor exposición que el banco B, porque el *gap* total como porcentaje del activo es, en valor absoluto, respectivamente, del 24,2% y del 7,9%.

Tradicionalmente, las entidades de crédito han tenido mayores plazos medios en el activo que en el pasivo. Por ejemplo, las cajas de ahorros estadounidenses *(savings & loans)* utilizaban los depósitos a la vista para financiar hipotecas a tipo fijo y a plazos de hasta 30 años. Tales instituciones tenían *gap* negativos elevados en el corto plazo y un gran *gap* positivo en el largo plazo. En esta situación, una subida de los tipos de interés aumentaría el coste del pasivo antes de que las tasas de los préstamos pudiesen ajustarse, reduciendo el margen de intereses y disminuyendo los beneficios.

Este tipo de análisis sirve de herramienta de gestión. Prueba de ello es que, cada vez más, los bancos incluyen en su informe anual un balance descompuesto por plazos y clasificado según su sensibilidad a la variación en los tipos de interés.

La tabla 12.4 evidencia que, a 31 de diciembre de 2009, el *gap* acumulado a un año del Banco Popular ascendía a +4.301 millones de euros, por lo que el grupo estaba en situación de obtener un resultado positivo en un escenario de subida de los tipos de interés. Alternativamente, podríamos decir que la sensibilidad del activo era

TABLA 12.4

Sensibilidad del balance del Banco Popular a la variación en los tipos de interés

Balance	Total 31/12/2009	Saldos insensibles	Saldos sensibles	Hasta 1 mes	De 1 a 2 meses	De 2 a 3 meses	De 3 a 6 meses	De 6 a 12 meses	Más de 1 año
Activo	129.290	16.019	113.271	27.835	9.608	14.696	18.760	26.285	16.087
Pasivo	129.290	28.295	100.995	36.090	8.541	9.891	13.061	12.731	20.681
Fuera de balance				330	−2.451	−972	−5.384	−4.092	12.569
Gap simples	—	−12.276	12.276	−7.925	−1.384	3.833	315	9.462	7.975
% AT		−9,49	9,49	−6,13	−1,07	2,96	0,24	7,32	6,17
Gap acum.	—	−12.276	12.276	−7.925	−9.309	−5.476	−5.161	4.301	12.276
% AT	—			−6,13	−7,20	−4,24	−3,99	3,33	9,49
RS	—	0,57	1,12	0,77	1,12	1,49	1,44	2,06	0,78

FUENTE: Informe anual 2009 del Banco Popular, p. 76, y elaboración propia.

superior a la del pasivo y que el Banco Popular estaba expuesto a una bajada de los tipos de interés porque sus activos se repreciaban[6] o vencían antes que sus pasivos.

Sin embargo, en los primeros seis meses, los pasivos sensibles superaban los correspondientes activos (*gap* negativo) con un valor máximo acumulado de −5.476 millones de euros en los primeros dos meses, es decir, un 4,24 % del balance consolidado en esa fecha. Después de los seis meses, el *gap* acumulado se mantenía siempre positivo.

En resumen, los datos revelan la exposición del banco a una bajada de los tipos de interés para un plazo superior a un año y su sensibilidad ante posibles subidas de los tipos de interés a corto plazo.

Si bien el *gap* mide la exposición de la entidad a un movimiento de los tipos de interés, la magnitud del riesgo depende del peso del *gap* en relación al activo total. En el caso del Banco Popular, y para el año 2009, constatamos un perfil de riesgo relativamente bajo. En cualquiera de los intervalos temporales, el *gap* acumulado no superó el 7,2 % del balance. En años anteriores, como, por ejemplo, 2007, el Banco Popular mantuvo exposiciones significativamente superiores, llegando a superar el 20 % del activo.

La principal diferencia entre la figura 12.11 y la tabla 12.4 es la cantidad de información que proporcionan. La tabla presenta los activos y pasivos desagregados

---

[6] El verbo repreciar es un anglicismo que viene de *to reprice*. Cualquier activo o pasivo a tipo de interés variable se expone periódicamente a posibles subidas o bajadas de los tipos.

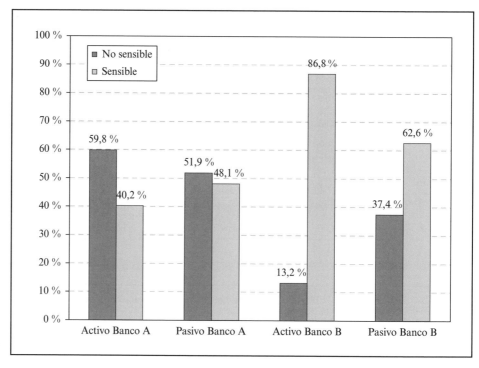

FUENTE: elaboración propia.

Figura 12.11. Sensibilidad del balance de dos bancos (banco A y banco B).

por plazos, lo que permite medir la sensibilidad para distintos períodos, por diferencia absoluta y relativa (diferenciales) y por cociente entre activos y pasivos (cobertura). Sin embargo, la figura sólo facilita la comparación entre los valores globales.

12.5.1.2. *Limitaciones del modelo básico*

Una de las desventajas de este método es que no tiene en consideración el momento en que un activo o pasivo se ajusta a los nuevos tipos de interés; por consiguiente, dos bancos con el mismo *gap* pueden presentar distinta sensibilidad a una variación en los tipos de interés si en uno el ajuste se hace al principio del período y en el otro al final.

En términos de estrategia, es importante diferenciar la sensibilidad del balance para los distintos plazos, pues una entidad puede diferenciar sus políticas de *gap* según sus predicciones sobre la estructura a plazo de los tipos de interés. Por ejemplo, una entidad puede presentar un *gap* negativo elevado a muy corto plazo porque prevé un descenso de los tipos de interés, pero a largo plazo la misma institución puede presentar un balance equilibrado, reflejando una política de prudencia en cuanto a la exposición a este tipo de riesgo.

Otra limitación de esta técnica deriva de su carácter estático[7], ya que su perfil de sensibilidad del balance a las variaciones en los tipos de interés representa únicamente la exposición al riesgo en un día determinado. Además, esto supone que las cifras del balance estudiado no registrarán variaciones en el futuro y que su estructura se mantendrá constante, centrándose exclusivamente en el efecto-tipo de interés.

La tercera limitación de la técnica del *gap* consiste en agregar por plazos de vencimiento las distintas partidas del balance. Al efectuar esta agregación se asume de forma implícita la homogeneidad de su comportamiento cuando, de hecho, una variación de un punto porcentual en los tipos de mercado de referencia no tiene necesariamente la misma repercusión en todas las partidas monetarias del balance. Generalmente, los cambios en los tipos de interés de los préstamos, dada su naturaleza administrativa, tienden a ir por detrás de los cambios en los tipos de mercado. Este fenómeno retrasa el aumento de los beneficios bancarios en épocas alcistas y amortigua la reducción en períodos bajistas.

En definitiva, la limitación de diferente elasticidad de los activos y pasivos de un banco explica por qué en un banco con *gap* nulo el margen financiero puede experimentar cambios ante variaciones en los tipos de interés. Por ejemplo, supongamos que los activos sensibles son iguales a los pasivos sensibles y que, además, la totalidad de estas partidas son recursos y activos a tipo variable; los pasivos variables son todos del interbancario, mientras que, en el caso de las inversiones, una parte de ellas están referenciadas a tipos de interbancario (fondos colocados en el interbancario y créditos indexados al EURIBOR) y la otra son inversiones crediticias que toman como referencia los preferenciales de uno o más bancos. En este caso, podemos esperar que los tipos del mercado interbancario y crediticio no experimenten exactamente las mismas variaciones (las reacciones de los preferenciales bancarios suelen ser posteriores a las de los mercados monetarios —especialmente a la baja—), lo que implica que esta entidad bancaria, aparentemente equilibrada, incurriría en un cierto riesgo de tipo de interés.

Finalmente, este modelo no resume en un solo número el riesgo al que se expone una determinada entidad y asume un balance rígido y una actitud completamente pasiva de los directivos a lo largo de cada período temporal analizado.

En la práctica, la situación es bien distinta, porque el balance va cambiando debido tanto a las decisiones de sus directivos como a los cambios en las necesidades de sus clientes, de ahí la necesidad de desarrollar modelos que se ajusten mejor a la realidad.

---

[7] No cabe duda de que se trata de una hipótesis irreal y que el perfil de sensibilidad del balance puede cambiar rápidamente si los fondos obtenidos por el vencimiento de determinados activos (activos monetarios, por ejemplo) se invierten en otros activos de diferente sensibilidad (créditos hipotecarios a tipo fijo) o bien se sustituyen pasivos que vencen por otros recursos con diferente sensibilidad.

12.5.1.3. *Extensiones del modelo básico:* gap *ajustado* y gap *efectivo*

Algunas de las limitaciones expuestas del *gap* han dado lugar a técnicas más sofisticadas, como el *gap* ajustado y el *gap* efectivo. El objetivo es tener una «imagen» más completa de la exposición de una determinada institución.

Según el modelo del *gap* ajustado, cada desfase temporal es multiplicado por un factor que corrige el diferente efecto en el margen de *gaps* que vencen al inicio y al final del período de tiempo considerado. Por ejemplo, en un período anual, el efecto del *gap* del primer trimestre es cuatro veces superior al del *gap* del cuarto trimestre. Para ser más preciso, la formula general es la siguiente:

$$Gap \text{ ajustado} = \sum_{j=1}^{n} B_j \cdot t_j / h$$

donde:

B_j: *j*-ésimo desfase temporal de *n*.
h: horizonte temporal.
t_j: períodos de tiempo comprendidos entre el final del *j*-ésimo desfase y el horizonte temporal.

Una extensión, de algún modo más compleja, del modelo del *gap* ajustado es el denominado *gap* efectivo, que se basa en la idea de que los activos y pasivos del mismo plazo pueden tener distinta sensibilidad a los cambios en los tipos de interés. Por ejemplo, es probable que los tipos del interbancario a tres meses fluctúen más que los de los préstamos para el mismo plazo.

El *gap* efectivo se calcula como la suma ponderada de los diferentes activos y pasivos que vencen durante el período del *gap*. En cuanto a los pesos, reflejan las volatilidades relativas y los vencimientos de los diferentes instrumentos con respecto a un instrumento de referencia basándose en el análisis estadístico de datos históricos:

$$Gap \text{ efectivo} = \sum_{j=1}^{n} P_j \cdot w_j$$

donde:

n: número de los distintos instrumentos del balance.
P_j: posición del instrumento respectivo (positivo para los activos y negativo para los pasivos).
w_j: peso dado al instrumento *j*.

12.5.2. El modelo de duración

La duración es una medida más rigurosa de la sensibilidad a los tipos de interés de un activo o de un pasivo que el vencimiento, porque tiene en cuenta los *cash-flows* intermedios. Además, permite medir el efecto de un cambio de los tipos de interés en el valor de mercado de los activos y pasivos bancarios y, por consiguiente, en el valor económico de los recursos propios de un banco. Ambos aspectos no son contemplados por ninguna de las más sofisticadas medidas del *gap*.

Un banco tiene perfectamente cubierto su riesgo de tipos de interés cuando la duración ponderada de sus activos es igual a la duración ponderada de sus pasivos. La ponderación se basa en el valor del activo y del pasivo, respectivamente. A su vez, la diferencia entre las dos medidas de duración se denomina *duration gap*. Cuanto mayor sea esta medida, más sensible serán los recursos propios del banco a un determinado cambio de los tipos de interés.

Si representamos el total del activo por A, el pasivo por P y los recursos propios por RP, podemos llegar a la siguiente expresión partiendo de la igualdad del balance:

$$A = P + RP$$

$$\Delta A = \Delta P + \Delta RP \quad \text{o, lo que es lo mismo,} \quad \Delta RP = \Delta A - \Delta P$$

O sea, cuando los tipos de interés cambian, el efecto en los recursos propios de una entidad es igual a la diferencia entre el valor de mercado de sus activos y el de sus pasivos. A su vez, los cambios en el valor de mercado de los activos y el de los pasivos de un banco están relacionados con su duración[8].

$$\frac{\Delta A}{A} = -D_A \frac{\Delta i}{(1 + i)} \qquad \text{o sea,} \qquad \Delta A = -D_A \cdot A \frac{\Delta i}{(1 + i)}$$

$$\frac{\Delta P}{P} = -D_P \frac{\Delta i}{(1 + i)} \qquad \text{o sea,} \qquad \Delta P = -D_P \cdot P \frac{\Delta i}{(1 + i)}$$

Sustituyendo ambas expresiones, obtenemos:

$$\Delta RP = \left[-D_A \cdot A \frac{\Delta i}{(1 + i)} \right] - \left[-D_P \cdot P \frac{\Delta i}{(1 + i)} \right]$$

$$\Delta RP = -[D_A \cdot A - D_P \cdot P] \frac{\Delta i}{(1 + i)}$$

Si multiplicamos y dividimos $D_A \cdot A$ y $D_P \cdot P$ por A, la ΔRP viene dada por la siguiente expresión:

$$\Delta RP = -\left[D_A \frac{A}{A} - D_P \frac{P}{A} \right] \cdot A \cdot \frac{\Delta i}{(1 + i)}$$

$$\Delta RP = -\left[D_A - D_P \frac{P}{A} \right] \cdot A \cdot \frac{\Delta i}{(1 + i)}$$

---

[8] El concepto de duración fue introducido por Frederick Macaulay en 1938.

En definitiva, podemos concluir que el impacto producido en los recursos propios de un banco por un cambio en los tipos de interés (ΔRP) se puede descomponer en tres efectos:

1. El *duration gap,* ajustado por el nivel de endeudamiento que refleja el desajuste del balance, *mismatch,* de la institución, que se mide en años. Cuanto mayor es el *gap* en términos absolutos, más expuesta estará la institución a variaciones en los tipos de interés.

2. El tamaño de la entidad medido por el total de los activos. Cuanto más grande es la entidad, mayor será la potencial exposición de sus recursos propios para un cambio dado en los tipos de interés.

3. La variación de los tipos de interés. A mayor variación, mayor exposición.

Mientras el último efecto corresponde a una variable externa a la gestión bancaria, que en muchos casos obedece a cambios en la política monetaria, los otros dos aspectos están bajo el control de los directivos.

12.5.3. Los modelos de simulación

Tanto el *gap* como la duración se utilizan de forma dinámica y, conjuntamente, con la ayuda de técnicas de simulación. De este modo, las entidades pueden valorar la variación previsible del margen de intereses y del valor económico ante distintos escenarios, que contemplan diversas hipótesis basadas en análisis de tendencias de tipos de cambio e interés combinadas, además de posibles variaciones en la inclinación de las curvas de tipos.

Sobre la base de dicha variación, y teniendo en cuenta el escenario más probable, así como el grado de confianza sobre el mismo, cada institución puede decidir si pretende inmunizar o sensibilizar su estructura de balance a dichas variaciones de tipos.

12.5.4. La técnica del «valor en riesgo» (VAR)

A nivel del área de mercado, la herramienta más utilizada es el denominado *value-at-risk* (VAR, o valor en riesgo), que se aplica al conjunto de posiciones de cualquier mercado (monetario, renta fija, renta variable y divisas), tanto para el contado como para el plazo, y tanto para operaciones dentro del balance como para posiciones fuera de balance o derivados[9]. En el caso de estos últimos, permite introducir ajustes cuando en la cartera intervienen opciones y otros instrumentos cuyos precios no varían linealmente en relación con los cambios de precio en el subyacente.

Básicamente, el concepto de valor en riesgo permite calcular «la probabilidad de sufrir una pérdida con una determinada posición durante un cierto período de tiempo y debido a un cambio adverso en los precios de mercado *(market price risk)*».

---

[9] El VAR es ajustado cuando se aplica a opciones y otros instrumentos cuyos precios no varían linealmente con respecto a los cambios de precio del subyacente.

Es importante subrayar que no se trata de una previsión, sino de una estimación estadística que expresa el riesgo de mercado en términos de potencial pérdida máxima que puede sufrir la cartera de negociación en un determinado horizonte temporal y para un intervalo de confianza dado.

Para determinar el VAR es preciso elegir la probabilidad de pérdida requerida, es decir, el grado de confianza (que es igual a uno menos la probabilidad de pérdida). O sea, si la probabilidad de que haya una pérdida superior al VAR es de un 2,5 %, la confianza en una ganancia o bien en una pérdida inferior al VAR debe ser de un 97,5 %. Por tanto, la probabilidad de pérdida y el nivel de confianza son mutuamente complementarios[10].

Así, y a modo de ejemplo, para medir el riesgo de mercado de su cartera de negociación, el Banco Santander utiliza un intervalo de confianza del 99 % y el horizonte temporal de un día.

De acuerdo con la figura 12.12, en 2012, el VAR medio de la actividad de negociación del banco fue, inferior al de los dos años anteriores, aunque registró una lige-

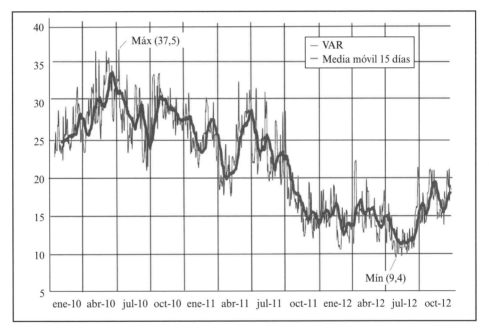

FUENTE: informe anual 2012 del Banco Santander.

Figura 12.12. Evolución del VAR del Banco Santander (2010-2012) (valores en millones de euros).

[10] El sistema RiskMetrics™, de J. P. Morgan, utiliza el nivel del 95 %, en cuyo caso, si el período de mantenimiento es un día, se superaría la pérdida correspondiente al VAR uno de cada 20 días (un 5 % del tiempo). A su vez, el RAROC 2020, del Bankers Trust, fija el nivel de confianza en un 99 %, en cuyo caso se superaría el VAR uno de cada cien días.

ra senda ascendente en el último trimestre del año debido al aumento de riesgo en las tesorerías de Brasil y Madrid. A lo largo del período, el VAR varió entre un valor máximo de 37,5 millones de euros y un mínimo de 9,4 millones de euros.

El histograma de frecuencias (figura 12.13) detalla cómo se ha distribuido el VAR diario en función de su magnitud en el período 2010-2012. Se observa que en un 91,5% de los días el VAR diario se ha situado entre 12,5 y 28,5 millones de euros. Los valores mayores de 28,5 millones de euros no supusieron más de un 7,2% de los días, y fueron motivados principalmente por incrementos puntuales de volatilidad en el real brasileño y por la crisis soberana en la Zona Euro.

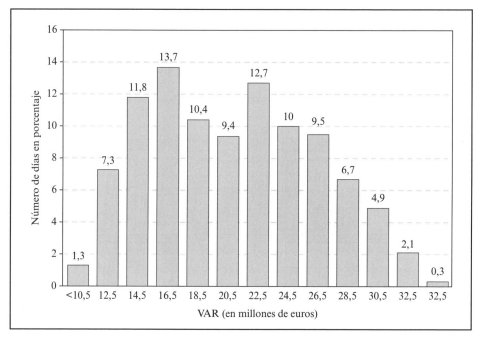

FUENTE: informe anual 2012 del Banco Santander.

Figura 12.13. El histograma del riesgo VAR.

La gran ventaja de esta herramienta es que expresa las pérdidas potenciales de todos los mercados mediante un común denominador, permitiendo, por ejemplo, comparar el riesgo del mercado de divisas frente al riesgo de los tipos de interés. Para el Banco Santander, el riesgo de tipo de interés en 2012 fue el factor de riesgo con potencial mayor impacto en su cartera de negociación (véase tabla 12.5).

La característica más importante de esta técnica es que tiene en cuenta tanto la tendencia a la variación en cuantía de los factores de riesgo, es decir, su volatilidad, como la tendencia a que esos factores se compensen o se refuercen entre sí, es decir, su correlación.

TABLA 12.5

Estadísticas de VAR por factor de riesgo (valores en millones de euros)

VAR por factor de riesgo	2012	2011	2010
VAR total medio	14,9	22,4	28,7
Efecto diversificación	−15,2	−21,8	−29,1
VAR tipo de interés	11,8	14,8	16,4
VAR renta variable	7	4,8	8
VAR tipo de cambio	5	9	11,4
VAR *spread* de crédito	6,1	15	20,9
VAR *commodities*	0,4	0,6	1,3

FUENTE: informe anual 2012 del Banco Santander.

Con la ayuda de esta herramienta, cualquier entidad puede calcular cuál será el máximo cambio desfavorable en el valor de su cartera que podría darse en determinado período de tiempo y con un nivel de confianza adecuado, o sea, conocer el valor económico arriesgado como consecuencia de los movimientos en los precios de los factores de riesgo (volatilidad).

La preocupación por comprobar la calidad de las estimaciones de riesgo aconseja que las entidades realicen ejercicios de *backtesting,* consistentes en la comparación de las pérdidas y ganancias teóricas que se habrían producido diariamente bajo la suposición de que las posiciones se mantuviesen inalteradas, es decir, en ausencia de operativa diaria, con las estimaciones que genera el modelo de riesgos. En este sentido, el Banco Santander compara regularmente las mediciones de VAR pronosticadas, dados un determinado nivel de confianza y un horizonte temporal, con los resultados reales de pérdidas obtenidas durante un horizonte temporal igual al establecido (véase figura 12.14).

A pesar de su utilidad como instrumento de gestión, el VAR presenta algunas limitaciones. Una de ellas es que, en la medida en que se basa en volatilidades históricas, no capta las situaciones extremas y, por consiguiente, no sirve para estimar las pérdidas en la situación más desfavorable.

Normalmente, las unidades de mercado, que por su naturaleza son las más sensibles a este tipo de riesgo, complementan la técnica del «VAR» con el estudio de situaciones críticas de movimientos de los mercados y de su impacto en las posiciones de negocio, *stress testing*. Estas pruebas permiten estimar la repercusión puntual en las posiciones de la entidad de posibles escenarios de excepcional volatilidad. Estos escenarios se obtienen tanto por mecanismos de generación aleatoria como teniendo en cuenta situaciones históricas de crisis en cada uno de los mercados. En otras palabras, miden la sensibilidad de la exposición del banco a variaciones extremas. A título de

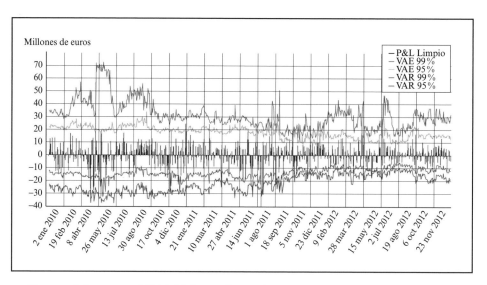

FUENTE: informe anual 2012 del Banco Santander.

Figura 12.14. *Backtesting* de carteras de negociación: resultados diarios *versus* valor en riesgo (VAR) día anterior.

ejemplo, el Banco Santander eligió los siguientes escenarios: crisis abrupta marcada por movimientos muy bruscos en los mercados, crisis 11-S, crisis *subprime* y crisis soberana.

Generalmente, en la práctica, los órganos de gobierno de las entidades fijan límites para el riesgo de mercado y realizan un control diario. Paralelamente, suelen existir señales de alerta (*stop-loss,* pérdidas acumuladas e incrementos desproporcionados de las volatilidades, entre otras) que completan las herramientas de control del riesgo.

12.6. CONCLUSIONES

Todo buen banquero sabe que la clave de su negocio está en la obtención de una adecuada rentabilidad y en la gestión de los riesgos en sus distintas vertientes (crédito, liquidez, mercado, solvencia, reputacional y operacional, entre otros). Este nuevo enfoque ha desplazado el objetivo último del negocio bancario hacia la rentabilidad ajustada al riesgo, y preconiza un conjunto de principios básicos:

1. La gestión del riesgo tiene que ser un objetivo estratégico.
2. Por su importancia y transcendencia, debe ser gestionado al más alto nivel.
3. La función de riesgos debe ser independiente de las áreas de negocio.

4. La actitud para gestionar los riesgos es estar preparado para lo peor.

5. Disponer de medios tecnológicos de ayuda.

6. Tener un buen conocimiento de los negocios y un adecuado nivel de control interno.

En los últimos años, y a medida que la función de riesgos se hace más importante, la Auditoría Interna viene reclamando un mayor protagonismo en la gestión de los riesgos. Además de vigilar el estricto cumplimiento de las políticas y procedimientos establecidos en la gestión de los riesgos, se ocupa de garantizar la veracidad e integridad de los datos utilizados en la elaboración de la información financiera.

Hoy en día, la Alta Dirección de las entidades confía cada vez más en que una adecuada y eficaz función de riesgos contribuye a: preservar la solvencia, desarrollar y ejecutar una política de riesgos alineada con los objetivos estratégicos de la entidad y contribuir a que las decisiones a cualquier nivel estén orientadas a la creación de valor para el accionista.

CONCEPTOS CLAVE

- Dudoso.
- Duración.
- *Gap*.
- Morosidad.
- Prima de riesgo.
- *Rating*.
- Sensibilidad activa.
- Sensibilidad pasiva.
- VAR, *value at risk*.

BIBLIOGRAFÍA

Anónimo (2009). «Otros asuntos: el sistema de provisiones español constituye un ejemplo», Informe de Estabilidad Financiera, n.º 5, mayo, p. 45.

Bliss, R. y Kaufman, G. (2003). «Bank procyclicality, credit crunches, and asymmetric monetary policy effects: a unifying model», Federal Reserve Bank of Chicago: Working Paper, august.

Fernández de Lis, S., Pagés, J. y Saurima, J. «Credit growth, problem loans and credit risk provisioning in Spain», Banco de España, Documento de Trabajo n.º 0018.

Informe anual 2009, Banco Popular.

Informe anual 2012, Banco Santander.

Jiménez, C. y Saurina. J. (2006). «Ciclo crediticio, riesgo de crédito y regulación prudencial», Banco de España, *Revista de Estabilidad Financiera*, n.º 10.

Koch, T. y MacDonald, S. (2000). *Bank management,* Dryden Press, Fort Worth.

Robles, J. F., Anciano, C. y López, I. «Inversiones crediticias y análisis de riesgos en la banca», *Cuadernos Cinco Días,* n.º 2, ITSP y BBV, pp. 39-64.

Saunders, A. (1994). *Financial Institutions Management-a Modern Perspective,* pp. 84-192, Irwin, Homewood Illinois.

Saurina, J. (2009). «Loan loss provisions in Spain: a working macroprudential tool», Banco de España, *Revista de Estabilidad Financiera,* n.º 17, pp. 11-28.

Serrano, J. (2009). «Utilización de los sistemas IRB para el cálculo de provisiones anticíclicas», Banco de España, *Revista de Estabilidad Financiera,* n.º 17, pp. 29-43.

TÍTULOS RELACIONADOS

www.edicionespiramide.es